D0901224

DANS LA COLLECTION
NUITS NOIRES

David Baldacci
La Simple Vérité, 1999

Daniel Easterman
Le Jugement final, 1998
K, 1999

Dick Francis
Jusqu'au cou, 1999

James Grippando
Une affaire d'enlèvement, 1998

John Lescroart
Faute de preuves, 1998
Meurtre par pitié, 1999

Matthew Lynn
L'Ombre d'un soupçon, 1998

Doug Richardson
Le Candidat de l'ombre, 1998

John Sandford
La Proie de l'esprit, 1998

Don Winslow
Mort et vie de Bobby Z, 1998

LA PROIE DE L'INSTANT

DU MÊME AUTEUR
AUX ÉDITIONS BELFOND

Le Jeu du chien-loup, 1993
Une proie en hiver, 1994
La Proie de l'ombre, 1995
La Proie de la nuit, 1996
La Proie de l'esprit, 1998

JOHN SANDFORD

LA PROIE DE L'INSTANT

Traduit de l'américain
par Marie-Caroline Aubert

belfond
12, avenue d'Italie
75013 Paris

Titre original :
SUDDEN PREY
publié par G.P. Putnam's Sons,
New York.

Si vous souhaitez recevoir notre catalogue
et être tenu au courant de nos publications,
envoyez vos nom et adresse, en citant ce livre,
aux Éditions Belfond,
12, avenue d'Italie, 75013 Paris.
Et, pour le Canada, à
Édipresse Inc., 945, avenue Beaumont,
Montréal, Québec, H3N 1W3.

ISBN 2.7144.3498.3
© John Sandford 1996. Tous droits réservés.
© Belfond 1999 pour la traduction française.

1

Dans les haut-parleurs au-dessus de sa tête, de suaves voix enfantines chantaient : « *Ô sainte nuit, les étoiles brillent dans les cieux, Notre Seigneur est né cette nuit...* »

L'homme qui aurait pu tuer Candy LaChaise attendait dans le froid en la surveillant de l'autre côté des portes vitrées. Parfois, il ne voyait que le haut de son crâne, parfois encore moins, mais il ne la perdait jamais de vue.

Ne se sachant pas surveillée, Candy musardait dans le rayon lingerie, évoluant sans se presser entre les présentoirs. Les sous-vêtements l'intéressaient pas particulièrement : son attention se concentrait sur le fond du magasin où se trouvait le rayon électroménager. Elle s'arrêta, sélectionna un bustier noir, le tendit à bout de bras en inclinant la tête, comme font les femmes. Puis elle le remit en place et se tourna vers les portes.

L'homme qui aurait pu la tuer recula d'un pas pour éviter de se faire repérer.

Un minibus s'arrêta en bordure de trottoir. Une femme trapue en parka orange sauta à terre et fit coulisser la porte latérale. Une avalanche de petits enfants se déversa sur le trottoir comme une couvée de canetons. Ils étaient tous blonds, des deux sexes, d'âges échelonnés entre quatre et neuf ans. Le minibus partit à la recherche d'une place de parking pendant que la femme cornaquait son troupeau vers les portes.

L'homme sortit une bouteille de sa poche, glissa la langue dans le goulot et fit mine d'avaler une gorgée ou deux. La femme passa devant lui en protégeant sa couvée de son corps et disparut à l'intérieur du magasin. C'est ce qu'il voulait. Il rangea la bouteille et regarda à travers les portes vitrées.

Elle était toujours au rayon lingerie. Il balaya des yeux les alentours et maudit la saison : les décorations de Noël, les amoncellements de neige sale et durcie le long des rues, le vent qui transperçait ses gants de laine. Il avait un visage allongé, pas rasé, la peau tendue comme du parchemin sur un tambourin. La nicotine avait donné à ses dents une teinte de vieil ivoire. Il alluma une Camel, ses mains tremblaient de froid quand il porta la cigarette à ses lèvres. Il rejeta la fumée, que le vent emporta aussitôt en même temps que son haleine, et il eut la sensation d'avoir encore plus froid.

C'était un baryton mielleux, un homme qui n'arriverait jamais à la cheville de Bing Crosby : « *Ne désespérez jamai-ais, Rappelez-vous que le Christ notre Sauveu-eur est né le jour de Noël...* »

Il pensa : « Bon Dieu, si au moins je pouvais arrêter cette musique... »

De son poste d'observation, il apercevait la flèche dorée qui surmonte le Capitole. Sous le ciel couvert de décembre, elle ressemblait à un méchant bout de cuivre. Saloperie de Minnesota. Il porta la bouteille à sa bouche et, cette fois, laissa un filet de vin descendre dans sa gorge. Le goût âpre du raisin lui mordit la langue, mais l'alcool ne le réchauffa pas.

Bon Dieu, qu'est-ce qu'elle foutait donc ?

Elle arpenta Sears Brand Central de long en large en prenant son temps, examina les réfrigérateurs sans rien acheter. Ensuite, elle se dirigea d'un pas tranquille vers le rayon de vêtements féminins, où elle regarda les chemisiers. Après quoi, elle retraversa Brand Central, en s'attardant sur les téléphones portables.

Puis elle se dirigea vers la sortie. Il se trouvait à l'intérieur à ce moment-là, et faillit se faire piéger sur le stand des téléviseurs. Il fonça vers les portes, les franchit en trombe, reçut le vent de plein fouet – mais elle avait obliqué vers le rayon lingerie. L'aurait-elle repéré ? En tout cas, un vendeur de téléviseurs, alerté par sa veste dépenaillée et ses chaussures pourries, s'était posté près des écrans géants Toshiba et le surveillait comme un épervier. Peut-être avait-elle...

Là. Elle était sur le point de partir.

Lorsque Candy sortit de chez Sears, il ne lui accorda pas un regard. Il la vit, mais ne tourna pas la tête d'un millimètre. Il resta adossé au mur extérieur en se balançant sur les talons, marmonna quelque chose à l'intention de sa parka et s'offrit une autre gorgée de Mogen David.

Candy ne le vit pas vraiment, du moins à ce moment-là. Elle était à moitié tournée vers lui quand elle quitta le magasin, et son regard glissa sur lui comme si c'était une poubelle ou un extincteur. Elle se dirigea d'un pas rythmé vers l'aire de stationnement, sans hâte, mais sans traîner non plus. Elle avait la démarche sportive et assurée des femmes dynamiques. C'était une jolie blonde naturelle, avec comme un air de majorette des années 30, un visage rond et le teint clair des filles du Wisconsin.

Elle parcourut la moitié du parking avant de repérer la camionnette Chevrolet et de bifurquer vers elle.

L'homme qui aurait pu la tuer, toujours posté près de l'entrée, articula : « Elle vient de dépasser sa voiture. »

Un homme qui avait l'air d'un député républicain, avec son manteau de cachemire de chez Brooks Brothers, surprit ces paroles et entra vite fait dans le magasin. Inutile de perdre son temps avec un paumé des rues : on en voyait partout, qui marmottaient dans leurs parkas souillées de vin.

« Je crois qu'elle se dirige vers la camionnette, mec. »

Candy aimait la musique country et les chemises aux poches ornées de coins fléchés. Elle aimait danser en farandole et boire du Grain Belt. Elle aimait les restaurants de routiers, les camionnettes pick-up, les bottes de cow-boy, les petits enfants aux yeux bleus et les armes à feu. En arrivant à hauteur de la Chevrolet, elle sortit un gros trousseau, et essaya les clés une à une dans la serrure. La douzième fut la bonne, et elle ouvrit la porte.

La camionnette Chevrolet appartenait à un vendeur de lave-vaisselle de chez Sears, un type un peu dépenaillé répondant au prénom de Larry. La dernière fois qu'elle l'avait vu, il était debout à côté d'une machine Kenmore à sept cents dollars équipée d'un réducteur de décibels et d'un contrôle automatique de température, occupé à consolider sur son revers le badge indiquant son nom. Aujourd'hui, il était arrivé avec une dizaine de minutes de retard, assez pour qu'elle se soit inquiétée en faisant mine de s'intéresser aux chemisiers et sous-vêtements. Et si la camionnette était tombée en panne ? Voilà qui poserait un réel problème...

Mais non, il était là, le souffle court et le visage rosi par le froid, appuyé à sa Kenmore. Larry était un gars bien-pensant, elle le savait, et elle n'était pas sensible à ce genre de type. Elle savait qu'il était bien-pensant parce qu'il y avait un autocollant à l'arrière de son véhicule, qui disait, en grosses lettres : CONTRE L'AVORTEMENT ? Et, en dessous, en lettres plus petites : *Dans ce cas, n'avortez pas.* L'avortement n'était vraiment pas un sujet pour faire de l'humour sur les pare-chocs.

L'homme qui aurait pu la tuer murmura dans sa parka : « Elle est montée dans la camionnette, elle démarre. »

La voix qui lui répondit n'était pas celle de Dieu : « Je l'ai. »

Ce qu'il y a de bien, avec les parkas, c'est que personne ne peut voir les fils, les micros et les écouteurs. « Elle va le faire », dit Del en reposant la bouteille de Mogen David avec précaution. Pas la peine d'en renverser. Il n'en aurait plus besoin, mais ça pouvait rendre service à quelqu'un.

« Franklin dit que LaChaise et Cale viennent d'entrer chez le marchand de pizzas qui se trouve derrière la rampe du parking, annonça la voix dans son oreille. Ils sont sortis par un trou dans la haie.

— Ils repèrent une dernière fois les lieux. C'est là qu'ils vont abandonner la camionnette, dit Del. Il faut que Davenport se mette en route, maintenant.

— Franklin l'a appelé. Il est déjà parti. Sloan et Sherrill sont avec lui.

— Parfait », commenta Del, laconique. *Non, pas parfait*, pensa-t-il. Sherrill avait morflé une balle à peine quatre mois plus tôt. Le projectile lui avait niqué une artère et elle avait perdu des litres de sang avant d'être conduite à l'hôpital. Del lui avait compressé si fort l'artère que Sherrill, plus tard, en avait fait un sujet de plaisanterie : tout allait très bien, à part le gros bleu qu'elle avait à la jambe, là où Del l'avait pincée.

À son avis, faire participer Sherrill à cette phase de l'action si tôt après l'incident risquait d'être trop lourd pour elle. Il y avait des jours où Davenport avait autant de sens commun qu'une... Une quoi, au fait ? Une truite, peut-être.

« La voilà », dit la voix dans son oreille.

La camionnette du vendeur de lave-vaisselle empestait le cigare. Candy fronça le nez, tout en sachant qu'elle n'aurait pas à supporter longtemps cette odeur. Elle sortit la camionnette du parking en douceur et vérifia le niveau d'essence : réservoir à moitié plein, plus qu'il ne lui en fallait.

Elle remonta lentement la rue jusqu'à Dale, longea l'avenue et prit la I-94 en direction de Minneapolis. Georgie et Duane devaient l'attendre devant Ham's Pizza.

Elle jeta un coup d'œil à l'indicateur de vitesse : à peine au-dessus de quatre-vingt-cinq à l'heure. Parfait. La plupart des délinquants roulent trop vite. Dick affirmait qu'ils se foutaient complètement des règlements de circulation et autres broutilles, et qu'après avoir braqué une banque sans problème ils se faisaient choper une fois sur deux parce qu'ils roulaient à cent alors que la vitesse était limitée à quatre-vingt-dix. Ce n'était pas elle qui allait commettre cette erreur-là.

Elle essaya de se détendre, vérifia les rétroviseurs. Rien de suspect. Elle sortit le P7 de la poche de sa veste, fit glisser le chargeur, engagea la cartouche du dessus avec son pouce. À la pression, elle pouvait dire que le chargeur était plein.

Dick se moquait toujours des munitions de neuf millimètres, mais elle refusait de les abandonner. Elle avait son arme bien en main et le recul était facile à contrôler. Le P7 contenait treize balles. Elle était capable d'en mettre neuf ou dix sur treize dans un couvercle de boîte de soupe Campbell à vingt-cinq pas, et cela en moins de sept secondes. Il lui était même arrivé deux ou trois fois de mettre les treize.

Elle tirait bien. Évidemment, les couvercles de soupes Campbell ne bougeaient pas. Mais les deux occasions où elle avait tiré pour de vrai, elle n'avait pas été plus émue que lorsqu'elle faisait des cartons sur des boîtes de soupe devant la grosse moto de Dick. On ne vise pas spécialement, il suffit de garder les deux yeux ouverts, de fixer le cran de mire, aux aguets, et durant la fraction de seconde où la mire rencontre une poche de chemise, un bouton ou un autre détail bien précis, le doigt s'autorise un dernier millimètre et...

11

Pan, pan, pan.

Rien que d'y penser, cela la réchauffa.

Danny Kupicek avait de longs cheveux bruns – c'est sa femme qui les lui coupait à la maison – qui retombaient en frange sur ses yeux et ses grosses lunettes, lui donnant l'air ahuri d'un vendeur de chaussures. Ça lui était très utile quand il avait affaire aux drogués. Les drogués avaient peur des gens trop chics. Ils faisaient confiance aux vendeurs de chaussures, aux agents d'assurances et aux types qui portent des casquettes McDo. Danny avait l'air de tout ça à la fois. Il arrêta la Dodge le long du trottoir pour laisser monter Del et repartit aussitôt en suivant la camionnette Chevy qui les précédait de trois cents mètres. Del posa les mains sur le ventilateur.

« Il faut que je me trouve une autre personnalité pour l'hiver, dit-il. Quelqu'un qui aurait un pardessus chaud.

— Un député », traduisit Kupicek. En restant planqué dans la voiture devant le Capitole, à surveiller celle de Candy, il avait eu l'occasion d'observer les allées et venues des politiciens et d'apprécier leur aspect prospère.

« Non, répondit Del en secouant la tête. Je veux avoir l'air d'un honnête homme.

— En tout cas, il faut te couvrir la tête. » Kupicek portait un pantalon d'épais velours côtelé, un chandail sur une chemise à col boutonné, une casquette en laine et une parka ouverte. « Cinquante pour cent de la déperdition de chaleur se fait par la tête.

— La capuche sert à quoi, à ton avis ? demanda Del en désignant son épaule.

— Pas assez serrée », déclara Kupicek en homme qui connaissait son affaire. Il y avait neuf voitures entre Candy et eux quand ils s'engagèrent sur la I-94. Il roulait sur la voie réservée aux véhicules lents, à deux files d'elle sur la droite. « Tu devrais porter une cagoule de ski en dessous.

— Tu peux te les garder, tes cagoules. Ce dont j'ai besoin, c'est une affectation dans un bureau, voilà ! Je vais peut-être demander une mutation. »

Kupicek le considéra, avec ses dents jaunies et sa barbe de deux jours.

« Tu n'es pas de cette race-là. Moi, si. Sherrill aussi. Même Franklin. Mais toi, non, lui dit-il avec franchise.

« — Va te faire foutre, toi, ta femme et tous vos mioches », rétorqua Del. Il saisit le portable de Kupicek. « Lucas, tu es là ? »

Davenport répondit dans la seconde. « On est en train de se positionner sur le parking Swann. Où est-elle ?

— Elle passe devant Lexington à l'instant, répondit Del.

— Ne la perdez pas de vue. Quand elle prendra la sortie 280, prévenez-moi dès qu'elle arrive en haut de la bretelle.

— D'accord. »

Kupicek observait la camionnette devant eux. « En tout cas, elle sait se contrôler. Je ne crois pas qu'on ait dépassé le quatre-vingt-dix depuis qu'on a pris cette route.

— C'est une pro, confirma Del.

— À sa place, je serais tellement énervé que je me paierais du cent quarante. Remarque, peut-être qu'ils ne vont pas le faire.

— Bien sûr que si », affirma Del. Il le sentait. Ils allaient le faire.

Georgie LaChaise était une brune dont les yeux bleus disparaissaient derrière des sourcils trop longs et trop fournis. Elle avait un nez retroussé et charnu, avec des lèvres pulpeuses aux commissures affaissées. Elle fixa le regard de Duane Cale de l'autre côté de la table et lança : « Duane, espèce d'enfoiré, si tu te casses avec la tire, je te retrouverai, et je te logerai une putain de balle dans le dos. Compte là-dessus. »

Duane se pencha au-dessus de la table en Formica jaune, tenant à deux mains un gobelet géant de Coca-Cola. Il avait un visage informe, des cheveux d'une couleur indéfinissable. Un témoin l'aurait qualifié de blond, mais un autre aurait pu jurer qu'il était brun. L'un aurait dit qu'il avait les joues rondes, l'autre qu'il avait un profil de renard. Il donnait l'impression de se modifier sous vos yeux. Il portait un gilet de camouflage de l'armée, col relevé, un jean, des bottes et une casquette de base-ball à la gloire des Saints.

« Oh, je vais vous suivre. Mais c'est juste que, cette fois-ci, je ne sens pas le coup. Je ne le sens pas, tout simplement. Je veux dire que l'autre fois, à Rice Lake, là, j'étais bien.

— Tu as été parfait, à Rice Lake, dit Georgie, tout en pensant : *Tu avais une telle trouille que j'ai cru qu'on allait devoir te porter pour sortir de là.* Aujourd'hui, tout ce qu'on te demande, c'est de conduire.

— Là, tu vois ? s'écria Duane en posant avec force son gobelet sur la table. Tu l'as dit toi-même : j'ai été parfait. Mais aujourd'hui, ça ne m'a pas l'air parfait. Non, chef. Si tu me le demandes, je le ferai, mais… »

Georgie le coupa avec brusquerie : « Je te le demande. » Elle consulta sa montre. « Candy va arriver d'une minute à l'autre. Alors tu extrais ton cul de là, tu vas t'asseoir derrière le volant et tout marchera comme sur des roulettes. Tu sais ce que tu dois faire. Tu n'as que deux blocs à rouler. Tu vas être parfait.

— Bon, d'accord. » Sa pomme d'Adam tressaillit. Duane Cale était trop effrayé pour oser cracher et le Coca-Cola ne lui fut d'aucun secours.

Lucas Davenport se débarrassa de son pardessus et de son chandail Icelandic gris. Sloan lui tendit le gilet pare-balles. Il l'enfila, ajusta les attaches en Velcro, impeccable. Idéal sauf si on se chopait une balle sous le bras : elle vous traverserait le cœur et les deux poumons avant de ressortir par l'autre aisselle. Ne jamais se présenter de profil.

« Putain de froid », commenta Sloan. C'était un homme efflanqué, à la silhouette fuyante, coiffé en cette occasion d'une toque en lapin. « On se croirait dans cette foutue Russie, dans cette saloperie d'Union soviétique.

— Y a plus d'Union soviétique », dit Lucas.

Garés sur le parking d'un drugstore, Lucas, Sloan et Sherrill étaient sortis de la voiture où régnait une relative chaleur pour passer leurs gilets pare-balles. Un quidam qui traînait dans le coin les regarda pendant que son chien, vêtu d'un manteau bleu, reniflait le trottoir gelé.

« Je sais, répondit Sloan. Elle s'est installée ici. »

Lucas enfila son pull au-dessus du gilet, puis son pardessus. Il était grand, très brun, avec des yeux bleu glacier. Une cicatrice traversait un de ses sourcils et allait se perdre dans sa joue, ligne blanche qui lui barrait le visage comme une égratignure. Quand sa tête émergea de l'encolure du chandail, il sourit à Sloan, son vieux copain : « Qui est-ce qui voulait former une équipe de ski dans le service ?

— Hé, il va falloir que tu fasses quelque chose au milieu de… »

La radio les interrompit.

« Lucas ? »

Il prit le récepteur.

« Oui ?

— Sur la bretelle 280, annonça Del.

— Reçu. Tu as entendu, Franklin ? »

La voix de Franklin lui parvint, transie. « Reçu. Je vois LaChaise et Cale, ils sont toujours assis au même endroit. On dirait qu'ils se disputent.

— Continue à te déplacer, dit Lucas.

— Je n'arrête pas. Il fait un tel putain de froid que j'ai peur d'arrêter.

— Sur University Avenue, annonça Del.

— On ferait mieux d'y aller », intervint Sherrill. Son visage encadré de cheveux frisés noirs était rose de froid. Elle portait un blouson de cuir noir, un jean collant et des chaussures de sport, et des gants en fourrure synthétique blanche qu'elle avait achetés en solde sur un catalogue de fournitures pour la police. C'était un modèle qu'une lycéenne aurait pu porter, à ceci près qu'ils étaient, comme les gants de chasse, fendus à hauteur de l'index, le doigt qui appuie sur la détente. « Elle va venir les chercher.

— Juste », acquiesça Lucas en hochant la tête, et ils remontèrent dans la voiture banalisée, Sloan au volant, Sherrill à côté de lui et Lucas allongé derrière.

« La voilà ! lança Franklin dans la radio.

— Vérifie ton arme », demanda Lucas à Sherrill. Il n'était pas très sûr d'elle, se demandait comment elle allait réagir. Il voulait voir. Il sortit son propre 45 de la poche de son manteau, fit glisser le chargeur, éjecta la cartouche de la chambre et entreprit, rituellement, de recharger. Sur le siège avant, Sherrill faisait tourner le barillet de son 357.

Tandis que Sloan effectuait un demi-tour en douceur pour remonter les trois blocs les séparant de la Midland Steel Federal Credit Union, Lucas observa la rue par la fenêtre et vit le monde alentour se modifier.

Ce changement intervenait toujours avant l'action, c'était une appréciation soudain aiguisée de l'image et de la texture des choses, de l'odeur des corps, du goudron des cigarettes et du Juicy Fruit, de la graisse des armes à feu et du cuir humide. Si notre esprit pouvait fonctionner en permanence de cette façon-là, songea-t-il, s'il fonctionnait toujours à ce niveau de conscience aiguë, on serait un génie. Ou alors, un fou. Ou les deux.

Une idée qui l'avait effleuré plus tôt dans la journée lui revint. Il prit son portable et appela le standard.

« On a besoin de deux voitures de patrouille sur University. Nous

15

suivons une camionnette Chevy volée et il faut que des agents en tenue l'arrêtent dès que possible. »

Il communiqua le numéro de la plaque d'immatriculation, que la standardiste répéta. « Nous avons un véhicule disponible sur Riverside, dit-elle. On vous l'envoie. »

Candy arrêta la camionnette devant Ham's Pizza. Georgie et Duane attendaient. Elle se pencha pour ouvrir la porte arrière à Georgie pendant que Duane s'installait devant.

« Ça baigne ? lui demanda celui-ci.

— Super, Duane », répondit-elle avec un sourire triomphant.

Duane avait envie d'elle, à sa manière. Ils étaient allés à l'école ensemble, du primaire au lycée. Ils avaient escaladé des portiques tous les deux – Candy avec agilité, Duane un peu moins. Elle lui avait même laissé entrevoir ses seins une ou deux fois, dont une au bord de la rivière, quand Dick et elle se baignaient à poil – Dick ne l'avait pas vu approcher mais elle, si. Elle était la petite amie de Dick, d'accord, mais ça ne l'empêchait pas de s'attacher des loyautés parallèles susceptibles de servir un jour ou l'autre.

« Roule », ordonna Georgie. Puis, s'adressant à Candy : « Parée ?

— Parée.

— Ce coup-ci devrait être bon, poursuivit Georgie.

— Il devrait être formidable », renchérit Candy. Dix heures du matin un jour de paie. Les chèques étaient distribués à onze heures. Les premiers employés fonceraient pour aller les toucher dès onze heures une. Soit une heure trop tard.

« Tiens, encore ce black », remarqua Duane sans y prêter plus d'attention que ça.

Un immense Noir était entré chez Ham avant l'arrivée de Candy, avait commandé une part de pizza et demandé s'il pouvait payer en bons d'alimentation. S'entendant répondre que c'était impossible, il avait de mauvaise grâce sorti de sa poche deux billets froissés de un dollar et les avait poussés sur la surface du comptoir.

« Des bons d'alimentation ! s'exclama Georgie d'un air dégoûté. Encore un de ces minus. Non, mais regarde-le parler tout seul ! »

Franklin, longeant le trottoir d'un pas traînant, articula : « Un pâté de maisons, quinze secondes. »

16

« Nous y voilà », annonça Duane d'une voix qui tremblait un tout petit peu. Georgie et Candy détournèrent leur attention du Noir et regardèrent le bâtiment jaune qui se dressait un peu plus loin, avec son enseigne en plastique et son petit porche d'entrée.

« N'oublie pas ce que j'ai dit, Duane. Nous allons rester une minute à l'intérieur », annonça Georgie. Elle se pencha en avant et lui susurra quelques mots à l'oreille. Comme Duane essayait de détourner la tête, elle la ramena vers elle en lui pinçant le lobe de l'oreille. Duane tressaillit et Georgie précisa : « Si tu te casses avant, l'une de nous te pourchassera et te fera la peau. Si tu files avec cette voiture, Duane, tu es mort. N'est-ce pas, Candy ?

— Absolument », confirma Candy en le regardant. Elle lui décocha un sourire menaçant, puis reprit son expression Mon-Dieu-comme-j'aimerais-qu'on-baise-mais-je-dois-rester-fidèle-à-Dick. « Mais il ne filera pas. Duane est impec. » Et elle lui tapota la cuisse.

« Oh, je vais y arriver, dit Duane, l'air d'un rat pris au piège. J'y arriverai. Je l'ai fait à Rice Lake, n'est-ce-pas ? »

Il gara la camionnette le long du trottoir et Georgie lui lança un dernier coup d'œil. Puis les deux filles se couvrirent le visage d'un bas en nylon et sortirent leurs armes.

« Allons-y », lança Georgie. Elle sortit du véhicule, suivie de Candy. L'espace d'une seconde, elle eut l'impression que Candy avait l'air radieuse.

« J'ai assez envie d'en descendre un », lui dit Candy tandis qu'elles gravissaient les quatre marches menant à l'entrée de la Credit Union.

Franklin avait parcouru la moitié du pâté de maisons quand elles entrèrent. Il annonça : « Les deux femmes sont à l'intérieur. Des bas en nylon sur le visage. La camionnette roule. Elle descend la rue. »

Cinq secondes plus tard, Del et Kupicek s'arrêtèrent au coin et tendirent le cou pour apercevoir l'arrière de la Chevy et du crâne de Cale. Une quarantaine de mètres les séparait.

Sloan s'arrêta au coin de rue suivant et se pencha pour voir l'avant de la Chevy. « Tu es prêt ? demanda Lucas en entrouvrant la porte arrière.

— Ouais », acquiesça Sloan en bâillant, l'air presque endormi. Atmosphère tendue.

« Allons-y, alors. » Et à l'intention de sa radio, il répéta : « Allons-y. »

Georgie et Candy firent une entrée fracassante et brutale : en criant, visage masqué, l'arme au poing. Georgie commença par hurler :

« Contre le mur ! Tout le monde contre le mur ! » Derrière elle, Candy sauta sur le comptoir du caissier, hurlant elle aussi, braquant l'arme qui paraissait énorme dans sa main, le canon balayant la pièce à la recherche d'un regard. « Contre le mur... »

Quatre employées et un unique client, un homme en anorak noir avec des lunettes aux verres teintés, se trouvaient à l'intérieur de la banque. La femme la plus proche de Candy ressemblait à une carpe, à force d'ouvrir et de fermer la bouche, agitant ses mains en l'air comme si elle pouvait dévier une balle. Elle portait un chandail rose avec des bouquets de phlox bleus brodés à la main en travers de la poitrine. Une autre femme se recroquevilla en se détournant, les regarda par-dessus son épaule et recula jusqu'au mur du fond, près d'un classeur. Une troisième, la caissière, fit un bond en arrière, poussa un jappement, se couvrit la bouche des mains, recula encore, fit tomber un téléphone d'une table, sursauta de nouveau avant de s'immobiliser. La quatrième recula simplement, les mains à hauteur des épaules.

Georgie parla comme on tire des coups de feu, une mitraillette vocale : « Doucement, doucement, tout le monde se calme. Tout le monde se tait, silence, silence. Pas un mot, pas un geste... C'est un hold-up, taisez-vous. »

Elles étaient à l'intérieur depuis dix secondes. Candy sauta de l'autre côté du comptoir, sortit une taie d'oreiller de sa ceinture et ouvrit les tiroirs de la caisse un à un.

« Pas assez, cria-t-elle pour couvrir les incantations de Georgie. C'est pas assez, il doit y en avoir plus ailleurs. »

Georgie choisit la mieux habillée des femmes, celle aux bouquets de phlox, pointa l'index sur elle et cria : « Où est l'argent ? Où est le reste ?

— No-on », balbutia la femme.

Georgie choisit son pistolet vers le type en anorak : « Si vous ne parlez pas, dans une seconde je lui fais sauter sa putain de tête, sa putain de tête. »

Georgie avait adopté la position des flics de la télé, tenant l'arme à deux mains sans trembler, pointée droit sur la tête du type à l'anorak. Miss bouquets de phlox regarda autour d'elle si quelqu'un pouvait la

18

secourir mais il n'y avait personne. Elle s'affaissa et lâcha : « Il y a un coffret dans le bureau. »

Candy l'empoigna sans ménagements et la poussa vers le réduit qui se trouvait au fond de la salle. La femme trottina et désigna un coffret posé par terre, au pied de la table. Candy la repoussa vers la porte, prit le coffret, le posa sur la table et souleva le couvercle : des liasses de billets en coupures de dix, vingt, cinquante et cent.

« Je l'ai, cria-t-elle en déversant le contenu dans la taie d'oreiller.

— Filons, lui répondit Georgie sur le même ton. Filons ! »

Candy noua l'extrémité de la taie et la jeta comme un baluchon de père Noël sur son épaule, franchit le comptoir et fonça vers la porte. L'homme en anorak avait reculé vers un mur, près d'une de ces tablettes réservées aux écritures des clients, les mains sur la tête, un sourire complaisant aux lèvres, ses yeux pareils à des taches blanches affolées derrière les lunettes à verres teintés.

« Qu'est-ce qu'il y a de drôle ? lui cria Candy. Ça vous fait rire, peut-être ? »

Le sourire du type s'élargit tandis qu'il agitait les doigts : « Non, non, je ne riais pas.

— Va te faire foutre ! » rugit-elle en lui tirant une balle dans la tête.

Dans la petite salle, la détonation retentit comme une bombe. Les quatre femmes poussèrent un hurlement et se jetèrent par terre. L'homme s'effondra tout simplement, aspergeant de sang le mur marron derrière lui. Georgie pivota et répéta : « Filons. »

Trois secondes plus tard, elles étaient dehors…

« Vas-y », fit Del, et Kupicek appuya sur l'accélérateur.

Sloan arriva devant. Duane le vit approcher sans avoir le temps de réagir. La voiture fit une embardée et freina en couinant à dix centimètres du pare-chocs avant de la camionnette Chevy, la coinçant en épi contre le trottoir. Dans son rétroviseur, il eut la vision fugitive d'une autre voiture qui le coinçait pareillement à l'arrière. Une demi-seconde plus tard, la portière droite s'ouvrit brutalement et le grand Noir de la pizzeria se matérialisa devant lui, appuyant un canon de pistolet sur l'arête de son nez.

« Ne t'avise pas de te gratter, dit Franklin de sa belle voix qui n'avait plus rien de plaisant. Reste assis sans faire un geste. » Franklin tendit la main pour mettre le levier automatique de vitesses en position arrêt, coupa le moteur, arracha la clé de contact et la lança par terre : « Reste assis. »

Soudain, il y eut plein d'autres types à droite de la voiture. Mais Duane, bien qu'intéressé par le canon de l'arme de Franklin, tourna la tête pour regarder la porte de la banque.

Il avait entendu un coup de feu. Le son était étouffé, mais il n'y avait aucun doute.

« Merde », dit le grand Noir, ajoutant à voix haute : « Faites gaffe, faites gaffe, on a tiré. »

« On y va ! » hurla Georgie. Avec son large sourire et ses cheveux noirs qui voltigeaient, on aurait dit une révolutionnaire d'Amérique latine, comme on en voit sur les posters. Elle couvrit la porte intérieure pendant que Candy franchissait la sortie en trombe et se retrouvait sur le perron.

Georgie lui emboîta le pas. La camionnette était juste devant.

Avec les flics.

Elles entendirent les cris, mais Candy ne comprit pas un mot. Elle eut conscience que Georgie brandissait son arme dans son dos, se sentit lâcher la taie d'oreiller qui tomba sur sa gauche et lever son arme à son tour. Elle commença à presser la détente avant même d'avoir achevé son geste, vit l'homme au visage en lame de couteau, avec un nez plus ou moins de la taille d'un couvercle de soupe Campbell, et continua de relever lentement son pistolet...

Lucas entendit le coup de feu à l'intérieur de la banque. Il se déporta sur le côté et vit Franklin s'accroupir par réflexe. Plus loin à gauche, prenant appui sur le toit de la voiture de Kupicek, Sherrill braquait son arme vers la porte. *Pourvu qu'elles ne regardent pas par la fenêtre*, pensa Lucas.

Puis la porte s'ouvrit brusquement et les deux femmes LaChaise surgirent sur le perron et levèrent leurs armes. Lucas cria : « Non, non, ne tirez pas ! », entendit Del hurler, vit Candy LaChaise qui ouvrait le feu et l'arme de Sherrill qui tressaillait dans sa main...

Candy vit l'homme aux dents jaunes, et la bouche noire de son pistolet, elle vit la femme aux cheveux bruns et se dit que, peut-être, si elle avait le temps... *Trop tard.*

Elle sentit les balles la transpercer, plusieurs balles, perçut le bruit, les flammes, les visages tournés vers elle qui ressemblaient à ceux des affiches promettant une récompense pour la capture d'un malfaiteur, mais n'éprouva aucune douleur, juste une secousse, comme si des rayons lumineux s'enfonçaient dans sa poitrine... Puis elle ne vit plus rien, devina la chute de Georgie à côté d'elle. Candy était renversée, les pieds sur le perron, la tête sur le trottoir, attendant que la lumière revienne. Elle allait revenir, et derrière...

Elle était morte.

Lucas hurlait : « Arrêtez, arrêtez ! » Cinq secondes après la sortie des deux femmes, ce n'était déjà plus la peine de tirer.

Dans le silence qui s'abattit soudain et la puanteur de la poudre sèche, quelqu'un lâcha : « Nom de Dieu ! »

2

L'hôtel de ville de Minneapolis est un édifice fruste de pierre marron sale, humide en été, froid en hiver, grouillant de flics, escrocs, politiciens, fonctionnaires, quémandeurs, journalistes, personnalités de la télévision et contribuables outragés dont aucun n'est autorisé à fumer à l'intérieur des murs.

Un sillage de fumée interdite suivait Rose Marie Roux le long des sombres couloirs de marbre qui reliaient le bureau du chef de la police aux locaux de la brigade criminelle. Le chef était une costaude qui épaississait à vue d'œil et dont le visage, sous la pression des responsabilités et le poids des ans, s'apparentait de plus en plus à un museau de chien courant. Elle s'arrêta à la porte de la Crim, tira une bouffée de cigarette, rejeta la fumée.

Elle vit Davenport à l'intérieur. Debout, les mains dans les poches, vêtu d'un costume de lainage bleu avec une chemise blanche à col souple, et ce qui ressemblait à une cravate Hermès – un modèle comportant huit millions de petits chevaux en train de caracoler. Directeur adjoint de la police, nommé par les politiques, il pilotait parallèlement une société de jeux informatiques qui faisait de lui un homme riche, un homme qui pesait une dizaine de millions de dollars, selon les dernières rumeurs. Présentement, il discutait avec Sloan et Sherrill.

Sloan était mince, sérieux, vêtu de brun et de beige, et il avait le teint terreux : s'il s'adossait à un mur, il disparaissait. Vu son aptitude à se lier facilement avec n'importe qui, il était le meilleur enquêteur de la police de Minneapolis. N'ayant pas utilisé son arme cet après-midi-là, il restait opérationnel.

Sherrill, en revanche, avait tiré les six balles de son revolver. Elle planait encore sur un nuage, contrecoup de la peur et de l'état d'extase qui succèdent parfois à une fusillade. Roux, pour sa part, n'avait jamais sorti son pistolet à l'époque où elle était sur le terrain. Elle n'aimait pas les armes à feu.

Roux observa Lucas Davenport et ses potes. Elle secoua la tête : les choses étaient peut-être en train d'échapper à son contrôle. Elle jeta sa cigarette par terre, l'écrasa et poussa la porte.

Le trio se retourna vers elle. Elle regarda Lucas et lui indiqua le couloir d'un signe de tête. Il lui emboîta le pas et referma le battant derrière lui pour les mettre à l'abri des oreilles indiscrètes de Sloan et Sherrill.

« La demande d'un renfort d'agents en tenue, ça vous est venu à l'esprit quand ? » demanda Roux. Ses paroles se répercutèrent le long des couloirs de marbre, mais il n'y avait personne pour l'entendre.

Lucas s'adossa au mur de marbre frais. Il sourit brièvement, une ébauche de sourire aussitôt effacée. Un sourire qui lui donna l'air dur, presque trop dur, méchant même. Il avait dû faire du sport, pensa Roux. Ça lui arrivait de temps en temps, et, quand il s'était vraiment donné à fond, il ressemblait à un morceau de cuir tanné. Elle pouvait deviner la forme de son crâne sous la peau de son front.

« Ça avait tout l'air d'une situation où on n'a pas le choix », dit-il d'une voix plus grave. Ils savaient tous deux de quoi ils parlaient.

Elle acquiesça de la tête. « Bon. En tout cas, ça a marché. Nous avons communiqué à la presse l'enregistrement de votre demande de renfort au standard, ça va les calmer. Vous allez peut-être encaisser quelques salves du *Star Tribune*, la page de l'édito. Des questions du genre : pourquoi les a-t-on laissées entrer dans la banque, pourquoi vous avez mis si longtemps à intervenir. Mais je ne pense pas... rien de sérieux.

— Si nous les avions interceptées avant, on se serait retrouvés avec juste une paire de témoins lestés d'un casier un peu chargé. À l'heure qu'il est, elles seraient en liberté.

— Je sais, mais à en juger par les apparences... » Elle poussa un soupir. « Si les deux LaChaise n'avaient pas abattu ce type, Farris, on serait dans de sales draps.

— Une vraie aubaine, ce Farris, dit Lucas en arborant son inquiétant sourire.

— Ce n'est pas ce que je voulais dire, répondit Roux en détournant le regard. Toujours est-il que Farris va s'en sortir.

— Ouais, une pommette en silicone, un peu de chirurgie réparatrice au niveau de la mâchoire, un râtelier tout neuf, une petite greffe pour rabouter l'oreille…

— Je suis en train d'essayer de vous sauver la mise, rétorqua Roux d'un ton cassant.

— J'ai plutôt l'impression que vous essayez de nous emmerder, répliqua Lucas aussi sec. Les gens de la banque de Rice Lake ont visionné les cassettes de la caméra de sécurité de la Credit Union. Il n'y a aucun doute, le hold-up chez eux, c'était aussi les LaChaise. Elles avaient le même aspect avec leur collant sur la tête, elles ont prononcé les mêmes mots et se sont comportées de la même manière. Et c'est Candy LaChaise qui a tué le caissier. Nous attendons le témoignage de Ladysmith et de Cloquet, mais ce sera exactement le même. »

Roux secoua la tête : « Vous avez choisi la manière radicale pour régler ça, n'empêche.

— Elles sont sorties, elles ont ouvert le feu, nous étions tous là. Elles ont tiré en premier. Ce ne sont pas des racontars de flics.

— Je ne vous critique pas, dit Roux. Je dis seulement que les journaux posent des questions.

— Vous devriez peut-être leur suggérer d'aller se faire foutre. Vu la situation, ce serait sûrement une riposte judicieuse, sur le plan politique. »

Rose Marie Roux faisait de la politique et, à une époque, avait même envisagé de se présenter au Sénat.

Elle sortit un étui à cigarettes en argent de sa poche et l'ouvrit. « Je ne parle pas de politique en l'occurrence, Lucas. Je suis simplement un peu tracassée par ce qui s'est passé. » Elle extirpa une cigarette de l'étui, rabattit le couvercle. « Ça sent le… traquenard. Comme si nous faisions la justice nous-mêmes. Nous n'aurons pas d'ennuis parce que Farris a été blessé et que vous avez demandé du renfort par téléphone. Mais Candy LaChaise a reçu cinq ou six balles. On ne peut pas prétendre que vous n'étiez pas prêts à intervenir.

— Nous étions prêts, reconnut Lucas.

— Ça risque donc de rebondir quand le rapport du médecin légiste sera communiqué.

— Dites-lui de prendre son temps pour le rédiger. Vous savez comment ça marche : d'ici une ou deux semaines, personne ne s'intéressera plus à cette histoire. Et, dans deux mois, on aura les tempêtes de neige de l'hiver.

— D'accord, et le légiste est avec nous. N'empêche…

— Ce sont les LaChaise qui ont commencé, insista Lucas. Et elles tuaient pour le sport. Candy LaChaise a tiré sur des gens pour le plaisir de les voir mourir. Elles ne méritent pas notre pitié.

— Oui, oui. » Roux agita la main et repartit vers son bureau, les épaules affaissées. « Que chacun rentre chez soi. Le briefing sur les coups de feu tirés aura lieu demain.

— Vous êtes vraiment en colère ? cria Lucas alors qu'elle s'éloignait.

— Non, juste un peu… déprimée. Il y a eu trop de morts cette année. » Elle s'arrêta, fit jaillir la flamme du briquet, tira la première bouffée d'une nouvelle cigarette. L'extrémité rougeoya, telle une luciole dans la pénombre. « Trop de gens se font tuer. Vous devriez y réfléchir. »

Weather Karkinnen remplissait des paperasses dans le bureau quand Lucas rentra chez lui. L'entendant dans la cuisine, elle l'appela de l'autre bout du couloir : « Dans le bureau ! »

Quelques secondes plus tard, il s'appuya au chambranle de la porte, une bouteille de bière à la main.

« Salut.

— J'ai cssayé de te joindre », dit-elle.

Weather n'était pas grande mais très athlétique, de larges épaules et des cheveux blonds coupés très courts, des pommettes hautes et des yeux bleu foncé légèrement bridés, comme les Lapons et les Finlandais. Elle avait un nez un peu trop grand, un rien tordu, comme si elle avait perdu un combat à poings nus. Pas exactement une jolie femme, mais du genre qui attire les hommes dans les soirées.

« J'ai vu un reportage sur la fusillade à la télé.

— Qu'ont-ils raconté ? demanda Lucas en dévissant la capsule de la bouteille pour avaler une gorgée.

— Deux femmes ont été abattues après un hold-up. Ils disent que les coups de feu posent problème. » Elle parlait d'un air inquiet, en rejetant en arrière les mèches qui tombaient sur ses yeux.

Lucas secoua la tête.

« Il ne faut pas écouter ce qu'on raconte à la télé. »

Il était furieux.

« Lucas… ?

— Oui ? » Il se sentait sur la défensive et n'aimait pas ça.

25

« Tu as vraiment l'air fumasse, remarqua-t-elle. Qu'est-il arrivé ?

— Oui, les médias m'en veulent. Tout le monde a l'air de se demander si l'affrontement était réglo. Pourquoi devrait-il l'être ? Ce n'était pas un jeu, mais une opération de maintien de l'ordre.

— Est-ce que tu aurais pu les arrêter ? Qu'elles aient droit à un procès, qu'on les confronte aux autres victimes d'attaques de banques dans le Wisconsin.

— Non, dit-il en secouant la tête. Elles ont toujours opéré masquées, et toujours avec des voitures volées. Il y a eu un cas, à River Falls il y a deux ans, où Candy LaChaise s'est fait coincer pour vol à main armée. Le type qu'elle avait volé, le marchand de bagnoles, a été agressé et tué deux semaines plus tard, avant le procès. Il n'y avait pas d'autres témoins et elle avait un alibi. Les flics de River Falls pensent que ses vieux potes fêlés l'ont aidée à s'en sortir.

— N'empêche, ton boulot n'est pas de les tuer.

— Doucement, s'indigna Lucas. Je me suis juste pointé avec une arme. Ce qui s'est passé ensuite, c'était leur choix. Pas le mien. »

Elle secoua la tête, pas convaincue.

« Je ne sais pas, dit-elle. Ce que tu fais me fiche la trouille, mais pas comme on pourrait le croire. » Elle croisa les bras en frissonnant, comme si elle avait froid. « Ce qui m'inquiète, ce n'est pas ce que quelqu'un pourrait te faire, c'est plutôt ce que tu risques de te faire à toi-même.

— Je t'ai déjà dit…, commença Lucas, franchement énervé.

— Lucas ! Je sais comment fonctionne ton esprit. On a dit à la télévision que ces gens étaient sous surveillance depuis neuf jours. Je sens que tu es capable de les avoir manipulés pour qu'ils commettent un hold-up. J'ignore si toi, tu le sais, mais moi, oui.

— Que des conneries ! aboya-t-il en tournant le dos.

— Lucas… »

Au milieu du couloir, cela lui revint. Il l'avait trouvée en train d'envoyer des faire-part de mariage. Il pivota, revint sur ses pas.

« Mon Dieu, je suis désolé. Ce n'est pas que je t'en veuille mais… quelquefois, comment dire, je contrôle moins bien les choses. »

Elle se leva.

« Allons, viens t'asseoir ici. »

Il obtempéra. Elle se jucha sur ses genoux. Il s'étonnait toujours de la voir si petite. Une petite tête, de petites mains, des doigts minuscules.

« Tu as besoin de quelque chose pour faire baisser ta tension.

— C'est à ça que sert la bière, répondit-il.

— En tant que médecin de famille, j'affirme que la bière ne suffit pas.

— Ah bon ! Et que prescris-tu, au juste ? »

3

Ansel Butters le Fou attendait que la drogue agisse, et quand ça vint, il annonça : « Ça y est. »

Dexter Lamb était allongé sur le canapé, un bras traînant par terre, les yeux fixés sur le réseau de toiles d'araignée que dessinaient les fissures du plafond de plâtre rose. « Je te l'avais dit, mec », répondit-il.

La femme de Lamb était dans la cuisine. Elle regardait la surface de la table en plastique. Sa voix émergea, faible, traînante, pâteuse : « J'aimerais bien planer un peu... Bon Dieu, Dexter, où t'as mis le sac ? Je sais que t'en as. »

Ansel ne l'entendait pas. Il n'entendait ni plaintes, ni geignements. Il était en train de survoler un paysage à la cocaïne et toutes les promesses que cela comportait – vertes collines, jolies filles, Mustang rouges, labradors – étaient ramassées en une boule de plaisir. Sa tête était inclinée sur son épaule et ses longs cheveux pendaient d'un côté comme le sillage de la pluie le long d'une vitre. Vingt minutes plus tard, le rêve serait envolé, et le contrecoup du crack allait lui tomber dessus comme un sac de charbon à Noël.

Mais il lui restait encore quelques minutes. Il marmonna : « Dex, y a un truc que je dois te dire. » Lamb, qui se préparait une autre pipe, s'interrompit, les yeux brumeux après tant de fix, tant de nuits sans sommeil.

« Qu'est-ce que tu veux ? »

Sa femme sortit de la cuisine en se grattant l'entrejambe à travers le coton de son slip et demanda : « Où t'as mis le sac, Dex ?

— Faut que je trouve un type, dit Ansel, poursuivant comme si elle n'existait pas. Ça peut rapporter plein de fric. Un mois de fumette. Et y m'faut une piaule pas trop loin. Une télé, un ou deux lits, pas plus.

— La piaule, je peux te la trouver », dit Lamb. Il désigna sa femme du pouce. « Mon beauf a quelques baraques, plutôt merdiques, mais tu peux en occuper une. Seulement, faudra que tu t'achètes les meubles. Je connais un endroit où il y en a des pas trop chers.

— Ça devrait faire l'affaire. »

Dex termina ses préparatifs, alluma son briquet et, juste avant d'emboucher la pipe, demanda : « Qui c'est, le type que tu cherches ?

— Un flic. C'est un flic que je cherche. »

La femme de Lamb – grands yeux noirs, joues creuses, une cicatrice blanchâtre – recommença à se gratter le slip et demanda : « Il s'appelle comment ? »

Butters la regarda.

« Justement, c'est que je cherche à savoir. »

Bill Martin descendit d'Upper Peninsula au volant d'une camionnette au pare-chocs rouillé dont le moteur V-8 ronronnait au poil. Il traversa le Wisconsin par les petites routes de campagne, s'arrêta dans un bistrot au bord de la route pour avaler une bière et deux œufs durs, une deuxième fois pour faire de l'essence, parla à un marchand d'armes à Ashland.

La campagne était encore gelée. De la neige ancienne subsistait en croûtes dures au milieu des pins vert bouteille et des feuillus dénudés et tout gris. Martin s'arrêtait fréquemment pour faire quelques pas, jeter un coup d'œil du haut d'un pont, vérifier des traces dans la neige. Cet hiver ne lui plaisait pas : il y avait eu de la bonne neige, puis une tempête de grêle avait tout recouvert d'un centimètre de glace, ce qui risquait de tuer les tétras, juste au moment où la population se reconstitue.

Il chercha des traces de tétras et n'en trouva aucune. On était trop tôt dans la saison pour qu'il y ait des empreintes d'ours, mais d'ici à une huitaine de semaines les ours apparaîtraient, le poil lisse, vifs et puissants. Un jeune ours noir était capable de battre un cheval à la course, départ arrêté. Rien de tel pour vous dégager les sinus que de tomber brusquement sur un vieux mâle affamé, quand on se balade chaussé de raquettes et armé en tout et pour tout d'une gourde en plastique et d'une blague à tabac.

Vers quatorze heures, alors qu'il se dirigeait vers le sud, il aperçut un coyote occupé à déchiqueter quelque chose dans l'herbe jaune, haute d'une trentaine de centimètres, qui perçait la neige à proximité d'un ruisseau. Des rats d'eau, sans doute. Il arrêta le camion, sortit un télémètre Bausch & Lomb à laser et l'AR-15. Le télémètre indiquait trois cent cinq mètres. Il évalua la dénivellation à vingt-deux centimètres, tint compte d'une marge de cinq centimètres à droite et à gauche, prit appui sur le pare-chocs avant, fit le point à cinq centimètres au-dessus de l'épaule du coyote et tira. La balle de 223 chopa un peu bas le corniaud, qui sauta en l'air et retomba en tas, immobile.

« Je t'ai eu », murmura Martin avec un grand sourire. Il se sentait bien, d'avoir réussi ce coup.

Martin franchit la rivière Saint Croix à Grantsburg, s'arrêta pour regarder l'eau, dont la surface gelée était lacérée de traces de chasse-neige, et repartit à regret vers la I-35. Ces autoroutes qui reliaient les États entre eux étaient des cicatrices qui défiguraient le pays, songea-t-il. On ne pouvait jamais s'approcher assez près pour voir quelque chose. D'un autre côté, elles étaient bien utiles quand il fallait se déplacer rapidement. Il fit une dernière halte dans une aire de repos de la I-35, au nord des Villes jumelles [1], passa un coup de fil et, ensuite, roula sans plus s'arrêter.

Butters attendait devant une station-service en bordure de la I-94, un sac de molleton verdâtre à ses pieds. Martin s'arrêta au bord du trottoir, Butters monta à bord et dit : « Droit devant, redescends la bretelle. »

Martin tomba sur le feu rouge et demanda : « Comment tu te sens ?

— Fatigué, dit Butters, dont les petits yeux étaient effectivement tirés.

— Tu étais déjà fatigué l'automne dernier. » À l'époque, Martin avait traversé le Tennessee à l'occasion d'un de ses périples de vente d'armes, et il s'était arrêté pour tirer l'écureuil avec Butters.

« Je le suis encore plus maintenant. » Butters regarda l'arrière du camion. « Qu'est-ce que tu as là-dedans ?

— Trois pistolets déclarés, trois semi-automatiques chinois AK, deux AR-15 modifiés, un arc, quelques douzaines de flèches et mon couteau.

---

1. Minneapolis et Saint Paul. *(N.d.T.)*

— Je ne pense pas que tu auras besoin du couteau, dit Butters, très pince-sans-rire.

— Ça me rassure. » Martin était un homme habitué à vivre dehors, aux muscles endurcis et à la tête ronde. Son visage constellé de boutons rouges était bordé d'une barbe rousse. « Il habite où, le type qu'on doit voir ?

— À Minneapolis, juste à la sortie du centre. Près de la coupole. » Martin afficha son sourire rusé de coyote : « Tu as étudié la question ?

— Ouais, de près. »

Ils prirent la I-94 vers Minneapolis, la quittèrent par la sortie 5ᵉ Avenue, achetèrent une pizza dans le centre et revinrent sur leurs pas jusqu'à la 11ᵉ. Butters pilota Martin vers une maison isolée en brique, deux étages, laverie automatique au rez-de-chaussée, logement au premier. Ce n'était pas une construction récente, mais elle était bien entretenue. Dans les années 40, elle avait dû abriter une épicerie familiale. Il y avait de la lumière aux fenêtres de l'appartement.

« La laverie lui appartient, expliqua Butters. Le haut est entièrement occupé par un grand appartement. Il habite là avec sa copine. » Levant les yeux vers les fenêtres éclairées, il ajouta : « Elle doit y être en ce moment parce que lui, il est en ville. Il fait trimer ses gars jusqu'à l'heure de fermeture. Cette nuit, il est rentré vers deux heures, il a rapporté une pizza. »

Martin consulta sa montre, une Chronosport noire genre modèle de l'armée avec des aiguilles lumineuses. « Ça nous laisse environ une heure, alors… » Il examina la maison par la fenêtre de la camionnette. Une seule porte donnait accès à l'appartement. « Où se trouve le garage dont tu parlais ?

— Sur le côté. Il y a une issue de secours à l'arrière, un de ces trucs d'où tu te laisses glisser en bas, c'est trop haut pour qu'on puisse y accéder. Voilà ce qu'il a fait la nuit dernière : il est entré dans le garage – il a une commande à distance pour ouvrir depuis sa voiture – et la porte s'est rabattue derrière lui. À peine une minute plus tard, la lumière s'est allumée au fond de l'appartement, donc il doit y avoir un escalier intérieur. Ensuite, il est redescendu par l'arrière, il est ressorti par le garage, il a fait le tour et est entré dans la laverie. Il était au fond, sans doute en train de vérifier les machines. »

Martin hocha la tête. « Hum. Il n'a pas pris l'escalier de devant ?

— Non. Il se passait peut-être quelque chose là-dedans, je n'ai pas regardé.

— Parfait. Alors, on le coince dans le garage ?

— D'accord. Et, tant qu'à faire, on n'a qu'à manger la pizza, on a juste besoin du carton. Harp n'en voudra sûrement pas. »

Ils continuèrent à bavarder gentiment, à l'aise dans les odeurs d'essence, de paille, de rouille et d'huile de moteur que dégageait le pick-up. Soudain, en tapotant sa barbe avec une serviette en papier, Martin demanda : « T'as des nouvelles de Dick ?

— Pas un mot. La dernière fois que je lui ai parlé, il m'a paru... un peu dans les nuées. »

Martin mâchonna une bouchée, déglutit et commenta : « Y a pas de mal à être un peu dans les nuées.

— Non, c'est vrai, renchérit Butters, qui pour sa part l'était autant que bien d'autres. Mais si on doit descendre des flics, ce serait mieux qu'il ait les pieds sur terre.

— Pourquoi ? Tu as l'intention de te débiner ? »

Butters réfléchit un instant et secoua la tête avec un petit rire triste : « Non, je ne crois pas.

— J'ai pensé à filer en Alaska, à me réfugier dans les bois, avoua Martin après un silence prolongé. Tu sais... quand j'ai reçu le coup de fil. Mais ils peuvent vous retrouver jusqu'en Alaska. Ils peuvent retrouver votre trace n'importe où. Je commence à en avoir assez, de la cavale. Je crois que le moment est venu de passer à l'action. Alors, quand j'ai eu des nouvelles de Dick, je me suis dit : pourquoi pas ?

— Je n'y connais rien, à ces trucs politiques, dit Butters. Mais Dick, j'ai une dette envers lui. Et je ferais mieux de la payer maintenant parce que je me sens vraiment au bout du rouleau. »

Martin le considéra longuement et dit : « Quand on est crevé à ce point-là, ça ne sert à rien d'avoir peur des flics. Ni de rien d'autre. »

Ils mangèrent en silence. Au bout d'une minute, Butters répondit : « Très juste. » Puis, un peu plus tard : « Je t'ai dit que mon chien était mort ?

— Oh ! ça, c'est un truc qui vous en fiche un coup », conclut Martin.

Daymon Harp était comme les sept nains, il sifflait en travaillant. Et en ramassant son fric. Car, à la différence de Blanche-Neige et ses petits compagnons, Harp vendait de la cocaïne et du speed en semi-gros, fournissant une demi-douzaine de revendeurs fiables qui

opéraient dans les boîtes, les bars et les salles de bowling de Minneapolis et des banlieues résidentielles.

Avec sept mille dollars dans la poche de sa veste, Harp quitta Lincoln et s'engagea dans la 11ᵉ en sifflant un menuet du *Petit Livre
d'Anna Magdalena Bach*. Devant la laverie automatique, un jeune
gars aux cheveux blonds attendait au coin de la rue, un carton à pizza
entre les mains, les yeux levés vers l'appartement. Harp se fit avoir
par le carton à pizza : il ne lui vint pas à l'esprit de regarder où était
la camionnette de livraison.

Harp fit le tour de la maison, appuya sur le bouton d'ouverture
automatique du garage, vit le livreur de pizzas le regarder pendant
qu'il entrait, coupa le contact et descendit de voiture. Le jeune gars
avança sur le trottoir, le carton posé à plat sur sa main, et Daymon se
dit : *Si cette conne de Jas a commandé une pizza alors qu'elle était
toute seule là-haut...*

Il attendait que le livreur approche quand Martin surgit derrière lui
et appuya un pistolet contre son oreille : « Rentre dans le garage. »

Daymon eut un sursaut qu'il parvint à contrôler. Il écarta les mains
et retourna dans le garage. « On se calme », dit-il. Pas question que le
type s'excite. Ce n'était pas la première fois qu'il se faisait braquer.
Quand on a le canon d'une arme dans l'oreille, on tient avant tout à
ce que personne ne s'énerve. Il risqua une menace implicite : « Vous
savez qui je suis ?

— Daymon Harp, un négro qui deale de la dope », répondit Martin,
et Harp se dit : *Oh, oh !*

Le petit jeune à la pizza les suivit à l'intérieur, repéra le bouton
lumineux qui actionnait la porte, appuya dessus. Le battant se referma
et Martin poussa Harp vers l'escalier du fond.

« On va te fouiller », annonça Martin.

Harp écarta les bras et les jambes, adossé au mur. « Je n'ai pas
d'arme », annonça-t-il. Puis, jetant un regard en biais à Martin :
« Vous n'êtes pas des flics.

— On serait très embêtés si tu nous avais menti au sujet de
l'arme », dit Martin. Le jeunot le palpa des pieds à la tête, mit la main
sur la liasse de billets et s'exclama : « Oh, oh ! Merci bien. »

Harp ferma sa gueule.

« Voilà ce qui se passe, commença Martin pendant que son
compère empochait l'argent. On a besoin que tu nous dises des trucs.
On ne veut pas te faire de mal. Mais on y sera forcés, si tu joues au
con, alors t'as intérêt à coopérer.

33

— Que voulez-vous ? demanda Daymon.

— Monter à l'étage », répondit Butters avec son accent chantant du Tennessee. Harp le regarda du coin de l'œil : Butters avait trois larmes bleu foncé tatouées sous l'angle intérieur de l'œil gauche. *Oh, oh !* pensa-t-il derechef.

Ils montèrent l'escalier tous les trois, le petit gars du Sud enfonçant le canon de son pistolet dans la colonne vertébrale de Daymon, tandis que l'autre se concentrait sur sa tempe. Ils se raidirent quand Daymon déverrouilla la porte. Une femme appela d'un couloir : « C'est toi, Day ? »

Butters s'éloigna silencieusement dans le couloir, laissant Harp sous la garde de Martin. La femme atteignit l'angle du couloir en même temps que Butters. Elle sursauta lorsqu'il lui agrippa le poignet en lui montrant son arme : « La ferme. »

Elle la ferma.

Cinq minutes plus tard, Harp et sa petite amie étaient attachés avec du ruban adhésif à des chaises de cuisine. La femme avait les mains à plat sur les cuisses, son corps et ses bras bien ligotés. La chaussette enfoncée dans sa bouche était maintenue par deux ou trois épaisseurs d'adhésif. Ses yeux paniqués oscillaient entre Harp et celui des deux Blancs qui se trouvait dans son champ visuel.

Martin et Butters fouillèrent l'appartement. Le palier correspondant à la porte d'entrée principale était bloqué, comme put le constater Martin en ouvrant celle-ci, par une pile de cartons de livraison. Les cartons constituaient un signal d'alarme et un écran fort efficaces en cas d'irruption de la police, mais, comme issue de secours, l'ouverture restait opérationnelle en cas de besoin.

Butters visita également la chambre à coucher, où il ne trouva rien d'intéressant en dehors d'une collection de 33 tours de jazz.

« Ça va », dit-il en revenant dans le salon.

Martin s'installa sur une chaise devant Harp, leurs genoux se touchaient. « Tu connais certainement des gens comme nous. Tu en as rencontré en taule. Nous n'avons pas de sympathie particulière pour les Noirs et on te trancherait volontiers la gorge, qu'on n'en parle plus. Mais, cette fois, on ne peut pas parce qu'on a besoin de toi pour nous présenter un copain.

— Qui ? demanda Daymon Harp.

— Le flic avec qui tu travailles. »

Harp tenta de prendre un air étonné.

« Il n'y a aucun flic.

— Nous savons que t'es obligé de jouer ton rôle, mais on n'a pas beaucoup de temps, expliqua Martin. Alors, comme preuve de notre… hum, sincérité… » Il choisissait ses mots avec soin, d'une voix suave. « … nous allons découper ta petite copine ici présente.

— Enfoiré ! » s'écria Harp, mais l'insulte n'était pas dirigée contre Martin, c'était juste une exclamation, et Martin le prit ainsi. La femme roula des yeux et remua sur sa chaise. Martin la laissa faire. Par-dessus son épaule, il lança : « Ansel ? Regarde si tu trouves un couteau dans la cuisine… »

Dans la rue, il n'y avait personne devant la laverie automatique, ce qui était une bonne chose pour Butters et Martin, car, Harp ne s'étant pas décidé à parler tout de suite, il y eut quelques instants où, malgré le bâillon, malgré les fenêtres fermées en plein hiver, malgré tout ça, on entendit les hurlements de Jasmine.

La prison de l'État du Michigan ne dépêcha qu'un seul homme pour escorter Dick LaChaise. Celui-ci avait fait quatre années de trou sur les neuf qu'on lui avait collées et n'était pas considéré comme un fugitif potentiel. Pour peu qu'il continue à bien se comporter, il sortirait d'ici un ou deux ans. Ils lui passèrent des chaînes aux chevilles et des menottes aux poignets, et ils s'envolèrent pour Eau Claire, son gardien Wayne O. Sand et lui, au coucher du soleil, huit jours après la fusillade de Minneapolis.

Pendant le vol, Wayne O. Sand lut *Le Dernier Mammouth*, de Margaret Allan, parce qu'il aimait toutes ces conneries préhistoriques, la magie et tout. S'il avait vécu à cette époque, songeait-il, il aurait probablement été chef de clan ou quelque chose comme ça. Il aurait été de taille, en tout cas.

LaChaise lisait une revue consacrée aux tatouages, *Skin Art*. Des tatouages, il en avait plein les deux bras, de haut en bas : des super-women sorties d'une BD, avec des seins gros comme des ballons de foot et une crinière léonine, s'enroulaient autour de ses biceps de culturiste, ponctuées d'aigles, de tigres, de couteaux et même d'un dragon. En prime, quatre noms : Candy et Georgie sur le bras droit, Harley et Davidson sur le gauche.

Ses bras avaient été tatoués en ville par des artistes spécialisés, alors que son dos et ses jambes avaient été faits en taule. Du boulot de prison, réalisé avec une aiguillle à coudre et un stylo-bille. Les motifs n'étaient pas aussi bien dessinés que par les artistes professionnels, mais ils dégageaient une force primaire et inquiétante qui plaisait bien à LaChaise. Une prise de position esthétique.

Quand le pilote sortit le train de roues, LaChaise posa sa revue et regarda Sand : « Si on allait au McDo ? Qu'est-ce que tu dirais d'un ou deux big macs ?

— Peut-être, ne m'emmerde pas », répondit Sand, toujours plongé dans son livre. Sand était un mou, un petit autocrate de l'administration pénitentiaire, capable d'être relativement sympa un jour et de vous punir le lendemain, pour rien. Le pouvoir qu'il détenait le faisait bicher, mais de tous, ce n'était pas le pire, loin de là. L'avion se posa, ils en sortirent côte à côte et Sand alla enchaîner LaChaise à l'arrière d'une Ford de location.

« Alors, pour le McDo ? » demanda LaChaise.

Sand le regarda un instant et décréta : « Non. Je veux trouver un motel à temps pour voir le match de ce soir.

— Oh ! allons…

— Ta gueule », répliqua Sand avec la brusquerie caractéristique des matons.

Arrivé à Eau Claire, Sand déposa LaChaise pour la nuit à la prison du comté. Le lendemain matin, il le boucla de nouveau dans la Ford et lui fit traverser un paysage gelé jusqu'aux pompes funèbres Logan, à Colfax. La mère de LaChaise attendait sous le porche du funérarium en compagnie de Sandy Darling, la sœur de Candy. Une voiture des services du shérif était garée dans la rue, moteur allumé. À l'intérieur, un policier lisait le journal.

Amy LaChaise était une paysanne boulotte à la peau grasse, avec des yeux noirs soupçonneux. Elle avait des cheveux noirs coupés très courts et une légère moustache. Elle portait une robe noire agrémentée d'un col blanc sous une parka de nylon bleu. Un petit chapeau des années 30 s'agitait nerveusement sur sa tête, une aile de corbeau en dentelle noire retombant sur son front.

Sandy Darling était tout l'opposé : petite, mince, avec un menton carré et un visage efflanqué, buriné. Ses vingt-neuf ans – quatre de moins que sa sœur Candy – ne l'empêchaient pas d'avoir des pattes-d'oie aux coins des yeux. Elle était blonde, comme Candy, mais ses cheveux étaient courts et elle portait une perle à chaque oreille. Et si

Candy avait ce teint laiteux des filles de ferme du Wisconsin, Sandy, elle, avait un semis de taches de rousseur sur son nez et son front hâlés par le vent. Un manteau de lainage noir recouvrait sa longue robe noire, ses mains étaient gantées de cuir noir et ses pieds chaussés de bottes de cow-boy noires, un modèle fantaisie avec des bouts argentés. Elle tenait à la main un chapeau de cow-boy blanc.

Quand la Ford de location s'arrêta, Amy LaChaise descendit l'allée. Restée sous le porche, Sandy Darling faisait tourner le chapeau entre ses doigts. Wayne O. Sand ouvrit le cadenas fixé à la chaîne du siège, sortit, s'interposa entre Amy LaChaise et la voiture, et ouvrit la porte pour Dick LaChaise.

« C'est ma vieille », dit-il à Sand en sortant. LaChaise était un grand type aux larges épaules, aux yeux noirs enfoncés et aux cheveux longs. Ses joues creuses étaient recouvertes d'une barbe, ses doigts durs et épais comme des bâtons de noyer. Il aurait suffi de le vêtir d'une robe pour qu'il joue le rôle du prophète Jérémie.

« Ça va », dit Sand. Puis, s'adressant à Amy LaChaise : « Je vais devoir prendre votre sac. »

L'agent de la police du comté était descendu de sa voiture. Il adressa un signe de tête à Sand pendant qu'Amy LaChaise tendait son sac.

« Tout va bien ? demanda-t-il.

— Ouais, pas de problème. » Sand s'écarta pour échanger quelques mots avec lui. LaChaise pouvait attendre.

Amy LaChaise planta un baiser sec sur la joue de son fils et déclara : « Elles ont été abattues comme des chiens.

— Je sais, maman. » Son regard se porta derrière, sur Sandy Darling qui attendait sous le porche ; il lui adressa un bref signe de tête. Puis, revenant à sa mère : « On m'a raconté…

— On leur a tendu un piège, expliqua Amy en relevant le nez comme pour souligner son propos. Cet imbécile de Duane Cale a quelque chose à voir là-dedans. Il ne lui est rien arrivé et il parle à tort et à travers. Il va leur raconter tout ce qu'ils voudront. Un paquet de mensonges.

— Ouais, je sais. »

Sa mère était préoccupée car Candy lui avait donné de l'argent provenant de ses hold-up.

« Et alors, qu'est-ce que tu vas faire ? demanda Amy LaChaise. Il

37

s'agit de ta sœur et de ta femme... » Elle lui agrippa le bras de ses doigts crochus et pointus comme des épines.

« Je sais, maman. Mais je ne peux pas faire grand-chose pour l'instant, dit-il en levant les mains pour montrer ses menottes.

— Bravo, grommela-t-elle sans lâcher son idée. Tu laisses tomber et tu restes tranquillement dans ta cellule douillette.

— Va dans la chapelle, ordonna-t-il d'un ton impérieux. Je veux les voir. »

Amy recula d'un pas. « Les cercueils sont fermés, risqua-t-elle.

— Ils n'ont qu'à les ouvrir », répondit LaChaise d'un air farouche.

Du porche, Sandy Darling observa un moment ces retrouvailles sinistres, puis elle tourna les talons et entra dans le bâtiment.

Logan, le directeur des pompes funèbres, était un petit homme chauve dont la moustache aurait pu sembler proprette sans son aspect mité. Il avait le teint gris mais des mains curieusement roses et animées, qu'il frottait en parlant. « Dans un cas comme celui-ci, monsieur LaChaise, dit-il en jetant un regard embarrassé à Dick, nous ne pouvons être tenus responsables du résultat.

— Ouvrez les cercueils. »

Manifestement contrarié, Logan fit sauter les couvercles et recula. De plusieurs pas. LaChaise s'approcha et les souleva.

Candy, sa femme.

Elle avait pris plusieurs balles dans le corps, mais ça ne se voyait pas sous sa robe. En revanche, l'un des projectiles lui avait presque arraché le nez. On l'avait reconstitué avec une sorte de mastic. À part ça, elle était aussi mignonne que le jour où il l'avait vue la première fois, au supermarché. Il la dévisagea longuement en se disant qu'il allait verser une larme. Ce qu'il ne fit pas.

Georgie était pire. Elle avait été touchée au moins trois fois au visage. Bien que les spécialistes l'aient rafistolée, recousue et maquillée, il était évident que quelque chose clochait du côté du crâne. Ce qu'il voyait dans son cercueil ne ressemblait pas davantage à Georgie qu'une poupée en plastique.

Sa sœur.

Il se souvint d'un Noël meilleur que les autres, avec un sapin. Il avait neuf ou dix ans et elle, trois ou quatre. Elle avait reçu un pyjama avec chaussettes incorporées. « Ma grenouille », elle l'appelait. « Je vais mettre ma grenouille. » Vingt-cinq ans s'étaient écoulés depuis et maintenant elle était là, avec la tête comme un ballon de foot. Là encore, il eut envie de pleurer, mais rien ne se produisit.

Logan, le visage blanc comme cire, toussota et hasarda : « Monsieur LaChaise ?

— Vous vous en êtes bien tiré, grommela Dick. Où est le prêtre ?

— Il devrait arriver d'une minute à l'autre, assura Logan, dont les mains palpitaient comme des moineaux autour d'une trémie à l'énoncé du compliment.

— Je veux rester ici jusqu'au début de la cérémonie, expliqua LaChaise. Je ne veux pas parler à maman plus que nécessaire.

— Je comprends. » Et c'était vrai. Logan avait eu affaire à la vieille LaChaise depuis que les corps avaient été restitués par le médecin légiste du comté de Hennepin. « Nous allons emporter Candy et Georgie dans la chapelle. Je viendrai vous prévenir quand le révérend Pyle sera là.

— Parfait. Dites, vous auriez un distributeur de Coca quelque part ?

— Eh bien, il y en a un dans les locaux du personnel.

— J'aimerais boire un Coca. Je peux le payer.

— Mais non, je vous en prie. »

LaChaise regarda son ange gardien. « Qu'est-ce que t'en penses, Wayne ? Je t'en offre un. »

Si Sand ne buvait pas ses quinze Coca light bourrés de caféine par jour, il avait la migraine. LaChaise était au courant. « Ouais, confirma Sand. J'aimerais bien un Coca.

— Je vais tout préparer, annonça Logan. Vous trouverez le distributeur derrière cette porte. »

Il désigna une porte marquée « Personnel » au fond du salon de repos, comme ils appelaient la salle d'exposition des corps.

Derrière la porte en question, il y avait une pièce de rangement pleine de cartons démembrés qui avaient servi à emballer des cercueils, une dizaine de grands vélums verts, repliés, qu'on utilisait les jours de pluie, un élévateur et un établi. Le distributeur de Coca se trouvait juste derrière la porte, en réalité un vieux modèle de glacière rouge dont on soulevait le couvercle, au fond de quoi une douzaine de Coca ordinaires et quelques boîtes blanches de Coca light barbotaient dans dix centimètres d'eau glacée.

« Je vais prendre un light », dit Sand en regardant à l'intérieur. Il surveillait son poids. LaChaise plongea la main dans la glacière, en sortit un Coca normal et un light et se retourna vers son gardien. Pendant ce temps, Ansel Butters le Fou surgit sans faire de bruit de derrière la pile de vélums et appuya son 22 sur le crâne de Sand en disant : « Pas un geste. »

Sand se figea et regarda LaChaise : « Ne me fais pas de mal, Dick.

— Donne-moi les clés, répondit celui-ci.

— Tu fais une bêtise », prévint Sand. Il roulait des yeux et LaChaise crut qu'il allait s'évanouir.

« File-lui les clés, sinon c'est toi qui vas faire une bêtise. »

La voix de Butters résonna comme une grosse lime râclant un tuyau de cuivre.

Sand fouilla dans sa poche et LaChaise tendit la main. Quand les menottes tombèrent, il se frotta les poignets et détacha les fers qui entravaient ses jambes. « Le flic du comté est toujours dehors, dans la voiture ? demanda-t-il à Butters.

— Il y était quand je suis arrivé. »

Butters sortit un Bulldog 44 de la poche de sa veste et le passa à LaChaise. « Voilà ton flingue.

— Merci. » LaChaise le glissa dans sa ceinture. « T'es venu avec quoi ?

— La camionnette de Bill. Elle est garée sur le côté.

— Maman t'a vu ?

— Merde, non. Personne m'a vu. »

LaChaise s'approcha de Sand et le fit pivoter légèrement. « Bien, Wayne, je vais te passer les bracelets. Et maintenant, tu fermes ta gueule, parce que si tu t'avises de l'ouvrir avant qu'on soit partis d'ici, il faudra qu'on revienne régler la question.

— Je n'ouvrirai pas la bouche, promit Sand d'une voix chevrotante.

— Tu as la trouille ? demanda LaChaise.

— Oui.

— C'est bien. Ça t'aidera à être raisonnable. » LaChaise boucla les menottes aux poignets de Sand et lui ordonna : « Couche-toi. »

Sand s'exécuta avec difficulté. Butters lui passa plusieurs tours de ruban adhésif d'emballage aux chevilles. Quand ce fut terminé, LaChaise s'empara du rouleau, posa un genou sur le dos de Sand et lui empaqueta la bouche de la même façon. Cela fait, il leva les yeux vers Butters et demanda : « Passe-moi ton couteau. »

Sand se tortilla sous le genou de LaChaise pendant que Butters lui donnait un couteau noir à cran d'arrêt.

LaChaise empoigna Sand par les cheveux, lui tira la tête en arrière et dit : « T'aurais dû m'acheter des big macs. » Il fit rebondir deux fois la tête de Sand sur le sol de ciment et ajouta : « Connard. » Il tira encore plus fort en arrière et s'agenouilla à côté de lui pour voir ses yeux exorbités. « Tu sais comment on égorge un cochon ?

— Faut y aller, maintenant, intervint Butters. On ne peut pas s'attarder. »

Sand commença à se débattre et à gémir à travers le ruban adhésif. LaChaise le laissa faire quelques secondes, avec un certain plaisir, avant de lui trancher la gorge d'une oreille à l'autre. Le sang pourpre jaillit sur le ciment. Sand se débattit et LaChaise le maintint fermement du genou. Puis les sursauts s'éteignirent et l'œil que LaChaise pouvait voir devint opaque.

« Faut y aller, insista Butters.

— Quel connard », dit LaChaise. Il lâcha la tête de Sand, essuya la lame sur le dos de la veste de celui-ci, replia le couteau en se levant et le tendit à Butters.

« Ça va pas être rien à nettoyer, commenta Butters en regardant le corps. Je déteste mettre du sang sur le ciment.

— On leur enverra du Lysol. Allez, on se casse.

— Le Lysol ne marche pas, expliqua Butters pendant qu'ils filaient vers la porte. Rien ne marche. La tache ne part pas, et ça pue. »

Ils quittèrent le bâtiment de pompes funèbres par l'allée de service. Butters, face étroite de pivert et longs cheveux filasse, était au volant, et LaChaise assis par terre devant le siège du passager.

En arrivant dans la rue, LaChaise se releva à moitié et regarda par-dessus le siège arrière, à travers la vitre de la capote du pick-up. Devant l'établissement de pompes funèbres, la voiture de l'agent du shérif était toujours garée le long du trottoir, immobile. Personne n'avait encore rien découvert, mais ils ne devaient avoir que quelques minutes d'avance.

« On va à la caravane ? demanda LaChaise.

— Ouais.

— T'as été voir ?

— Ouais. Il y a de l'électricité pour le chauffage et la pompe à eau, et un chiotte isolé dans le champ. Tu seras tranquille un jour ou deux,

41

le temps qu'on puisse s'installer en ville. Martin y est en ce moment, il attend qu'on livre les meubles.

— T'as trouvé un flic ?

— Ouais. On a parlé à un type hier soir, Martin et moi. On s'est trouvé un flic nommé Andy Stadic. Il est en cheville avec un dealer, Harp. Harp avait pris des photos, et maintenant, elles sont à nous.

— Impec. » Ils franchirent une rivière avec une chute gelée et sortirent de la ville.

« Comment va Martin ?

— Comme d'habitude. Mais cet Elmore est un sale enfoiré. On lui a dit qu'on avait besoin d'un endroit pour crécher, Bill et moi, et j'ai été obligé de le coller le dos au mur pour qu'il accepte de nous laisser la caravane.

— Qu'il aille se faire foutre. S'il savait que j'arrive, il en pisserait dans son froc.

— Va aussi falloir tenir Sandy à l'œil », ajouta Butters.

LaChaise acquiesça. « Ouais. C'est elle, le danger. Faudra quitter la caravane le plus vite possible. »

Butters le regarda en coin.

« Toi et Sandy, vous avez jamais…

— Non. » LaChaise sourit. « J'aurais bien aimé.

— C'est un sacré numéro », admit Butters.

Il les conduisit à travers un labyrinthe de routes secondaires sans jamais hésiter. Il avait fait le parcours une demi-douzaine de fois. Quarante minutes après le meurtre de Sand, ils arrivèrent à la caravane sans avoir croisé une seule voiture.

LaChaise dit : « Libre.

— Pas attaché, en tout cas.

— C'est presque la même chose », conclut LaChaise en frottant machinalement ses poignets à l'endroit où s'étaient trouvées les menottes.

Logan, le directeur des pompes funèbres, fit irruption dans la chapelle comme un arrière de football un peu ivre, renversa au passage une demi-douzaine de chaises pliables en métal, tituba, manqua faire tomber Amy LaChaise, s'escrima brièvement contre la poignée de la porte principale et disparut.

Sandy regarda Amy LaChaise par-dessus les cercueils refermés.

« Que s'est-il passé ? demanda Amy.

42

— Aucune idée », répondit Sandy, mais soudain elle eut froid dans le dos.

Dix secondes plus tard, le flic qui attendait dehors dans la voiture franchit le seuil, tenant son arme à deux mains. Il la braqua sur Sandy, puis sur Amy, avant de pivoter en couvrant la pièce : « On ne bouge pas. Personne ne bouge.

— Quoi ? » glapit Amy en serrant son sac contre sa poitrine.

Logan pointa le nez derrière le policier.

« M. LaChaise a disparu. »

Amy poussa un cri perçant qui évoquait un corbeau tuant une chouette, un cri de satisfaction proprement intolérable. « Que Dieu soit béni.

— La ferme ! cria le flic en braquant son arme sur elle. Où est le type de la prison ? Où est-il ? »

Logan montra du doigt la porte du fond.

« Là-dedans.

— Que lui est-il arrivé ? » demanda Sandy. L'adjoint du shérif courut vers la porte du fond et Logan déclara : « Ben, il est mort. LaChaise lui a tranché la gorge.

— Oh, non », dit Sandy en fermant les yeux.

Un agent de la police de l'autoroute arriva cinq minutes plus tard. Suivi de deux autres flics du comté qui séparèrent Amy et Sandy.

« Personne n'ouvre la bouche », ordonna l'un d'eux, un personnage porcin dont le badge indiquait qu'il s'appelait Graf.

Sandy eut aussitôt la certitude que LaChaise était dans la caravane du père d'Elmore, là-bas sur la colline. Forcément. Toute cette histoire comme quoi Martin et Butters avaient besoin d'un local, elle avait senti que c'était n'importe quoi quand Elmore lui en avait parlé.

Le problème, c'est qu'elle était la sœur de Candy, la belle-sœur de Dick LaChaise. Elle était présente quand il s'était échappé après avoir tué un homme. Et maintenant, LaChaise se planquait dans une caravane appartenant à son gâteux de beau-père.

Elle était là, quand les flics avaient embarqué LaChaise pour complicité de meurtre. Ils allaient faire pareil avec elle, et ils auraient davantage de preuves.

Sandy Darling s'assit en frissonnant, et ce n'était pas de froid. Elle s'assit en se demandant comment sortir de ce pétrin.

La caravane était une Airstream déglinguée, posée comme une balle en argent sur la neige gelée. Butters et LaChaise approchèrent leur 4 × 4 en faisant crisser les plaques de neige et sortirent dans le froid. Butters tira le verrou de la caravane. « Je suis passé dans la matinée pour déposer des provisions et mettre le chauffage... Personne ne peut te voir ici, mais il vaut peut-être mieux éteindre la lumière le soir. Pas besoin de t'inquiéter pour la fumée. Tout marche à l'électricité, et ça marche bien. J'ai branché la pompe et rempli la bouilloire. De ce côté-là, tu devrais être tranquille.

— Tu t'es drôlement bien débrouillé, Ansel, reconnut LaChaise.

— Je te devais largement ça. » Butters ne s'attarda pas sur le sujet. « Il y a la télé et une radio, mais tu ne peux capter qu'une chaîne – tout juste –, et deux stations à la radio. Remarque, les deux donnent de la musique country.

— Pas de problème », dit LaChaise en regardant autour de lui. Puis il se retourna et fixa Butters de ses yeux noirs trop enfoncés : « Ansel, ça fait des années que tu ne me dois plus rien, si tu me devais quelque chose. Mais il y a un truc dont je dois être sûr. »

Butters le regarda et détourna les yeux vers la fenêtre, au-dessus de l'évier. « Ouais ?

— Tu es d'attaque pour ce coup-ci ? »

Ansel le regarda, détourna de nouveau les yeux. C'était difficile de capter le regard d'Ansel, quelles que soient les circonstances. « Oh ! oui. Je suis très fatigué. Tu vois ce que je veux dire ? Très fatigué.

— Tu ne dois pas faire de bêtises.

— Je n'en ferai pas, jusqu'au moment venu. Mais le jour de ma mort approche. »

Les mots sortirent, implacables et formels.

« Allons, ce sont probablement des conneries, Ansel », dit LaChaise d'un ton grave, sans rien d'insultant.

« J'ai quitté l'autoroute pour rentrer à la maison, expliqua Ansel. J'ai remonté une bretelle, de nuit, avec les phares allumés. Et j'ai vu l'ombre d'une chouette s'élever devant moi, les ailes déployées, à deux mètres ou à peine plus. Je pouvais compter toutes ses plumes. Ne me dis pas que c'est pas un présage.

— C'est peut-être un présage, mais j'ai une mission. Nous avons tous une mission, désormais.

— Tu as raison, acquiesça Butters. Et je ne te laisserai pas tomber.

— C'est tout ce que je voulais savoir. »

4

Une secrétaire répondant au prénom d'Anna Marie frappa à la porte du bureau de Lucas, passa la tête à l'intérieur, s'acharna un instant sur son chewing-gum et annonça : « Le chef Lester m'a dit de vous demander si vous connaissez Dick LaChaise.

— Dick ? »

Elle s'interrompit pour faire claquer son chewing-gum.

« Dick, le mari de cette femme qui a été descendue, et le frère de l'autre. La semaine dernière, c'était ? »

Lucas couvrit le récepteur de sa main.

« Et alors ?

— Eh bien, il s'est échappé dans le Wisconsin et il a tué un type. Un gardien de prison. Le chef Lester dit que vous devriez descendre à la Crim.

— Je serai là dans deux minutes », promit Lucas.

Un gros costaud de flic aux cheveux gris coupés en brosse longeait le couloir quand Lucas sortit de son bureau. Il le prit par le coude et dit : « Y a un type qui rentre chez lui après le travail et trouve sa petite amie devant la porte, avec ses bagages.

— Alors ? » Ce flic-là était connu pour ses blagues fétides.

« Le mec n'en revient pas. Il lui demande : "Qu'est-ce qui se passe ? — Je te quitte, répond la fille. — Qu'est-ce que j'ai fait ? Tout allait bien, ce matin. — Ben, explique la fille, j'ai entendu dire que t'étais un pédophile." Le type la regarde : "Un pédophile ? Dis donc, c'est un peu charrié, comme mot, tu n'as que dix ans…"

— Laisse-moi tranquille, Hampstead », dit Lucas en le repoussant. Mais il ne put s'empêcher de rire.

« Tu parles, tu vas la raconter à tous tes copains… »

Lester parlait au lieutenant de la Crim quand Lucas entra. Il se retourna, ôta ses pieds du bureau du lieutenant et déclara : « Dick LaChaise a tranché la gorge d'un gardien de prison pendant l'enterrement de Candace et Georgia LaChaise, puis il s'est volatilisé. Ça fait à peu près une heure.

— Volatilisé ?

— C'est le mot qu'a employé le shérif de Dunn County : volatilisé.

— Comment lui a-t-il tranché la gorge ? Il y a eu lutte ?

— Je ne connais pas les détails. Y a un bordel terrible au funérarium. Ça se trouve du côté de Colfax, à quinze ou vingt kilomètres de la I-94, entre Eau Claire et Menomonie. Faut compter une heure et demie de route.

— En Porsche, une heure, dit mollement le lieutenant.

— Je pense que tu devrais dépêcher quelqu'un de ton équipe, suggéra Lester.

— Bon sang, je vais y aller moi-même. Je reste assis à ne rien foutre, de toute manière. On a de la doc sur LaChaise ?

— Anderson s'en occupe en ce moment, dit Lester. En tout cas, le shérif de là-bas affirme que LaChaise pourrait bien se diriger par ici. Sa mère raconte qu'il va venir nous faire la peau pour Candace et Georgia : "Œil pour œil, dent pour dent", qu'elle a dit. »

Lucas regarda le lieutenant.

« Je peux emmener Sloan ?

— Bien sûr. Si tu arrives à le trouver. »

Lucas récupéra une liasse de paperasse chez Anderson, le génie informaticien du service, laissa un message à Sloan sur son portable et lui exposa l'affaire LaChaise quand il le rappela.

« Tu veux venir ? lui demanda Lucas.

— Laisse-moi prendre une parka. Je te rejoins chez toi. »

Normalement, Lucas n'utilisait pas sa Porsche en hiver, mais, ce jour-là, malgré un froid mordant et un ciel sinistre, la neige ne menaçait pas. Sous les roues, l'autoroute était sèche et dure comme de l'os, ce qui arrivait parfois en cette saison.

« On est pressés, j'espère ? demanda Sloan alors qu'ils remontaient vers le nord en longeant le Mississippi.

— Ouais », confirma Lucas.

Quand ils s'engagèrent sur la I-94 par la bretelle de Cretin Avenue, il appela le standard et leur demanda de contacter la brigade de l'autoroute du Wisconsin pour prévenir qu'il arrivait en urgence. Ils touchèrent l'autoroute à midi, et à midi vingt ils franchirent la rivière Saint Croix pour entrer dans le Wisconsin. Lucas passa le bras par la portière et plaqua son gyrophare rouge, puis il enfonça l'accélérateur, poussant la Porsche jusqu'à cent quatre-vingt-dix avant de la stabiliser à cent soixante.

La campagne donnait l'impression d'avoir été taillée dans la glace, ciel dur, collines arrondies, cours des rivières délimité par des arbres gris dénudés, vieux épis de blés dorés perçant la neige, pavillons de banlieue auxquels succédèrent bientôt des fermes isolées coiffées de panaches de fumée de feu de bois.

Sloan regarda le paysage défiler pendant quelques minutes et dit : « Au retour, c'est moi qui conduis. »

Le shérif de Dunn County, Bill Lock, était un petit binoclard méticuleux et affairé qui accusait quelques kilos de trop. Avec une fausse barbe blanche, il aurait fait un père Noël de supermarché très acceptable. Il rencontra Lucas et Sloan parmi les cercueils, dans le salon du repos éternel de l'établissement funéraire où Logan avait mis du café et des doughnuts à la disposition de la police.

« Venez voir, proposa Lock. On aimerait bien qu'un type de chez vous dise un mot à Duane Cale. Il est toujours enfermé à la prison de Hennepin County. Peut-être a-t-il une idée de l'endroit où ils sont allés.

— Pas de problème », dit Lucas. Il sortit une carte, gribouilla un numéro au verso et la tendit à Lock. « Demandez Ted, précisez que c'est de ma part, et expliquez-lui ce que vous voulez faire.

— Parfait. »

Lock les pilota dans la salle d'exposition où les corps de Candy et Georgie LaChaise attendaient toujours la cérémonie. « Vous voulez jeter un coup d'œil ? demanda-t-il.

47

— Non, merci, répondit vivement Lucas. Eh bien, que s'est-il passé ?

— Selon Logan, LaChaise a exigé qu'il ouvre les cercueils. Ils sont donc revenus ici et il s'est exécuté. Puis LaChaise a demandé s'il y avait un distributeur de Coca quelque part et Logan lui a indiqué l'endroit. LaChaise a agi avec un aplomb incroyable. Il avait l'air si naturel : il s'est attardé devant les corps, s'est recueilli, puis il a demandé un Coca... »

Lock leur montra le chemin. Ils passèrent devant quelques policiers qui inspectaient les lieux, entrèrent dans la salle du fond. Le corps de Sand était encore par terre, près de la glacière, au milieu d'une mare de sang qui commençait à sécher. Sand était petit, blanc et pas particulièrement costaud. Sa tête dessinait un drôle d'angle, avec le menton à même le sol et le nez pointé vers le haut.

« Logan estime qu'il s'est absenté cinq minutes. Quand il est revenu dans la salle où les corps étaient exposés, il n'y avait plus personne. Alors il a regardé au fond, et il a trouvé ça.

— Il n'a jamais revu LaChaise ? demanda Lucas.

— Il ne l'a pas revu, confirma Lock en secouant la tête. N'a pas entendu un seul bruit, rien. Et maintenant, l'autre salaud est en cavale quelque part dans la campagne.

— Ça fait un bout de temps, dit Lucas.

— Oui, mais nous fouillons toutes les maisons.

— Quelqu'un a dû lui donner un coup de main. » Lucas contourna le corps, s'accroupit, regarda les mains de Sand encore menottées. « Je ne vois pas de coupures indiquant qu'il y a eu lutte, dit Lucas en se relevant. Si LaChaise avait les bracelets et des chaînes aux pieds, il ne peut pas avoir tué ce type sans se battre. C'est donc qu'il y avait quelqu'un d'autre ici.

— À moins qu'il se soit mis d'accord avec Sand pour que celui-ci le libère et qu'il l'ait trahi après.

— Hum... Qu'avait-il à offrir à Sand en échange ? Candy et Georgie mortes, la source d'argent était tarie.

— On a contacté le Michigan pour voir si Sand avait des problèmes là-bas. Quelque chose qui aurait permis d'exercer un chantage contre lui...

— Personne n'a vu LaChaise sortir ?

— Non. Personne n'a rien vu. »

Sloan intervint : « J'ai entendu sa mère dire qu'il était après nous.

— C'est ce qu'elle prétend, confirma Lock. Elle a peut-être raison. Dick est fêlé.

— Vous le connaissez ? demanda Lucas.

— Depuis que je suis gamin. En hiver, je posais des pièges en haut du Red Cedar. Les LaChaise vivaient au sud d'ici, dans une ferme délabrée. Amy LaChaise y est toujours. Je voyais les enfants de temps en temps. Georgie et Dick. Le père était un sale con, toujours ivre, qui battait ses gosses…

— La plupart des psychopathes sont comme ça, dit Sloan.

— Ouais. En plus, ça ne m'étonnerait pas qu'il se soit fait Georgie. Elle savait toujours trop de choses, à l'école. » Lock commença à se gratter la tête, se contrôla et lissa ses rares cheveux. « Le vieux m'a foncé dessus, un jour, en beuglant que j'empiétais sur la partie de la rivière qui lui était réservée, alors qu'ils ne vivaient même pas au bord.

— Qu'est-ce qui s'est passé ?

— Ben, j'avais dix-sept ans à l'époque. Je faisais les foins tout l'été, en automne je construisais des clôtures, et après, je trappais. J'étais en bonne forme, et lui, c'était un ivrogne de cinquante ans. Je lui ai mis une raclée, expliqua Lock en leur souriant au-dessus du corps de Sand.

— Tant mieux pour vous, dit Sloan.

— Mais pas pour ses enfants, eux, ils vivaient avec lui. Ils sont tous devenus complètement fêlés.

— Il y en avait d'autres ? En dehors de Georgie et Dick ? demanda Lucas.

— Un frère, Bill. Il est mort. Il s'est payé un tablier de pont il y a une dizaine d'années. Complètement bourré, en pleine nuit. On a trouvé un hérisson sur la banquette arrière. Mort pareil.

— Un hérisson », répéta Sloan en regardant Lucas. Lock se moquait d'eux, ou quoi ?

Lisant dans ses pensées, Lock sourit : « Oui, son truc, c'était de ramasser des hérissons. Il les mettait dans la voiture et les lâchait chez des copains. Quand il en avait cinq ou six, il les amenait à Saint Paul.

— Des hérissons », reprit Sloan en hochant la tête d'un air accablé.

Lock expliqua que les deux seules personnes venues pour l'enterrement étaient Amy LaChaise et Sandy Darling, la sœur de Candy. « Elles attendent à côté. Elles disent qu'elles n'ont pas la moindre idée de ce qui s'est passé.

— Et vous les croyez ? demanda Sloan.

49

— Oui, plutôt. Mais vous pouvez leur parler, si vous voulez. Pour voir ce que vous en pensez. »

Amy LaChaise représenta une perte de temps assortie d'un regard torve et d'un langage grossier, à la fois agressive et geignarde. Elle les défiait et la seconde suivante elle s'écrasait, comme si on l'avait déjà battue pour s'être comportée ainsi.

« Vous allez payer, maintenant, glapit-elle, le regard mauvais sous son chapeau ridicule. Vous croyez être les plus forts, à tuer tout le monde comme ça, que vous pouvez tout vous permettre. Eh bien, vous allez voir, Dick va vous retrouver. »

Sandy Darling, c'était autre chose.

Un petit gabarit, mais ce n'est pas l'impression qu'elle donnait : sa robe noire avait quelque chose de théâtral, ses bottes noires à bout argenté apportaient une note country non dénuée d'élégance. Elle avait l'air à la fois coriace et sensible.

Elle les regarda bien en face, sans ciller, et parla d'une voix posée, mais abattue.

Sandy avait vu Lucas arriver en compagnie de Sloan, puis parler au shérif. Le plus baraqué, celui qui avait l'air d'un dur, portait un costume qui lui parut cher, probablement sur mesures. FBI ? Il ressemblait aux agents du FBI qu'on voit dans les films. L'autre, plus mince, genre sournois, était habillé en marron, toutes les nuances de marron. Ils allèrent au fond, où se trouvait le corps du gardien de prison, ressortirent quelques minutes plus tard et parlèrent à Amy LaChaise. Elle entendit les croassements d'Amy mais ne comprit pas un mot.

Au bout de cinq minutes, les deux hommes laissèrent Amy LaChaise et s'approchèrent de l'endroit où Sandy attendait. Elle pensa : *Tiens bon, tiens bon.*

« Madame Darling ? » Le plus grand avait des yeux bleus qui vous transperçaient. Elle réprima un frisson quand il sourit, un petit sourire poli mais vraiment dur. Il lui rappela un éleveur du Montana qu'elle avait rencontré en allant chercher une paire de chevaux de selle. L'affaire n'avait pas duré, mais elle en gardait plutôt un bon souvenir.

L'autre, celui qui avait l'air fuyant, sourit, et lui donna l'impression d'être un brave type.

« Je suis Lucas Davenport, de la police de Minneapolis, dit le grand, et voici l'inspecteur Sloan. »

Le nom de Lucas retint son attention. Davenport. N'était-ce pas lui… ? « C'est vous qui avez tué ma sœur ? lâcha-t-elle.

— Non, dit le grand en secouant la tête. L'inspecteur Sloan et moi étions présents à la banque, mais nous n'avons tiré ni l'un ni l'autre.

— Mais vous avez tendu le piège.

— Ce n'est pas comme ça que je vois les choses. »

Sandy hocha brièvement la tête. Elle comprenait. « Est-ce qu'on va m'arrêter ?

— Pour quelle raison ? » demanda le type plus mince. Il avait l'air sincèrement intéressé, presque étonné, et elle le trouva sympathique.

« C'est ce que je voudrais savoir. Je suis venue à l'enterrement, et maintenant on ne me laisse plus faire un pas. Je dois même demander l'autorisation d'aller aux toilettes. Personne ne veut rien me dire.

— C'est la routine habituelle, expliqua le plus mince. Je sais que c'est contrariant, mais la situation est grave. Un homme a été tué. »

Le flic mince – Sloan ? – rendait les choses plus acceptables. Il poursuivit : « Nous allons parler au shérif, voir si on peut vous donner une idée du temps que ça va durer. Je pense que vous allez devoir faire une déposition en bonne et due forme, mais, à mon avis, vous devriez être chez vous pour le dîner.

— Si vous n'êtes pas impliquée », intervint Davenport. Elle était assise dans un grand fauteuil. Il en prit un à côté d'elle. « Si vous avez quoi que ce soit à voir avec cette affaire, si vous savez ce que LaChaise manigance, vous avez intérêt à le dire tout de suite, expliqua-t-il. Vous prenez un avocat et on passe un accord. »

Elle secoua la tête et une larme dégoulina sur sa joue.

« Je ne sais rien. J'étais juste venue dire au revoir à Candy… »

Trois choses se succédèrent dans sa tête. En entendant « Vous avez intérêt à le dire tout de suite », elle pensa, loin dans son subconscient : *Oh, oui !* Mais aussi, elle avait tellement peur que c'était insoutenable. Et, en même temps, elle pensait vraiment à Candy, morte dans son cercueil à dix mètres d'elle. C'est ce qui provoqua la larme.

Lucas vit la larme sourdre et regarda Sloan. Celui-ci fronça les sourcils et dit gentiment : « Ne vous inquiétez pas. » Se penchant, il lui prit la main et ajouta : « Écoutez, je suis sûr que vous n'avez rien à voir avec tout ça, mais, quelquefois, les gens savent plus de choses qu'ils ne croient. Par exemple, si vous étiez Dick LaChaise, où iriez-vous ? Vous le connaissez, et vous connaissez tous les deux ce secteur... »

Ils lui parlèrent encore une quinzaine de minutes, sans résultat. À plusieurs reprises, Sandy eut les larmes aux yeux, mais elle ne céda pas un pouce de terrain. Elle ne savait tout simplement rien. Elle élevait des chevaux, pour l'amour du ciel ! Elle tenait son ranch, payait ses impôts, se battait pour que ses affaires marchent, elle ne connaissait rien aux hors-la-loi. « Candy et moi... elle a quitté la maison quand j'étais en troisième, et, après ça, on ne l'a plus beaucoup revue. Elle était toujours avec Dick, à faire des trucs déments avec lui. J'avais peur qu'il lui arrive quelque chose.

— Que faisaient vos parents ?

— Mon père travaillait pour le bureau de poste – il était chargé d'une tournée rurale près de Turtle Lake. Ils sont morts tous les deux.

— Je suis désolé, dit Sloan. Mais vous ne connaissez personne chez qui ils auraient pu se réfugier ? »

Elle secoua la tête. « Non. Je n'avais rien à voir avec cette bande. Je n'avais pas le temps... Je travaillais tout le temps.

— Quel est le degré de folie de LaChaise ? Sa mère dit qu'il va s'en prendre à nous. »

Sandy fit tourner son chapeau de cow-boy entre ses doigts, comme si elle se livrait à une estimation. « Dick est bizarre, finit-elle par admettre. Fruste. À une époque, il était vraiment beau, quoique... il l'est moins, maintenant. Il était vraiment insensé. Il attirait tous les types cinglés des Seeds. On racontait des histoires, les cascades démentes qu'il faisait sur sa moto, ou quand il s'endormait sur une ligne blanche. En fait, il s'est vraiment endormi, une fois, c'était sur la nationale 64, devant un bar. Ivre mort, bien sûr.

— Vous croyez vraiment qu'il va s'en prendre à nous ? demanda Lucas.

— Vous êtes inquiet ? » s'étonna Sandy. Il n'avait pourtant pas l'air du genre à s'inquiéter.

« Un peu, admit-il. Parce que je ne sais pas grand-chose de lui. Et puis sa femme et sa sœur – pardonnez-moi de vous parler ainsi, je sais que Candy était votre sœur –, ce qu'elles ont fait était vraiment cinglé. »

Sandy hocha la tête.

« C'est à cause de Dick. Dick est... il est comme un sale gosse en colère. Il fait des choses complètement folles, et après, il regrette. Une fois, il s'est soûlé et il a tabassé un copain. Et, après avoir cuvé, il s'est tabassé lui-même. Il a pris un *rondin* de bois et il s'est donné des coups au visage jusqu'à ce que quelqu'un l'arrête et l'emmène à l'hôpital.

— Seigneur, murmura Sloan en regardant Lucas, manifestement impressionné.

— Mais il sait aussi être charmant, ajouta Sandy. Et vous pouvez le calmer en lui faisant honte, comme un petit garçon. À moins qu'il n'ait bu. Là, rien ne l'arrête.

— Vous parlez beaucoup d'alcool. Ça lui arrive souvent, d'être ivre ?

— Oh ! oui. Il est alcoolique, aucun doute. Comme la plupart de ses amis. Mais Dick n'est pas bourré continuellement. Il peut rester sobre pendant un certain temps, puis, un beau jour, il prend une cuite et il est comme fou pendant deux semaines.

— Quelqu'un a tranché la gorge de ce gardien de prison quand il était couché par terre, les menottes aux poignets. Vous pensez que LaChaise est capable de faire ça ? demanda Lucas.

— Je crois que oui, s'il était dans un de ses mauvais jours. Sans problème. Je ne sais pas si je me fais bien comprendre, mais, quand je parle d'un sale gosse, c'est exactement ce que je veux dire. Il a des accès de colère, de vraies crises. Et là, il fait peur à tout le monde, parce qu'il est cinglé, mais aussi parce qu'il est très fort. C'est ce qui se passe en ce moment, il a une de ses crises.

— Mais une crise d'enfant ne dure que quelques minutes…

— Dick, lui, peut continuer un bout de temps. Une semaine, parfois deux.

— C'est comme ça qu'il s'est retrouvé impliqué dans cette histoire de meurtre, dans le Michigan ? Parce qu'il était en crise ?

— Oh ! non, il n'avait rien à voir avec ça. Ce sont les flics qui ont monté le coup. »

Lucas et Sloan détournèrent le regard au même moment. Elle sourit faiblement. « Comme ça, vous ne me croyez pas, pourtant c'est vrai. J'ai témoigné au procès. Il y avait ce type, Frank Wyatt, qui en a tué un autre, Larry Waters. Le procureur a dit que Waters avait volé de la drogue à Wyatt et qu'une partie de la drogue appartenait à Dick – ce qui est possible, je ne sais pas. En tout cas, le procureur a affirmé que, la nuit du vol, Dick et Wyatt sont allés ensemble dans une taverne de Green Bay et ont parlé de tuer Waters.

— C'est ça le complot, dit Lucas.

— Oui. Ils avaient un indic. En échange de son témoignage, ils ont oublié qu'il était accusé de détention de drogue. Il a affirmé qu'il se trouvait dans cette taverne le jour où Wyatt et Dick ont eu la fameuse conversation. Le lendemain, Wyatt a descendu Waters.

— Et vous prétendez que LaChaise n'y était pas ? demanda Sloan.

— Je le sais, répondit Sandy, parce qu'il était chez moi. J'avais une pouliche qui s'était cassé une jambe, en plusieurs éclats. Il n'y avait rien à faire, pas moyen de réparer la blessure, il fallait l'abattre. C'est une chose que je déteste faire, vraiment. Dick et Candy étaient en ville et je leur en ai parlé. Dick m'a proposé de s'en charger, et il l'a fait. C'était la nuit où il était censé se trouver à Green Bay. Je l'ai écrit à l'encre sur mon planning d'impôt sur le revenu. En fait, Candy et Dick sont restés chez moi toute cette semaine-là… Mais le jury ne m'a pas crue. Le procureur a dit : "C'est sa belle-sœur, elle ment pour le couvrir."

— Bon, dit Lucas en regardant Sloan, qui haussa les épaules. Nous savons que ce genre de chose arrive. On prend un enfoiré – excusez-moi – qui passe son temps à bousiller la vie des autres, on tire dessus, et puis les flics arrangent le coup.

— Un peu comme vous avez fait avec Georgie et Candy ?

— Nous avons été réglos avec Georgie et Candy, objecta Lucas en secouant la tête. Elles sont allées à la banque pour la braquer, personne ne les a forcées, personne ne leur a suggéré de le faire. Elles ont agi de leur plein gré. On les surveillait, c'est tout. »

Elle le regarda franchement et hocha la tête. « D'accord. si j'étais flic, j'aurais fait pareil. »

La conversation se poursuivit pendant quelques minutes, mais rien d'utile n'en sortit. Lucas et Sloan saluèrent le shérif et regagnèrent leur voiture.

« Que penses-tu de Sandy Darling ? demanda Lucas en filant sur le trottoir. Sloan secoua la tête : « Je n'en sais rien. Elle est solide, et loin d'être idiote. Mais elle crève de trouille.

— Les flics lui ont fait peur. Ils l'ont vraiment malmenée.

— Pas ce genre de peur. » Lucas lui lança les clés de la Porsche et il ouvrit la portière droite. « Elle avait peur comme… »

Ils montèrent. Sloan mit le contact et reprit quelques secondes plus tard : « Elle avait peur comme si elle craignait d'avoir fait un faux pas. Comme si elle nous avait raconté un bobard et craignait qu'on s'en aperçoive. Si elle n'a rien à voir dans tout ça, elle n'a pas besoin de raconter d'histoires, et pourtant, j'ai l'impression que c'est ce qu'elle a fait. »

Regardant par la glace pendant qu'ils traversaient la petite ville, Lucas répondit : « Hum… Tu sais, je la trouve assez sympathique.

— J'avais remarqué. C'est toujours plus difficile de les arrêter, dans ces cas-là. »

Lucas sourit. Sloan pilota la voiture le long de la route serpentine qui menait à la I-94.

« Il y a intérêt à faire gaffe, déclara Lucas au bout de quelques minutes. On va passer le mot : on recherche quelqu'un qui poserait un peu trop de questions sur des flics. On enquête sur le type et ses contacts. Il faut faire sortir de leur trou les mecs susceptibles de le connaître.

— Je n'ai jamais eu d'ennuis, dit Sloan. Quelques menaces, rien de sérieux.

— J'en ai eu deux ou trois, insignifiantes.

— C'est ce qu'on gagne à fouiller dans les coins pendant tant d'années », dit Sloan. Puis : « Je te parie que je fais la route plus vite que toi à l'aller.

— Attends, je boucle ma ceinture. »

LaChaise s'étira sur son lit, le premier matelas confortable qu'il ait connu depuis plusieurs années, et respira l'air de la liberté. Ou, du moins, un air qui n'était pas celui d'une cellule. Puis il se fit du café et tartina du beurre de cacahuète sur des biscuits salés Ritz, écouta la radio. Il entendit cinq ou six récits de son exploit. Les journalistes locaux étaient tout excités de tenir un vrai sujet. Selon l'un d'eux, la police pensait qu'il était à pied, ils vérifiaient les maisons une par une dans la ville de Colfax.

Cela le fit sourire. Ils ne savaient donc pas comment il avait réussi à prendre la fuite.

Il entendait le vent souffler dehors. Un peu plus tard, il enfila une veste et sortit faire un tour. Il alla se soulager dans les cabinets, où il faisait un froid d'enfer, marcha jusqu'à la lisière du bois, regarda en bas d'un petit ravin. Des traces de daim, rien d'autre en vue. Il faisait vraiment froid et il retourna à la caravane. Le soleil était sur le point de disparaître, cachet d'aspirine pâlot qui essayait de percer un écran de trembles.

Il ralluma la radio : la fouille était terminée à Colfax. Le shérif de Dunn County parlait dans le vide, bla-bla-bla.

N'empêche, c'était un soulagement de voir la nuit tomber. Elle donnait l'illusion que les recherches allaient ralentir, et les flics rentrer chez eux. Il dénicha une pile de couvertures de l'armée qu'il accrocha aux fenêtres pour les voiler. Ayant allumé les lampes, il ressortit pour s'assurer qu'aucune lumière n'était visible de l'extérieur, rentra à nouveau et se glissa dans le lit. Après tant d'années au fond de sa cellule, il avait oublié ce que pouvait être le silence des bois et eut du mal à trouver le sommeil.

Il s'endormit enfin, mais le crissement des pneus sur la neige le réveilla instantanément. Il se redressa et saisit le Bulldog par terre. Quelques secondes plus tard, il entendit des pas et un grattement à la porte.

« Qui est là ? demanda-t-il.

— Sandy. »

Elle avait le visage crispé. Furieuse. « Espèce de connard », dit-elle. Il la regarda en pointant l'arme sur sa poitrine. Animée d'une colère froide, elle l'ignora. « Je veux que tu partes d'ici. Immédiatement.

— Entre et referme la porte, tu laisses entrer le froid. » Il s'écarta d'elle tout en regardant par-dessus son épaule. « Tu n'as pas amené les flics ?

— Non, je n'ai pas amené les flics, mais je veux que tu t'en ailles, Dick...

— Demain. On part pour le Mexique.

— Au funérarium, ils ont dit que tu allais pourchasser les flics qui ont tué Georgie et Candy.

— Ben, ouais... » Il haussa les épaules.

« Pourquoi as-tu tué le gardien ? »

Il détourna les yeux. Elle lui laissa le temps de trouver une excuse.

« C'était un véritable salaud. Si tu savais ce qu'il a fait...

— Mais, maintenant, ils te recherchent pour *meurtre*.

— J'étais déjà en taule pour ça.

— Oui, mais tu n'y étais pour rien.

— Pour eux, ça ne fait aucune différence.

— Mon Dieu, Dick, *c'est* différent.

— Mais tu ne connaissais pas ce type, Sandy. Si tu savais ce que Sand a fait endurer à mes potes, là-bas... » Il secoua la tête. « Tu ne nous reprocherais rien. Aucun homme ne devrait endurer une chose pareille. »

Il faisait allusion aux viols, elle le savait. Elle ne le crut pas, mais elle n'insista pas. Elle voulait le croire. Elle avait peur, si elle insistait, de découvrir qu'il mentait.

« Admettons. Mais, maintenant, il faut que tu t'en ailles. Martin n'arrête pas de vanter les qualités de sa camionnette. Si tu pars demain, tu peux être en Arizona après-demain, à condition de rouler sans arrêt. Et, le jour suivant, tu seras au Mexique, sur la côte du Pacifique.

— Ouais, c'est ce qu'on avait l'intention de faire, dit LaChaise, mais, une fois de plus, il détourna les yeux. Qu'est-ce qui s'est passé, au funérarium ?

— La police nous a retenues quelques heures et deux flics de Minneapolis sont venus nous interroger. Après, ils nous ont emmenées au tribunal, à Menomonie. On a signé nos déclarations et ils nous ont relâchées. Deux agents sont venus fouiller la maison à l'heure du dîner.

— Ils avaient un mandat ?

— Non, mais je les ai laissés entrer, j'ai pensé que c'était mieux. Ils ont fureté partout et sont repartis.

— Et Elmore ?

— Elmore était au travail. Ils l'ont déjà interrogé.

— Tu crois qu'Elmore pourrait nous dénoncer ?

— Non, il a aussi peur que moi », dit Sandy. Et, soudain, toute sa colère remonta à la surface : « Pourquoi est-ce que tu l'as tué, Dick ? Nous ne t'avons jamais rien fait, et maintenant tu nous entraînes avec toi dans cette histoire.

— On avait besoin d'un endroit pour se planquer, se justifia-t-il. Nous ne savions pas comment ça allait tourner. Si on avait les flics aux fesses, il nous fallait une retraite où rappliquer en vitesse. J'ai pensé à la caravane.

— Eh bien, je ne veux pas que tu y restes, dit Sandy en le menaçant de l'index. Quand tu seras parti, je reviendrai essuyer tout ce que tu as touché… et j'espère bien que si tu te fais prendre tu auras la décence de la boucler.

— On ne me prendra pas, affirma LaChaise. Je ne retournerai pas au trou. Si je me fais tuer, tant pis. Mais je ne retourne pas là-dedans.

— Mais s'ils te rattrapent… et que tu prends une balle, et que tu te réveilles à l'hôpital…

— Je leur parlerai jamais de la caravane, promit LaChaise en secouant la tête. Jamais.

— D'accord. » Elle consulta sa montre. « Je ferais mieux de filer, au cas où les flics reviendraient à la maison. Je vais te dire un truc, tout de même : un de ceux de Minneapolis était Davenport. Le responsable de l'équipe qui a tué Candy et Georgie.

— Je sais qui c'est. Et alors ?

— C'est vraiment un dur.

— Moi aussi. »

Elle acquiesça. « C'était juste pour te prévenir. »

Sandy repartit tête baissée vers sa voiture et resta assise quelques secondes au volant avant de démarrer. À présent, elle était effectivement coupable de quelque chose. En tant que contribuable votant républicain et élevant des chevaux, elle estimait mériter la prison pour ce qu'elle venait de faire. Mais elle n'irait pas. Elle était prête à n'importe quoi pour y couper, et à la seule idée d'une cellule elle avait les genoux qui tremblaient. Si Dick s'était réfugié ailleurs, elle l'aurait dénoncé. Mais, la caravane servant de planque, c'était impossible à justifier. Elle savait d'expérience, au vu du premier procès de Dick, ce dont des flics vindicatifs étaient capables.

Bon Dieu ! Elle pensa soudain aux armes enfermées dans le placard de l'entrée, une 22 long rifle pour le daim, un fusil de chasse. Elle n'avait pas envisagé une chose pareille, mais au fond… elle pouvait rentrer chez elle, prendre la carabine dont Elmore se servait pour chasser le daim, revenir ici…

Faire sortir Dick.

Boum.

Elle cacherait son corps dans un champ de maïs quelque part, et personne ne découvrirait rien avant le printemps. Et pour peu que les coyotes s'en occupent, même pas au printemps. Elle poussa un soupir. Elle était incapable de faire ça. De sa vie, elle n'avait jamais voulu blesser personne. Mais elle n'allait pas couler à cause de lui. Elle nagerait pour s'en sortir.

Weather et Lucas mangeaient des raviolis frais achetés chez l'Italien pendant que Lucas racontait l'expédition à Colfax. « Répète-moi la fin, demanda Weather. Cette histoire d'œil pour œil. »

Lucas haussa les épaules.

« On va faire un peu gaffe, c'est tout. Le type ne va pas rester en cavale bien longtemps, il a trop de gens à ses trousses. Mais j'ai dit à tous ceux qui ont participé à la fusillade d'être vigilants.

— Tu crois qu'il pourrait venir ici ? demanda-t-elle.

— Je ne pense pas. En fait, je ne sais pas. Peut-être. Il est complètement fêlé. Il faut qu'on fasse un peu attention, c'est tout.

— C'est pour ça que tu as un revolver sous ta chaise ? Pour faire un peu attention ? »

La fourchette de Lucas resta en suspens à quelques centimètres de sa bouche. « Excuse-moi, mais ce n'est pas si grave que ça, et ça ne va pas durer éternellement. »

5

Le Black Watch au petit matin.

Andy Stadic poussa la porte d'entrée, enleva ses gants et déboutonna son manteau tout en contournant le bar, et franchit les deux battants de porte donnant sur la cuisine. En ouvrant son manteau, il dégagea son arme. Pas pour s'en servir, juste par habitude.

Stadic était un homme de petite taille, avec une tête oblongue, des cheveux coupés très courts et des petits yeux soupçonneux, légèrement saillants. Dans la cuisine, il salua d'un signe de tête le chef, qui hachait des oignons pour les incorporer dans dix kilos de viande crue, ignora le plongeur mexicain, tourna derrière la batterie de poêles et poussa une double porte.

La pièce du fond, fraîche, éclairée par un plafonnier au néon, était remplie de caisses de bouteilles de bière vides, de sacs de pommes de terre et de cartons où s'empilaient serviettes en papier, rouleaux de papier hygiénique et flacons de ketchup. L'ensemble dégageait une odeur de moisi, de patates, d'oignons et, plus légèrement, de fumée de cigare.

Daymon Harp était assis sur une des deux chaises de plastique rouge devant une table ronde en ferraille, les jambes allongées devant lui, chevilles croisées, et il mâchait du chewing-gum. Il portait un blouson bomber, un Levi's délavé et des bottes de cow-boy pourpres à bout argenté.

« Qu'est-ce que tu veux ? lui demanda Stadic, debout, mains dans les poches.

— On a un problème. » Harp décroisa les jambes, posa un pied sur la deuxième chaise et la poussa vers Stadic.

« Je ne veux pas entendre parler de problème, déclara Stadic.

— On n'y peut rien.

— Mon vieux, je ne veux même pas te voir. Si les poulets rappliquaient maintenant, je serais cuit. J'aurais droit à un aller simple pour Stillwater.

— Je n'y pouvais rien. Assieds-toi, nom de Dieu. »

Stadic fit pivoter la chaise et s'assit à califourchon, les bras croisés sur le dossier.

« Alors ?

— Deux mecs se sont pointés chez moi, hier soir. M'ont braqué avec leur arme. Ils voulaient obtenir ton nom.

— Mon nom ?

— Ouais. Ils savaient que je travaillais avec un flic mais ils ne connaissaient pas ton nom.

— Bon sang, Harp…

— Ils ont menacé de couper un doigt de Jas toutes les dix secondes jusqu'à ce que je crache le nom, en prouvant que c'était le bon. Ils ont promis de commencer par deux doigts pour montrer qu'ils étaient sincères. Quand ce serait fini avec les dix doigts, ils ont dit, ils lui feraient sauter les yeux, et ensuite, ils lui trancheraient la gorge avant de s'occuper de moi.

— Tu leur as donné mon nom ? s'exclama Stadic, n'en croyant pas ses oreilles.

— Et comment que je l'ai donné, dit Harp. Ils lui ont tranché l'index en un rien de temps, sur une planche à pain. Elle était ligotée, bâillonnée, à moitié dans les vapes, et ils avaient l'air de mecs qui massacrent des poulets dans une basse-cour, deux cinglés absolus, complètement shootés. J'ai déjà été en taule avec ce genre de types. Ils ont des larmes tatouées en dessous de l'œil, une par mec qu'ils ont descendu, et quand on commence à se les faire tatouer, on a intérêt à prouver aux autres cinglés qu'on a une bonne raison pour ça. Le gamin déjanté en avait trois, et le taré qui tenait le couteau, deux.

— Tu aurais pu leur dire n'importe quoi. »

Harp secoua la tête.

« Ils voulaient une preuve. J'en avais une. »

Stadic était devenu très calme, soudainement.

« Quelle preuve ?

— J'avais fait prendre des photos.

— Espèce d'enfoiré… » Stadic se leva, expédia la chaise d'un coup de pied, fit mine de prendre son arme. Harp leva les mains.

61

« Ça remonte à très loin, quand je ne te connaissais pas encore. Et puis, il y avait le putain de doigt de Jas, là, comme une crevette morte, tout recroquevillé. Bon Dieu, qu'est-ce que j'étais censé faire ?

— Tu aurais pu essayer de mentir ! hurla Stadic, effleurant des doigts la crosse de l'arme.

— Tu n'étais pas là ! expliqua Harp. Tu ne peux pas savoir. »

Stadic respira avec difficulté, comme s'il venait d'atteindre le sommet d'une montagne, pivota et demanda :

« Alors, qu'est-ce qu'ils veulent faire avec mon nom ?

— Ils ont besoin que tu leur files des informations.

— Raconte. » Il était en train de tripoter nerveusement un de ses ongles, dont il finit par arracher un morceau qu'il recracha. Ça sentait le sang. L'ongle saignait effectivement. Il le suça, un goût salé dans la bouche.

« Ils veulent des fichiers individuels, lâcha Harp. Des services de la police. »

LaChaise y avait pensé pendant des journées entières, rêvant éveillé, quand il était bouclé : les besoins des guerres futures. Nous contre Eux. Il leur faudrait une base. Quelque part dans la campagne. Il y aurait une série de cabanes de rondins reliées entre elles par des canalisations d'égout, à six pieds sous terre, et encore des canalisations dans les collines qui serviraient de bunkers. Un générateur Honda par cabane, avec puits individuel et fosse septique.

Les armes : fusils de sniper pour contenir les attaquants à distance, fusils d'assaut hypercostauds pour les tirs rapprochés. Mines enfouies tout autour, déclenchables à distance, roquettes capables de transpercer les gilets. Allongé, il fermait les yeux et voyait l'attaque, les agresseurs reculant sous le feu incessant...

Quant à savoir qui étaient les attaquants, c'était moins clair : une combinaison d'agents de l'ATF[1], de Noirs des ghettos de Chicago, d'Indiens, de Mexicains. Certains jours, il voyait bien que cela n'avait aucun sens, aussi, parfois, il n'y avait que des agents de l'ATF, vêtus d'uniformes noirs et masqués...

Des rêveries...

---

1. Direction des alcools, tabacs et armes à feu. *(N.d.T.)*

La réalité, c'étaient deux camionnettes et une maison en sale état dans un quartier sordide.

LaChaise et Butters prirent la camionnette d'Elmore pour rejoindre les Villes jumelles. Martin suivait dans la sienne. Ils avaient besoin de deux véhicules, avaient-ils décidé. Du moins pour l'instant. Butters et Martin coincèrent Elmore dans la grange pendant que Sandy faisait un tour à cheval, et ils lui extorquèrent les clés.

« Juste pour cette nuit, expliqua Butters en le serrant de près. Martin a quelques contraventions non réglées qui courent sur sa bagnole. Rien de bien grave, mais, si les flics vérifient, il faut qu'on ait une solution de rechange. On ne fera rien de risqué avec.

— Écoutez, les gars, je vous ai dit, on a besoin de transporter des trucs aujourd'hui… », bafouilla Elmore. Martin et Butters lui fichaient la trouille. Martin lui faisait l'effet d'un arriéré des montagnes, tordu, homosexuel refoulé, amoureux fou de LaChaise. Butters avait des yeux plats d'alligator et était tout bonnement cinglé.

Elmore essaya de se défiler, mais Martin plongea la main dans sa poche pendant que Butters le coinçait de l'autre côté. Martin prit les clés et lança : « On te les rendra, mon pote. »

La maison était une ruine de bardeaux à deux étages dans une petite rue d'un quartier nommé Frogtown. L'extérieur avait besoin d'une couche de peinture, et l'intérieur d'une dératisation. La moitié du sous-sol était humide et le tableau d'installation électrique, accroché au-dessus du sol de ciment détrempé, un vrai cauchemar pour capitaine de brigade de pompiers. Martin avait fait livrer trois lits de camp de l'armée, un canapé caca d'oie complètement défoncé et deux fauteuils assortis, un matériel de cuisine sommaire, tout ça de chez Goodwill, et un téléviseur Sony flambant neuf avec un écran de 68 cm.

« Une bonne planque, à condition de ne pas brûler vifs, estima Martin. L'installation électrique, au sous-sol, est une pure merveille. »

La maison empestait le plâtre humide et les œufs frits.

« C'est très bien », dit LaChaise en regardant autour de lui.

Pas de réseau de canalisations, pas de générateur Honda, pas de mines.

Le soir venu, Butters s'installa dans un des fauteuils cassés, la tête en arrière et les yeux clos. Martin s'assit par terre en tailleur, une canette de bière entre les pieds, et entreprit de dévisser les pointes de ses flèches pour les remplacer par des Thunderheads de six grammes quarante-huit. De temps en temps, il couvait LaChaise d'un regard carrément sexuel.

« On va le faire, dit LaChaise, qui tenait un verre à moitié rempli de bourbon. Ça fait des années qu'on en parle. Parler, parler, parler. Maintenant que Candy et Georgie ont été déchiquetées par les balles, on va le faire.

— Ça va être notre fin, dit Martin, dont la barbe était traversée de reflets de cuivre rouge sous la lampe.

— Possible, admit LaChaise, grattant la sienne et avalant une goutte de bourbon. Ça te dérange ? »

Martin s'affaira un instant avant de répondre : « Non. Je suis vachement motivé. Je me sens prêt.

— Tu pourrais monter vers le nord, dans le Yukon.

— J'y suis déjà allé. Ces putains de Canadiens sont tous communistes. Même l'Alaska, c'est mieux.

— Le Mexique...

— Je suis américain, bon sang ! »

LaChaise hocha la tête et demanda :

Qu'est-ce que t'en penses, Ansel ?

— Je veux simplement que ça soit vite terminé.

— Ouais, mais il faut prendre le temps, bien s'organiser...

— Je veux dire, que tout soit terminé. Mais pour *ça*, je peux prendre mon temps. »

LaChaise hocha de nouveau la tête. « Pour moi, ça sera la fin, aucun doute. Mais Dieu m'est témoin que je vais emmener un paquet de ces salopards avec moi. »

Martin le regarda d'un air incertain, opina de la tête et détourna les yeux. Ils continuèrent à bricoler, à l'aise mais concentrés, comme jadis dans les campements de chasse, pensant à tout ça, buvant un peu, laissant l'ambiance de la chasse les envahir, la camaraderie se renforcer, pendant qu'ils préparaient le matériel.

Ils vérifièrent pour la vingtième fois le mécanisme de leurs armes, chargeant et déchargeant les pistolets, feignant de tirer sur l'écran de télé. Ah ! la chouette odeur du solvant et du lubrifiant de chez Hoppe, l'évocation du bon vieux temps, des virées d'autrefois, et les gens dont on se souvient – mais beaucoup sont morts, maintenant.

« Si j'en sors vivant, expliqua LaChaise, je resterai jusqu'à la fin de mes jours dans une cellule, de toute manière. Et puis...

— Et puis quoi ? demanda Martin en levant les yeux.

« — Oh, rien », fit LaChaise, mais il pensa : *Le Mexique*. Il avait toujours rêvé d'y aller, et ne l'avait pas fait.

« Ça me remonte le moral, rien que d'y penser », dit Butters, le visage échauffé par l'alcool.

Sandy explosa quand, en revenant de sa promenade à cheval, Elmore lui raconta, pour la camionnette. Elle sauta dans son van et se lança à leur poursuite, mais ils avaient disparu. Elle poussa jusqu'à la rivière Saint Croix où, mesurant la futilité de sa poursuite, elle ralentit et fit demi-tour pour rentrer chez elle.

« Mais qu'est-ce qui t'a pris ? hurla-t-elle à Elmore. Tu aurais dû avaler les clés. »

Ce soir-là, en regardant la télévision, elle sentit l'arôme artificiel de la conserve de riz au gibier que faisait réchauffer Elmore. Puis elle entendit des bruits de vaisselle et finalement, Elmore se planta dans le couloir, dans son dos. Elle faisait semblant de regarder une émission sportive.

« On devrait parler aux flics, déclara Elmore.

— Quoi ? » Elle bondit de son fauteuil. Elle ne s'était pas attendue à ça.

Il se mit à bredouiller nerveusement : « Si on reste comme ça, il n'y a que deux solutions. Soit on se fait tuer, soit on va en taule pour meurtre. Ce n'est pas compliqué : l'un ou l'autre.

— Trop tard. On n'a plus qu'à serrer les fesses. »

Des larmes perlèrent aux yeux d'Elmore, l'une d'elles dégoulina le long de sa joue et, soudain, Sandy se demanda ce qu'il fallait faire. Elle avait déjà vu Elmore avoir peur, se défiler, éviter de prendre ses responsabilités, mais elle ne l'avait jamais vu pleurer. « Tu te sens bien ? »

Il tourna la tête vers elle, les joues couvertes de larmes. « Comment en est-on arrivés là ? »

Elle y avait déjà réfléchi. « Ma sœur, répondit-elle. Tout ça est arrivé à cause de Candy. Et à cause de la caravane de ton père. C'est arrivé sans raison.

— Il faut aller trouver la police.

— Mais qu'est-ce qu'on va leur dire ? Pourquoi nous croiraient-ils ?

— Ils ne nous croiront peut-être pas, dit-il d'une voix rauque. Mais tu as vu toutes ces armes et les autres saloperies qu'avait Martin.

Comment vont-ils entrer au Mexique avec tout ce merdier ? Comment vont-ils faire pour passer la frontière ? Et si jamais ils passent, avec quel argent vont-ils s'en sortir ? Non, ils n'ont pas l'intention d'aller au Mexique. Ils vont faire un coup insensé.

— Mais non, non, dit-elle en secouant la tête. Ils sont partis là-bas. Dick LaChaise n'est pas un imbécile.

— Dick LaChaise est complètement fêlé. Tu veux savoir ce qui va arriver ? Attends deux ou trois jours, et on sera morts, ou alors bouclés. Dans deux ou trois jours, Sandy. Plus de chevaux, plus de balades sur la piste, finies les expéditions au bazar ou dans les Villes jumelles. On sera en taule. Pour toujours. »

Ils se dévisagèrent un long moment et elle finit par dire, presque en chuchotant : « Mais il n'y a aucune issue. Si on va trouver les flics, qu'est-ce qu'on leur dira ? Nous ne savons même pas ce que Dick mijote. Et les types des Seeds sont partout. Rappelle-toi celui qui voulait témoigner contre Candy. Il s'est fait descendre.

— Le vieux Shanks pourrait peut-être nous dire quelque chose », suggéra Elmore.

John Shanks était l'avocat pénaliste qui avait défendu Candy quand on l'avait accusée de vol à main armée. « Voir s'il y a moyen de négocier une transaction avec la police.

— Je ne sais pas, El, répondit Sandy en haussant les épaules. Cette affaire nous échappe complètement. S'ils ne s'étaient pas planqués dans la caravane...

— On peut la nettoyer.

— Oui, mais si on les dénonce, ils nous mettront dans le coup. Ça te plairait, de te retrouver dans la même prison que Butters et Martin ? »

Elmore déglutit. Ce n'était pas un homme courageux.

« N'empêche, il faut faire quelque chose.

— Je vais marcher sur le chemin. Je vais y réfléchir. »

Sandy enfila sa parka, ses bottes et ses gants, et sortit dans la nuit. Le froid l'agressa brutalement, lui fouettant la peau comme des orties. Il y avait assez de vent pour lui couper le souffle. Elle avança en faisant crisser la neige gelée dans la faible lueur bleue de l'éclairage de la cour et réfléchit à la situation, préoccupée. Si au moins elle pouvait contrôler le cours des choses. Si Dick disparaissait. Si seulement Elmore tenait le coup.

Elmore.

Sandy ne l'avait jamais aimé pour de bon, même si, à une époque, elle avait eu de l'affection pour lui – et en éprouvait encore par moments. Mais, le plus souvent, elle souffrait du fait qu'Elmore était visiblement amoureux d'elle alors qu'elle supportait difficilement sa présence.

Sandy avait grandi au milieu des chevaux mais n'en avait possédé un que le jour où elle s'était installée à son compte. Son père, un facteur rural, avait toujours aimé les promenades à cheval dans la montagne, aussi empruntaient-ils des chevaux au haras du comté le week-end, presque chaque week-end pendant les trois quarts de l'année, et cela dès qu'elle avait eu trois ans, et jusqu'à dix-huit. Ça n'intéressait pas Candy, qui partit de la maison quand elle était au lycée. Sandy n'était jamais partie. Ne partirait jamais. Elle aimait les chevaux, plus que son père n'aimait les monter. En longeant le chemin, elle sentait la délicieuse odeur de la grange, du crottin et de la paille, pourtant à cinq cents mètres de là. Jamais elle ne quitterait tout cela, jamais elle ne le mettrait en péril.

Elle avait fréquenté le lycée en même temps qu'Elmore, mais n'était jamais sortie avec lui. Après le bac, elle était allée faire des études d'infirmière à Eau Claire, était revenue à Turtle Lake au bout de deux ans, avait pris un emploi dans une maison de retraite du coin et avait commencé à mettre de l'argent de côté pour le ranch. Quand ses parents avaient trouvé la mort dans un accident de la route, tués par un ivrogne, sa part d'héritage lui avait permis d'acheter cent soixante hectares à l'est de la ville.

Elmore, qui travaillait comme vigile dans les Villes jumelles, s'était mis à lui tourner autour. Se sentant seule, Sandy ne s'y était pas opposée. Elle avait commis l'erreur de le laisser travailler au ranch : il n'était pas particulièrement malin, ni dur à la tâche, mais toute forme d'aide était bienvenue, vu qu'elle assurait le service de nuit à la clinique et s'occupait du ranch dans la journée. Elle avait aussi commis l'erreur de coucher avec lui – le deuxième homme à qui elle avait cédé.

Puis Elmore était tombé dans une cage d'escalier et s'était démis le dos. Les vingt-deux mille dollars d'indemnités allaient permettre d'acheter du bétail et un tracteur Ford d'occasion. Et il n'y avait personne d'autre dans les parages. Et puis, elle l'aimait bien.

Souvent, quand la vie n'était pas rose, quand Elmore était trop pénible à supporter, Sandy allait marcher sur le chemin. Un ranch, se disait-elle, était la seule chose qu'elle désirait vraiment dans la vie, elle aurait fait n'importe quoi pour l'obtenir. Quand elle l'eut enfin et que l'élevage commença à rapporter un peu, elle découvrit qu'elle avait besoin d'autre chose. De quelqu'un d'autre. Même si c'était juste quelqu'un à qui elle puisse parler d'égal à égal, qui comprenait les chevaux, ressentait les choses comme elle.

Elmore était un piège affectif dont elle ne savait comment se sortir. Il y avait le type du Montana, aussi. Il était marié, maintenant, mais elle pensait tout le temps à lui. Avec un tel homme...

Elle écarta cette pensée. Ce n'était pas lui, son homme.

Elle tourna, marcha en rond dans la neige : la prison à vie. Puis elle obliqua vers le nord et, voyant les premières lueurs du jour qui se déployaient, s'élevant en un rideau frissonnant au-dessus des conifères, décida qu'il faudrait parler de Dick LaChaise à quelqu'un.

« Mais pas tout de suite, expliqua-t-elle à Elmore dès son retour. Laissons les choses suivre leur cours pendant un ou deux jours. Qui sait, il se peut qu'ils partent vraiment. Et puis, il faut qu'on invente une histoire solide. Ensuite, on ira peut-être parler au vieux John. »

Andy Stadic entra dans la laverie automatique et s'assit. L'endroit sentait le détergent, la lessive, les eaux usées et le borax chaud dégagé par les séchoirs.

Une femme lui lança un premier regard, puis un deuxième. Il était simplement assis là, un Blanc, bien habillé, sans rien à laver. Elle commença à donner des signes de nervosité. Il était assis sur une des chaises pliantes en bois et lisait un numéro de *People* vieux de deux semaines. La femme acheva de plier son linge sec, l'empila dans un panier en plastique rose et sortit. Il était seul. Il s'approcha de la porte et retourna la pancarte « Ouvert/Fermé » du côté « Fermé ».

Stadic surveilla la fenêtre. Un hippie à cheveux blonds passa sur le trottoir, un gamin qui aurait pu être le petit gars du Sud qui avait agressé Daymon Harp. Une minute plus tard, un Blanc à visage de rapace s'arrêta devant la porte, passa la tête et demanda :

« C'est vous, Stadic ?

— Oui.

— Restez où vous êtes. »

Certainement. Il leur avait dit : pas question d'aller dans un endroit privé. Harp serait là pour le couvrir.

Une autre minute s'écoula, puis un homme surgit au coin de la rue, chapeau de toile Pioneer baissé sur les yeux. Il avait une allure de paysan, le pas lourd et relâché, et une coupe de cheveux de bouseux qui faisait ressortir ses oreilles rougies par le froid et sa nuque nettement dégagée au rasoir. Le paysan prit son temps pour entrer. Stadic reconnut les yeux sous le bord du chapeau.

LaChaise.

« Non, mais qu'est-ce que c'est que ce cirque, bordel ? s'écria Stadic, voulant prendre l'avantage tout de suite.

— La ferme, rétorqua LaChaise d'une voix de baryton rugueuse, les yeux fixés sur Stadic.

— Je la fermerai si je veux. » Stadic se leva d'un bond, l'air menaçant.

LaChaise plongea la main dans sa poche. La poche bougea. Il avait une arme.

« Sors ton arme, dit LaChaise.

— Comment ? » À peine l'avait-il dit, preuve qu'il n'était pas sûr de lui, que Stadic sut qu'il avait cédé du terrain.

« Donne-moi du fil à retordre, pour de bon, sors ton arme. J'ai déjà tué un flic, je te tuerai sans problème.

— Nom de Dieu… »

LaChaise avait l'avantage et le savait. Il écarta sa main.

« Où sont les dossiers ?

— Il faut être fou pour croire que je vais vous les donner.

— Je *suis* fou, dit LaChaise, la main de nouveau sur son arme. Tu devrais le savoir. Alors, où sont-ils ?

— Je veux savoir ce que vous allez en faire.

— On va flanquer une sacrée trouille à pas mal de gens. On va les faire sauter dans des cerceaux comme s'ils étaient dans un putain de cirque. Maintenant, arrête de me mener en bateau. Soit tu me les donnes, soit tu m'avoues que tu ne les as pas. Si tu ne les as pas, je me casse. »

Quand ils avaient fixé le rendez-vous par téléphone, LaChaise avait précisé que si Stadic n'apportait pas les documents, son prochain coup de fil serait pour le service des Affaires internes.

Stadic poussa un soupir, secoua la tête. « Leur flanquer une sacrée trouille, c'est tout ?

— C'est tout. » LaChaise mentait et Stadic le savait. LaChaise savait très bien qu'il le savait et s'en foutait complètement. « Donne-moi ces putains de papiers.

— Bon sang, LaChaise… N'importe quoi, mais pas ça.

69

— Je m'en vais, dit LaChaise en se tournant vers la porte.

— Attendez une minute, juste une minute. Bon, je vais fouiller dans ma poche. »

LaChaise posa la main sur son arme et opina du chef. Stadic sortit les documents de sa veste et les tendit à bout de bras. LaChaise les prit sans regarder, recula. « T'as intérêt à m'avoir refilé ce que je voulais. » Puis il tourna les talons.

« Attendez, demanda Stadic. Il faut que je sache comment vous joindre.

— C'est nous qui entrerons en contact avec toi.

— Réfléchissez bien, prévint Stadic d'une voix pressante, tendue. Je vous veux libres, ou morts. Pas question que vous vous fassiez prendre. Tout sauf ça. S'ils ont la moindre idée de ce que vous mijotez et qu'ils s'apprêtent à vous coincer... il faut que je puisse vous joindre.

— On n'a pas de téléphone, dit LaChaise. On essaie de se procurer un portable.

— Appelez-moi dès que vous l'aurez. » Stadic sortit une carte de sa poche, inscrivit un numéro. « J'ai toujours le mien sur moi.

— J'y réfléchirai, dit LaChaise en prenant la carte.

— Faites-le. S'il vous plaît. »

L'instant suivant, LaChaise avait franchi la porte, le chapeau rabattu sur les yeux, et tourné au coin de la rue. Deux minutes plus tard, Harp entra par la porte du fond.

« Je pense qu'ils ne sont pas plus de trois, dit-il. J'ai vu le péquenot blanc dans la rue, puis le pick-up s'est arrêté et un autre enfoiré de Blanc est sorti – je ne le connais pas – et le pick-up est reparti. Le chauffeur devait être l'autre, son acolyte.

— Tu as relevé le numéro ?

— Ouais.

— Tu as vu quelqu'un d'autre ? Quelqu'un qui aurait pu être un flic ? »

Harp secoua la tête.

« Juste deux gosses et une vieille pute. »

LaChaise feuilleta la liste des bénéficiaires du programme d'assurance des services de la police. Il y avait un tas de signes incompréhensibles mais, enfouis sous les petits carrés et rectangles, figuraient les noms de tous les assurés, avec leur adresse et leur numéro de téléphone.

« Ah, le progrès ! dit-il.

— Quoi ? » Martin se retourna vers lui.

« Je suis en train de lire une sortie d'imprimante. Il faut que je me procure un portable. Plus on avance, plus les choses deviennent faciles. »

Il commença à entourer des noms sur la liste.

6

Weather Karkinnen était en peignoir de tissu-éponge blanc, les cheveux drapés dans une serviette assortie. Telle qu'elle se détachait sur la fenêtre du fond – on aurait dit une silhouette de Vermeer dans une maison bourgeoise –, elle avait l'air tranquille, pensive, adoucie par le bain, se déplaçant avec lenteur et fredonnant en même temps qu'un enregistrement de Glenn Gould.

Elle prit une bière dans le frigidaire, fit sauter la capsule, trouva un verre et commença à le remplir. Le téléphone sonna. Elle recula d'un pas pour décrocher, se cala le récepteur au creux de l'épaule sans cesser de verser.

« Oui, il est là. »

Lucas était installé dans son vieux fauteuil de cuir, les yeux clos. Il réfléchissait à un jeu tactique mettant en scène à la fois une poursuite en voiture et un vol.

Quelques années plus tôt, Lucas avait conçu des jeux de stratégie qu'il avait ensuite adaptés pour l'ordinateur ; puis, momentanément écarté de la police, il avait fondé une société qui produisait des simulations informatiques de problèmes auxquels la police était confrontée.

Il avait opéré ce changement au bon moment : ses logiciels d'entraînement se vendaient bien. La société était désormais gérée par un professionnel, et Lucas se consacrait essentiellement aux problèmes conceptuels, tout en conservant le plus gros paquet d'actions. Il était en train d'imaginer un logiciel qui, en combinant les voix et les éléments fournis dans les communications téléphoniques, permettrait de faire la différence entre un problème certes confus mais important et un autre plus excitant quoique superficiel, tout ça pour apprendre aux nouveaux standardistes à déterminer le niveau de priorité des appels d'urgence.

Le niveau de priorité. L'expression avait été utilisée par les programmeurs qui travaillaient sur la simulation, et cela faisait plusieurs jours qu'elle cliquetait dans sa tête comme un roulement à billes détaché. Elle avait quelque chose de déplaisant, comme *cadavre*.

« Lucas ? »

Il sursauta. Weather se tenait dans l'embrasure, un verre de bière brune à la main. Elle l'avait brassée elle-même dans un petit jerrycan, dans le placard de l'entrée, en utilisant un kit que Lucas lui avait offert pour son anniversaire.

« On te demande au téléphone. »

Lucas s'ébroua, s'extirpa de son fauteuil. « Qui est-ce ? » demanda-t-il en bâillant. Puis, voyant la bière : « C'est pour moi ?

— Je ne sais pas qui c'est... Tu n'as qu'à te servir.

— On parle comme une pub à la télé.

— C'est toi qui ronflais dans ton fauteuil après le dîner.

— Je réfléchissais. » Il prit le récepteur, ignorant son grognement boudeur. « Allô ? »

L'homme avait une voix sirupeuse, de celles qui susurrent et recueillent des confidences comme des jetons de poker d'un dollar.

« C'est Earl. Stupella. Au Blue Bull.

— Bonjour, Earl. Que se passe-t-il ?

— Vous étiez dans cette fusillade, il y a une semaine environ. C'était dans le journal. Le hold-up de la banque. »

Ce n'était pas une interrogation.

« Alors ?

— Eh bien, il y a une nana qui est venue ici ce soir, elle a dit qu'elle avait vu le mari d'une des deux filles, celui qui s'est soi-disant évadé de taule et a tué quelqu'un. Un nom comme LaChase ? »

L'attention de Lucas était totale, maintenant.

« LaChaise, c'est ça. Où l'a-t-elle vu ?

— Dans une laverie automatique de la 11e. Elle l'aurait vu entrer et parler pendant une minute à un type, derrière la vitrine, et ressortir après.

— Oh, oh ! Et c'est qui, la nana ?

— Allez pas lui dire que je vous ai parlé, demanda Stupella.

— Bien sûr que non.

— Sally O'Donald. Elle habite quelque part près du métro, pas loin du cimetière, je crois, mais je n'en suis pas sûr.

73

— Je connais Sally. Il y a autre chose ?

— Non. Sally a dit qu'elle ne voulait rien avoir à faire avec LaChaise. Quand elle l'a vu, elle a tourné les talons et filé.

— Quand était-ce ?

— Sally est passée ici il y a une heure. Elle a vu le type ce matin.

— Excellent boulot, Earl. Tu recevras un billet au courrier.

— Merci, mec. »

Lucas laissa retomber le récepteur sur la fourche. LaChaise. Il était donc en ville. Libre, lâché dans les rues. Lucas fixa l'appareil une seconde, puis décrocha.

« Tu ressors ? demanda Weather qui s'attardait dans le couloir.

— Hum ! euh, oui, je pense. » Il appuya sur une touche sélectionnée. Del décrocha à la deuxième sonnerie.

« Oui ?

— J'espère que ce n'est pas ton téléphone de chevet.

— Qu'y a-t-il ?

— Pas grand-chose. Je pensais qu'on pourrait aller faire un tour, si tu n'es pas trop occupé.

— Tu veux dire, faire un tour pour manger une glace ou faire un tour en prenant son arme ?

— Numéro deux, dit Lucas en regardant Weather, dont la lèvre supérieure était légèrement bordée de mousse.

— Numéro deux, mon cul. Laisse-moi dix minutes. »

Les petites rues étaient des ornières de glace bosselée. Le radiateur de l'Explorer tenait tout juste le coup et Del, qui n'aimait pas porter de gants, se réchauffait les mains en les nichant sous ses aisselles. Le bon côté de la chose, c'est que les voyous et les malfrats avaient aussi froid que les autres. Des nuits comme ça, il n'y avait pas de crimes, sauf quelques meurtres domestiques qui auraient probablement eu lieu de toute manière.

La radio glapit. Del répondit : « Oui ?

— La maison de O'Donald est la troisième à gauche juste après le tournant du Lac, annonça le standardiste.

— Parfait. On vous rappelle. »

Lucas passa d'abord devant la maison, l'Explorer blanche faisait un bruit de ferraille sur les ornières gelées. Il y avait de la lumière à l'arrière, là où se trouve généralement la cuisine, et la faible lueur bleuâtre d'un téléviseur sortait d'une fenêtre sur le côté.

« Le problème, dit Lucas, c'est qu'elle a un foutu caractère.

— Et qu'elle est grosse comme un garage à deux places. On devrait peut-être lui tirer dessus avant de lui parler.

— Ouais, une balle dans le gras de la cuisse, pour la calmer. Ou bien dans le genou.

— On a déjà fait le genou, la dernière fois.

— Exact, dit Lucas en garant la voiture. Bon, c'est exclu. Mais ne la mets pas en boule, d'accord ? Je ne veux pas me battre avec elle dans la cour. »

Sally O'Donald était de mauvais poil.

Elle se tenait debout derrière une porte vitrée verrouillée, les cheveux entortillés sur des bigoudis, ses grosses lèvres dessinant une moue mauvaise, les poings sur les hanches. Elle portait un peignoir à carreaux dont on voyait la trame et des pantoufles beiges en fourrure synthétique qui ressemblaient à des dépouilles de lapin.

« Qu'est-ce que vous voulez, connards, au milieu de la nuit ?

— Juste bavarder, il n'y a aucun problème, répondit Lucas, en arrêt sur la deuxième marche du porche, les yeux levés vers elle.

— La dernière fois que j'ai parlé à cet enfoiré de Capslock, j'ai failli lui arracher les couilles », dit-elle sans faire un geste vers le verrou. Elle jeta un coup d'œil à Del par-dessus l'épaule de Lucas.

Del frissonna : « Sally, ouvrez cette putain de porte, s'il vous plaît. On se les gèle, dehors. Je vous jure qu'on veut seulement parler, rien d'autre. »

Elle finit par les laisser entrer et les emmena dans la pièce de la télévision, tellement enfumée qu'on se serait cru dans un bowling. Elle écarta un plateau télé, désigna à Lucas un fauteuil en velours et s'installa dans l'autre. Del resta debout.

« On sait que vous avez vu Dick LaChaise, commença Lucas. Vous l'avez raconté à une centaine de gens.

— Sûrement pas une centaine, j'en ai parlé qu'à trois personnes, rétorqua-t-elle en louchant vers lui de ses yeux porcins. Je finirai par savoir qui c'était, tôt ou tard, et je lui arracherai les couilles.

— Seigneur, Sally, dit Del. Allez-y doucement avec cette histoire de couilles.

— On veut juste savoir où vous l'avez vu, avec qui il était et ce que vous savez sur lui, expliqua Lucas. Notre source dit que vous passiez du temps ensemble, avant.

— C'est qui, la source ? Si je vous réponds, faut que j'aie quelque chose en échange.

— Vous savez très bien que je ne peux pas vous le dire, mais je pourrais demander aux Mœurs de vous ficher la paix pendant deux mois… si votre information me convient. »

Elle opina, calculant dans sa tête. Deux mois sans être harcelée par les Mœurs, ça valait le coup. « D'accord. J'ai bossé pour les Seeds pendant… une dizaine d'années ? Jusqu'à il y a, attendez voir, quatre ou cinq ans. Ils m'ont mise au tapin pour commencer, basée à Milwaukee. Dick était un de leurs caïds quand je l'ai rencontré la première fois. Il devait avoir dans les vingt-cinq ans à l'époque, alors ça lui fait quoi, aujourd'hui, une quarantaine ?

— Trente-huit, rectifia Lucas. C'était il y a longtemps.

— Ouais. Je me souviens surtout de lui parce qu'il se prenait pour Marlon Brando. Il aimait porter des chapeaux de pêcheur cabossés, des chaînes en or et toutes ces saloperies. Un jour, dans les chiottes du bar à Milwaukee, je l'ai surpris à travailler son sourire.

— Travailler son sourire ?

— Exact.

— Ce n'est pas exactement un portrait de caïd que vous me faites là, dit Lucas.

— Oh ! mais il l'était. Peut-être un poil trop cinglé, remarquez. La plupart des Seeds, en fait, étaient des espèces d'hommes d'affaires du crime. Un peu de dope, un peu de porno, quelques putes. Des voyous, mais pas forcément cinglés. Dick, lui… vous connaissez l'histoire, quand il a dormi sur la ligne blanche ?

— J'en ai entendu parler.

— J'y étais. Il l'a fait. Et il dormait vraiment. Et une fois, je l'ai vu essayer de monter dans un chêne avec sa Harley. »

Lucas regarda Del. Ils haussèrent les épaules.

« Il a tué ce gardien de prison en lui tranchant la gorge d'une oreille à l'autre, de sang-froid, expliqua Lucas à O'Donald. Vous trouvez que ça lui ressemble ? »

Elle réfléchit un instant, tête penchée.

« Eh bien, il y a dix ans, il aurait fallu qu'il soit très en colère pour faire ça. Mais de sang-froid… » Elle claqua des doigts. « Je ne sais pas.

— Sa femme et Georgie LaChaise, elles étaient connues pour voler de l'argent et le filer à des bandes de timbrés, dit Lucas. Or pour s'échapper, il a eu besoin d'aide. On pense que quelques-uns des cinglés ont pu lui donner un coup de main.

— Je ne connaissais pas sa femme et sa sœur. Mais il y avait quelques types vraiment fêlés, chez les Seeds. Avant que je les quitte, ils n'arrêtaient pas de râler contre les Noirs par-ici, les Juifs par-là, et les politiciens, et les médias, et les flics, et les féministes, et la télévision, et les banques, et les compagnies d'assurances, et l'aide sociale, et les bons d'alimentation… tout ça dans le même sac.

— On dirait une émission de radio », dit Lucas.

Elle se mit à rire, un vilain gargouillis, et son estomac se souleva. Elle tendit le doigt vers lui : « Excellent.

— Qu'est-ce qu'il faisait à la laverie automatique ? demanda Del.

— Il parlait avec un type. Ils étaient debout et discutaient ferme au moment où je suis passée dans la rue, et puis je l'ai reconnu. Il portait une barbe, il en avait déjà une du temps où je le connaissais, mais pas sur la photo du journal.

— C'est la dernière photo qu'ils avaient de lui, expliqua Lucas. Il a commencé à la laisser pousser il y a deux ou trois mois.

— Elle était comment, sa barbe ? demanda Del en s'adossant à une commode. Courte et lisse ? Taillée d'une manière particulière ?

— Comme un prophète de la Bible. Longue et crade.

— Bon, et après ? reprit Lucas. Quand il discutait avec le type…

— Je me suis pas attardée dans lc scctcur. J'ai vraiment pas besoin que Dick LaChaise me repère et me demande un service, si vous voyez ce que je veux dirc.

— Vous ne voulez pas faire de passes à l'œil ? dcmanda Del.

— C'est pas le problème », dit-elle en détournant le regard, les lèvres tremblantes. Puis elle secoua la tête et ajouta : « Si Dick est ici, c'est que quelques-uns de ses vieux potes des Seeds ne sont pas loin. On n'a vraiment pas envie d'avoir affaire à eux.

— C'est ce qu'on a fait, dit Del.

— Ouais, j'ai lu ça, dit Sally O'Donald en hochant la tête. Ce truc où vous avez tué sa femme et sa sœur…

— Eh bien ?

— Il est venu pour régler ses comptes à ce sujet. À votre place, les gars, je changerais d'État. »

Lucas la dévisagea.

« Vous croyez qu'il va s'en prendre à des flics ?

— Davenport, vous m'écoutez ou quoi ? demanda-t-elle avec

agacement. Dick est complètement givré. Vous tuez sa femme et sa sœur, il se venge. Œil pour œil. »

Soudain, elle fronça les sourcils. « Ce type à qui il parlait, à la laverie automatique, je crois que c'était un flic.

— Quoi ? s'écria Lucas.

— Je peux pas vous dire qui, mais je l'ai senti à son attitude. Vous savez bien qu'un flic, ça se repère tout de suite ? Je veux dire, à part Capslock, celui-là, il a l'air d'un ivrogne… Bon, ben, ce type, il était comme ça : un flic-flic.

— Vous le reconnaîtriez sur une photo d'identité ?

— Probablement pas, dit-elle en haussant les épaules. Je ne l'ai pas vraiment vu, c'est Dick que je regardais. C'est sa façon de se tenir qui m'a fait penser : voilà un flic. »

Del regarda Lucas : « Ce n'est pas bon.

— Non, pas bon du tout. » Les yeux de Lucas effleurèrent sans les voir la maison plongée dans l'obscurité, le papier peint noirci par la fumée, les paquets de céréales froissés qui jonchaient le sol, il perçut vaguement une odeur de chat, et répéta à mi-voix : « Œil pour œil. »

7

Martin avait apporté une cible en mousse dure, un bloc compact de plastique blanc, soixante centimètres sur soixante, avec des cercles noirs concentriques autour du cœur. Il l'avait accrochée à un mur près du réfrigérateur et tirait, depuis le salon, des flèches qui traversaient la pièce en diagonale pour aboutir dans la cuisine. L'exercice produisait un son régulier – FEEUM-pac ! –, vibration de la corde de l'arc plus impact des flèches sur la cible.

Se maintenir en forme, il appelait ça. Peu importait la destination de la flèche, prétendait-il, du moment que la forme était bonne. Incidemment, la flèche tapait toujours dans le mille.

LaChaise avait regardé un jeu télévisé. À la fin, il bâilla, se leva et s'approcha de la fenêtre. La lumière du jour avait disparu. Il resta à contempler l'obscurité, laissa retomber le rideau et se retourna vers la pièce. Un sourire traversa son visage et il lança : « En selle. »

Martin armait son arc. Il n'avait peut-être pas entendu. Il ajusta, lâcha la flèche : FEEUM-pac !

Butters, lui, avait joué avec leur nouveau portable. Ils l'avaient acheté à un de ses amis dealers, qui l'avait lui-même acheté à un de ses clients, un ado porté sur la cocaïne.

« Opérationnel pendant deux semaines », avait promis le dealer. Butters lui avait donné mille dollars en échange, que le type avait fourrés dans son jean sans les compter. « La mère du gosse est agent immobilier. Elle est partie en vacances à la Barbade en lui laissant de l'argent juste pour la nourriture. Il dit que sa mère passait cinquante coups de fil par jour, alors vous pouvez vous en servir autant que vous voulez. Enfin, à votre place, j'éviterais d'appeler en Russie ou un truc comme ça. »

Ils s'en étaient servis deux fois, la première pour appeler Stadic, la deuxième pour joindre un revendeur de voitures d'occasion.

Quand LaChaise s'écria « En selle ! », Butters posa le portable, ouvrit le sac de toile à ses pieds et en sortit deux pistolets. L'un était un petit 380, l'autre, plus gros, un neuf millimètres. Il les équipa d'un chargeur, éjecta les cartouches et réapprovisionna. Puis il sortit du sac un long silencieux, un modèle effilé, fabriqué à la main, qu'il ajusta au neuf millimètres : impec. Il dévissa le silencieux, puis ramassa son blouson de camouflage où il le glissa dans la poche latérale.

« Prêt », annonça-t-il simplement. La grosse veine bleue qui courait de sa tempe à sa pommette était saillante sous l'éclairage diffus, comme une cicatrice.

« Et toi ? » demanda LaChaise à Martin.

Celui-ci armait de nouveau son arc, concentré sur la forme : FEEUM-pac !

« Toujours été prêt. »

LaChaise écarta les rideaux de l'index et du majeur, regarda dehors. Les rues étaient éclairées et il neigeait. Ça avait commencé vers midi par quelques flocons et les spécialistes de la météo avaient dit que ce n'était pas grand-chose. Maintenant, ça tombait plus dru. Le réverbère le plus proche avait l'air d'une bougie.

LaChaise revint dans la pièce, s'approcha d'une chaise, ramassa trois feuilles de papier : des photocopies d'un article du *Star Tribune*. Il avait souligné ce qui l'intéressait :

> « *Les inspecteurs Sherrill, Capslock, Franklin et Kupicek ont été suspendus du service actif en attendant d'être entendus par une commission d'appréciation de l'usage des armes, procédure de routine systématiquement appliquée à la suite d'un incident survenu lors d'une fusillade en service commandé. Le directeur adjoint Davenport et l'inspecteur Sloan, n'ayant pas utilisé leurs armes, sont maintenus en service actif.* »

Ainsi, Sherrill, Capslock, Franklin et Kupicek étaient ceux qui avaient tiré.

« Qu'est-ce qu'il y a ? demanda Martin en rouvrant l'œil et en regardant LaChaise.

— Œil pour œil.

— Absolument, dit Martin en enfilant sa veste. Allons-y. »

Martin conduisit sa camionnette jusqu'au garage Buick-Oldsmobile de West End. Il avait téléphoné plus tôt dans la journée et demandé à parler au vendeur personnellement : « Je vous ai appelé il y a quelques jours au sujet d'une Pontiac de 91, la noire…

— La Firebird ? » Le vendeur avait légèrement hésité, sachant qu'il n'avait parlé de la Firebird à personne.

« Oui, celle-là. Vous l'avez toujours ?

— Elle attend un propriétaire. Il y a un type qui doit passer ce soir, mais personne n'a rien signé. »

Le discours à la con du vendeur avait fait sourire Martin.

« Je passe d'ici une heure.

— Je vous attendrai », avait promis le type.

Martin avait un couteau de combat des marines avec une lame dentelée de douze centimètres. Il se l'était acheté pour Noël sur un catalogue de la Cavalerie américaine, et le portait dans un étui, accroché à sa ceinture. Le couteau était le seul cadeau qu'il ait reçu ces dernières années, en dehors d'une bouteille de Jim Beam que LaChaise lui avait donnée un an avant d'aller en prison.

Martin pensa au Jim Beam en arrivant chez le concessionnaire Buick. Il se gara dans la rue. On voyait des lumières aux fenêtres, mais la neige tombait de plus en plus dru, et les gens derrière leurs vitres n'étaient que des ombres incertaines.

Il avait dix minutes devant lui. Il ferma les yeux, se concentra, pensa aux autres hommes qu'il avait rectifiés. Tuer ne lui posait pas de problème : il le faisait, tout simplement. Quand il était gamin, il y avait toujours quelque chose à tuer autour de la ferme : poulets, hérissons, souvent une génisse à l'automne. Et il y avait la chasse : écureuils, lapins, ratons laveurs, colombes, tétras, biches, ours.

Le jour où il avait tué un homme pour la première fois, il n'y avait pas trop pensé. L'homme, Harold Carter, avait prêté de l'argent à LaChaise pour qu'il monte son affaire de pièces détachées de motos. LaChaise ne l'avait pas remboursé et Carter parlait de porter l'affaire devant le tribunal. LaChaise voulait s'en débarrasser.

Martin avait tué Carter avec son couteau, sur les marches de sa propre maison, avait transporté le corps jusqu'à sa camionnette et l'avait enterré dans les bois. Ça ne lui avait rien fait. Beaucoup moins difficile, en tout cas, que d'abattre un porc. Un porc savait toujours ce qui l'attendait, et il se débattait pour sauver sa peau. En couinant et se tortillant. Carter s'effondra, point final.

La deuxième fois ne posa pas plus de difficultés que la première. La troisième, s'il s'y prenait correctement, ce serait encore plus facile, vu qu'il n'aurait pas à s'occuper du corps. Martin ferma les yeux. S'il avait été du genre à dormir, il l'aurait volontiers fait.

LaChaise, qui conduisait la camionnette d'Elmore, déposa Butters au centre commercial de Rosedale. Butters avait les deux pistolets, le petit 380 dans la poche gauche de son blouson, et le neuf millimètres, déjà équipé du silencieux, fixé sous son bras avec du Velcro.

Il passa devant les TV Toys. Une grande femme parlait à un client solitaire ; un homme mince, calvitie naissante, chemise blanche, se tenait derrière le comptoir. Butters entra dans une cabine téléphonique, sortit un morceau de papier de sa poche, composa le numéro du magasin, observa le type en chemise blanche qui décrochait.

« TV Toys, Walt à l'appareil.

— Oui. Est-ce qu'Elaine est là ?

— Attendez un instant. »

L'homme à la chemise blanche appela la grande femme, qui sourit, dit quelque chose au client et se dirigea vers le comptoir. Butters raccrocha et consulta sa montre.

Cinq heures vingt. LaChaise devait arriver chez Capslock.

Si l'on en croyait son dossier d'assurance, la femme de Capslock était infirmière à l'hôpital général Ramsey. Elle finissait son service à trois heures.

LaChaise s'arrêta devant un magasin Tom Thumb, baissa la tête pour se protéger des rafales de neige, composa son numéro de téléphone – les fichiers de l'assurance révélaient tout, adresse, employeur, numéro de téléphone à domicile et au travail – et attendit qu'on décroche.

Comme Butters, LaChaise avait deux armes sur lui, mais des revolvers, pas des automatiques. Comme il se moquait de faire du bruit, il ne s'embarrassait pas de silencieux. Il aimait la simplicité des revolvers. Pas besoin de s'inquiéter pour le cran de sûreté ou les problèmes de chargeur, rien à pousser, juste brandir l'arme et tirer.

Cheryl Capslock répondit à la quatrième sonnerie.

« Allô ?

— Euh, madame Capslock ? demanda LaChaise en haussant le ton pour avoir une voix plus jeune, plus enjouée. Est-ce que Del est là ?

— Pas encore. Qui le demande ?

— Terry. Je suis à la station-service Amoco de Snelling. Del voulait, euh, il voulait me parler, alors il m'a laissé ce numéro. Vous pouvez lui dire que je suis dans le coin ?

— D'accord. Votre nom, c'est Terry ?

— Ouais, T-E-R-R-Y. Il a mon numéro.

— Très bien, je le lui dirai. »

Martin traversa la rue et gagna le parking. La Firebird était exposée en vedette, à une bonne dizaine de mètres de la vitrine principale du concessionnaire. Il fit le tour de la voiture dans un sens, puis dans l'autre, se pencha pour regarder à l'intérieur.

En refaisant le tour de la voiture, il aperçut un vendeur, dans une pièce éclairée, qui passait un manteau. Martin sortit le couteau de la gaine et le glissa dans sa poche droite. Dix secondes plus tard, le vendeur, tête rentrée dans les épaules à cause de la neige, se dirigea vers la voiture au petit trot. Son manteau s'entrouvrit, révélant une cravate en rayonne.

« C'est une beauté, dit-il en inclinant la tête vers la Firebird.

— Vous êtes M. Sherrill ? demanda Martin.

— Ouais, Mike Sherrill. On ne se serait pas rencontrés quelque part la semaine dernière ?

— Euh ! non, pas vraiment… Dites-moi, je n'arrive pas à lire le kilométrage d'ici. »

Sherrill avait une bonne trentaine d'années, on voyait qu'il avait fait du sport autrefois, mais, maintenant, il devait carburer au whisky et commençait à s'empâter. Un réseau de veines éclatées parcourait les ailes de son nez cassé en deux endroits, et sa chevelure de Viking, qui avait dû être abondante, se raréfiait en frisottant.

« Elle doit avoir dans les quatre-vingt-huit mille, compteur non trafiqué. Laissez-moi ouvrir la portière pour vous. »

Sherrill patina autour de la Firebird, dégagea de sa main gantée la neige accumulée sur le pare-brise et s'occupa de la serrure. Martin profita de ce qu'il était baissé pour jeter un coup d'œil du côté du magasin. Un autre vendeur s'approcha brièvement de la vitrine, regarda la neige et repartit.

« Et voilà, allons-y », dit Sherrill en dégageant la clé de la serrure.

Martin ne perdit pas de temps à tergiverser, à guetter le moment le plus favorable. À l'instant où Sherrill ouvrait la portière, il se posta à côté de lui. Quand Sherrill recula d'un pas, il se rapprocha, lui posa une main dans le dos et de l'autre lui assena le coup fatal, un brusque mouvement ascendant, comme un direct en plein plexus.

Le couteau frappa Sherrill juste en dessous du sternum, remonta en biais, transperça le cœur.

Sherrill étouffa un cri, eut un soubresaut et s'affaissa, les yeux écarquillés par la surprise, fixant Martin. Celui-ci guida le corps vers le siège, appuya sur la tête, empoigna les jambes tressautantes et les poussa à l'intérieur. Sherrill se retrouva en chien de fusil dans l'habitacle, pieds par-dessus la banquette, tête pendant sous le volant. Ses yeux grands ouverts le fixaient. Il essaya de dire quelque chose et une bulle de sang sortit de sa bouche.

« Merci », dit Martin.

Il abaissa le loquet de la serrure, claqua la portière et s'éloigna. Derrière la vitrine du magasin, il n'y avait personne pour le voir partir.

Butters attendit que l'homme en chemise blanche soit occupé par un client et que la femme soit libre. Il entra dans le magasin, le pistolet à la main, et se dirigea vers le fond, près de la porte d'accès au stock, où il y avait une démonstration de DirecTV. Elaine Kupicek lui emboîta le pas. Elle était plutôt bien pour une femme de flic, songea-t-il.

« Puis-je vous aider ? » Elle avait une grande bouche expressive, des mains osseuses et des ongles courts.

« J'ai un bar à Saint Paul.

— Oui...

— Si j'installe DirecTV, est-ce que je pourrai avoir, par exemple, les jeux Green Bay, même s'ils ne sont pas diffusés ici ?

— Bien sûr. Vous pouvez obtenir tous les jeux... »

Le vendeur en chemise blanche s'était approché du rayon des ordinateurs avec son client, ils parlaient avec animation de cartes TV pour un appareil équipé de Windows 95.

« Nous avons une brochure qui indique toutes les options... »

Butters la regarda et posa les doigts de sa main gauche sur ses lèvres. Elle s'arrêta brusquement au milieu de sa phrase, perplexe. Il sortit de sa poche gauche le 380 muni du silencieux et le braqua sur elle.

« Si vous criez, je tire. Je vous le jure.

— Qu'est-ce…

— Reculez. C'est un hold-up. »

Il la poussa vers la porte. Elle recula, saisit la poignée, ouvrit la bouche… Butters poursuivit sur un ton de conversation normale : « Pas un mot, s'il vous plaît. »

Elle continua à reculer tout en cherchant des yeux le vendeur en chemise blanche, mais Butters la poussa à l'intérieur de la pièce et referma la porte derrière eux.

« Ne me faites pas de mal.

— Je ne vous ferai rien. Vous allez vous asseoir ici… tournez-vous. »

Elle se tourna et vit la chaise près du bureau qu'occupait normalement un technicien. Un sac en papier brun était posé sur la table. Il y avait une tache de graisse sur un des côtés. Son déjeuner, sandwich à la saucisse fumée, une orange. Elle fit un pas vers le bureau et l'implora : « Ne me faites rien.

— Mais non », promit-il de sa douce voix du Sud. Elle se retourna, et quand sa tête fut de profil il arracha d'un geste vif, très au point, le neuf millimètres retenu par la bande Velcro, l'appuya sur sa nuque et pressa la détente.

Elaine Kupicek bascula vers l'avant et tomba. Butters pivota, marqua une pause, tendit l'oreille. Accompagnée par l'action de la culasse, la détonation n'avait pas fait plus de bruit qu'un claquement de mains. Assez pour attirer l'attention dans une pièce normale, mais la porte était fermée.

Il attendit encore deux secondes avant d'aller à la porte. Elaine Kupicek était allongée sur le ventre, immobile. Butters remit le pistolet en place sous la fixation en Velcro et le petit 380 dans sa poche.

Quand il poussa le battant, le vendeur en chemise blanche parlait toujours à son client. Butters sortit, l'air détaché, mains dans les poches, rejoignit le couloir carrelé sur lequel donnait la boutique, regarda de part et d'autre et s'éloigna vers la gauche d'un pas tranquille.

LaChaise traversa la rue dans la neige et prit l'allée qui conduisait à la porte de gauche de la maison jumelée. Le 44 dans sa main droite, il appuya sur la sonnette. Il recula d'un pas et une rafale de neige lui fouetta les yeux. Cela se produisit à l'instant où la porte s'ouvrait. Plus tard, il se demanderait si ce n'était pas la neige qui était responsable...

Une femme ouvrit la porte d'entrée, puis la porte de protection contre les intempéries. Une femme ordinaire, avec une esquisse de sourire.

« Oui ?

— Madame Capslock ?

— Oui ? »

Il commençait à lever son arme quand Del apparut derrière elle : un choc, le mouvement brusque, le visage, la bouche de Del qui s'ouvrait...

Capslock écarta brusquement sa femme. Projetée sur le côté, elle tomba et Capslock hurla quelque chose. LaChaise ouvrit le feu au moment où Capslock criait, levant la main. LaChaise tira une deuxième fois et vit soudain que Capslock tenait un pistolet, court et noir, dont l'orifice le fixait dans les yeux. Il referma brutalement la porte extérieure au moment où Capslock ripostait. Des éclats d'aluminium tranchant sautèrent à la face de LaChaise qui battit en retraite, appuyant encore une fois sur la détente, conscient que la porte volait en morceaux et que d'autres balles arrivaient sur lui.

Les flammes s'échappant de la gueule de l'arme étaient aveuglantes, à quelques dizaines de centimètres de lui, puis à quelques mètres. Il était toujours debout, et Capslock aussi. Il se mit à courir vers la camionnette, une balle accrocha sa veste, une lance de feu lui déchira le flanc...

Del tira cinq fois, découpant la porte, pulvérisant le verre, avant de s'arrêter. Il se tourna vers Cheryl, vit le sang qui coulait de son cou, s'agenouilla près d'elle, repéra la blessure. Elle ouvrit les yeux, lutta pour ne pas sombrer. Il la tourna sur le côté. Elle prit une longue et pénible inspiration qui rendit un son métallique.

« Tiens bon, tiens bon ! » cria-t-il en se précipitant vers le téléphone. Il composa le 911 et hurla – on le lui apprit plus tard, sur le moment il eut l'impression de parler froidement, calmement, mais après, il écouta la bande et s'entendit hurler...

LaChaise perdait du sang.

En conduisant, il se regarda dans le rétroviseur. Des entailles dues à des éclats sur le visage, une douleur insoutenable au côté. Il se tâta, regarda sa main et constata qu'elle était humide de sang.

« Merde », grogna-t-il.

Il fut pris de panique. Était-il en train de mourir ? Est-ce que ça allait se terminer comme ça, avec cette douleur, dans la neige ?

Une voiture de police le croisa à vive allure, tous gyrophares dehors, puis une autre, suivie d'une ambulance. Il avait blessé quelqu'un, pensa-t-il avec satisfaction. Bon Dieu, ça faisait mal…

L'homme devait être Capslock. Et il tirait vite, drôlement vite. Et qu'est-ce qu'il avait crié ? Il avait crié : LaChaise…

Donc, ils étaient au courant.

LaChaise regarda dans le rétroviseur.

Il perdait son sang…

8

À l'ouest de Minneapolis, Lucas poussait l'Explorer vers une bretelle d'accès à la I-394 lorsqu'un standardiste hurla : « Quelqu'un a tiré sur la femme de Capslock. » Une seconde plus tard, Del intervint : « LaChaise a tiré sur Cheryl.

— Quoi ? » Lucas accéléra. Sur sa droite, un drapeau américain aussi grand qu'un drap palpitait dans la pénombre. « Répète, s'il te plaît.

— LaChaise a tiré sur Cheryl. » Derrière la voix de Del, on entendait un brouhaha : voix, bruits d'autoroute, une sirène. Hors d'haleine, il haletait dans sa radio.

« Où es-tu ?

— Dans l'ambulance. On arrive à Hennepin. » Les mots se bousculaient maintenant, comme du rap allumé par la coke. « Je l'ai vu, mon vieux. LaChaise. Je lui ai tiré dessus. Je ne sais pas si je l'ai touché ou pas. Il a filé.

— Comment est Cheryl ?

— Elle est blessée, salement blessée. » Del criait fort. Plusieurs mots suivirent, inaudibles, puis il dit clairement : « C'est après nos femmes qu'ils en ont, mon vieux. Il s'en prend à nos familles. Œil pour œil… »

Weather.

Elle devait être à l'hôpital, en train de prodiguer des soins post-opératoires. La peur saisit Lucas à la gorge. Del ajouta quelque chose qui lui échappa et disparut.

Le standardiste glapit : « On l'a perdu. Il a coupé le contact. »

« Je fonce au CHU, dit Lucas. Je veux Sherrill, Franklin, Sloan et

Kupicek en ligne *immédiatement*. » Il fouilla dans une niche aménagée au creux de l'accoudoir, en sortit un portable et appuya sur la touche en mémoire du numéro de Weather. Une secrétaire répondit, qui le transféra sur le service de chirurgie, où une autre secrétaire, agacée, déclara que Weather était auprès d'un patient.

« Lucas Davenport à l'appareil, directeur adjoint de la police de Minneapolis. Ceci est un appel d'urgence. Je veux lui parler *sur-le-champ*, cria Lucas. PASSEZ-LA-MOI. »

Il eut ensuite Franklin en ligne, via le standard. Il était au bureau.

« Prends ta femme et ton gosse et allez vous planquer n'importe où jusqu'à ce qu'on sache ce qui se passe exactement, ordonna Lucas.

— Le gosse est à l'école.

— Va les chercher. Tu as vu Sloan ?

— Je crois l'avoir vu entrer dans les chiottes il y a un instant…

— Transmets-lui le message. Qu'il ramasse sa femme et se planque quelque part. N'importe où. Disparaissez mais gardez le contact…

— Tu crois…

— Magnez-vous le cul, bordel ! » Lucas enfonça la pédale d'accélérateur, essayant d'arracher l'Explorer.

Weather le rappela. « Je suis en route, annonça Lucas, lui exposant la situation en quinze secondes. Quitte le service et ne mets pas les pieds dans ton bureau. Dis à la secrétaire où tu vas. J'irai la voir en arrivant.

— Lucas, j'ai plein de choses à faire. Il y a ce type avec un cancer de la peau…

— Rien à foutre du service ! aboya-t-il, la voix rauque. Va dans un endroit où tu n'es pas censée te trouver et attends. Si ce type s'en prend à toi, il peut aussi bien décider de tuer tes malades. Tout le monde peut attendre une ou deux heures.

— Lucas…

— Je n'ai pas de temps à perdre en bavardages, bon Dieu ! Fais ce que je te dis. » Il fit une queue de poisson à une Chevy Tahoe rouge et vit le conducteur, un type à cheveux blancs, donner un grand coup de poing sur son volant.

Sherrill avait été appelée pour une bagarre qui avait mal tourné dans un bar de Hennepin, des étudiants ivres qui s'étaient mis à cogner à coups de tabouret sur un Noir jusqu'à ce qu'il arrête de bouger. Il ne bougeait toujours pas, mais il n'était pas complètement mort. Sherrill appela et Lucas lui raconta ce qui était arrivé à Del.

« Oh ! mon Dieu, j'y vais tout de suite.

— Non, appelez Mike et dites-lui d'aller faire un tour. Dites-lui de s'installer dans un bistrot et de vous attendre. Nous voulons que chacun se trouve là où il ne devrait pas être jusqu'à ce qu'on ait une idée de ce qui se passe. »

La standardiste revint en ligne : « Del a blessé LaChaise. Il y a du sang sur le trottoir, les traces vont jusqu'à l'endroit où une camionnette était garée. Tous les hôpitaux sont alertés, nous surveillons les arrivées aux urgences. »

Kupicek appela ensuite. Il avait accompagné son fils à un match de hockey junior. « Préviens ta femme. Allez dîner tous les trois quelque part aux frais du service ou voir un film. Et rappelez-moi avant de rentrer chez vous, précisa Lucas. Ne perdez pas votre rétro de vue, restez en contact avec la radio.

— Comment va la femme de Del ? demanda Kupicek.

— Je ne sais pas, on a des gens en route pour Hennepin.

— Tenez-moi au courant, chef. »

Trente secondes plus tard, la fille du standard revint en ligne et demanda à Lucas de se brancher sur une fréquence brouillée. « Comment ?

— Oh ! mon Dieu… » On aurait dit qu'elle pleurait, jamais Lucas ne l'avait entendue comme ça. « Roseville a appelé. La femme de Danny a été abattue. Elle est morte. Dans le magasin de Rosedale. »

Lucas sentit la colère monter, se développer en fureur noire. « Ne parlez pas de ça à la radio, ne le dites à personne en dehors du quartier général… Quand est-ce arrivé ?

— On nous a prévenus à cinq heures dix-sept, mais ils pensent qu'elle a été touchée vers cinq heures douze.

— Et Del ?

— À cinq heures quinze. »

Il y avait donc plus d'un tireur. Combien étaient-ils ?

« Qui va l'annoncer à Danny ? demanda-t-elle.

— Je m'en charge. Rose Marie est au courant ?

— Lucy est allée la voir dans son bureau. »

Lucas rappela Kupicek. « Danny, où es-tu ?

— Au croisement de Hennepin et de Lake. Je cherche une cabine.

— Changement de programme : Roseville est avec ta femme, on a besoin de toi à l'entrée des urgences au Hennepin. Tout de suite. Tu as un gyrophare ?

— Ouais.

— Mets-le en marche et fonce là-bas.

— Le gosse est avec moi...

— Amène-le, on s'occupera de lui. »

Dès que Kupicek eut raccroché, Lucas rappela le standard : « Regardez dans le dossier de Danny. Il a une sœur qui s'appelle Louise Amdahl, ils sont très proches. Dites-lui d'aller à l'hôpital Hennepin. Envoyez-lui une voiture et dites-leur de se magner, sirènes et lumières sur tout le trajet. »

Il pensa alors à Sherrill et Weather. Il refit le numéro de Weather, tomba sur elle et lui raconta, pour la femme de Kupicek : « Je ne peux pas venir, mais il faut absolument que tu te caches. Je ne te raconte pas d'histoires, Weather, Dieu m'est témoin, tu dois disparaître, te planquer dans un endroit où je puisse te joindre. Le type est peut-être déjà dans les couloirs de l'hôpital.

— J'y vais.

— Fais très attention, je t'en conjure, extrêmement attention. »

Ensuite, il appela Sherrill. « Vous avez eu Mike ?

— Non, Lucas. Ils n'arrivent pas à le trouver, dit-elle d'une voix tendue, affolée. Il est censé être là mais on ne sait pas où. J'y pars tout de suite.

— J'envoie une voiture de patrouille.

— Lucas, vous ne pensez pas... ? » Son mariage battait de l'aile depuis quelque temps.

« Nous ne savons pas quoi penser. » Sherrill n'était pas au courant, pour la femme de Danny, et Lucas s'abstint de le lui dire. « On se retrouve là-bas. »

Il s'adressa au standard : « Deux voitures, en vitesse. Il faut qu'elles arrivent au magasin avant Sherrill. »

Lucas fendit la circulation pied au plancher, sans s'arrêter au moindre feu, vert, orange ou rouge. Conduire l'Explorer, c'était comme être sur un tracteur, mais il battit Kupicek de deux minutes et n'eut qu'une longueur de retard sur Rose Marie Roux. Le chef était blême, presque incapable de parler. « C'est... » Elle secoua la tête et ils se précipitèrent à l'intérieur, Lucas poussant les portes avec brusquerie sur leur passage.

Couvert de sang, Del parlait dans le couloir avec un médecin en tenue de bloc. « Il lui vient quelquefois de terribles migraines dans l'après-midi et elle prend de l'aspirine. C'est tout. Attendez, elle boit du Coca light, il y a de la caféine là-dedans. J'ignore si elle a pris de l'aspirine cet après-midi... »

Il vit Lucas et Rose Marie approcher et alla à leur rencontre.

« Il l'a méchamment touchée », expliqua-t-il d'une voix parfaitement contrôlée, mais, apparemment, il n'avait pas conscience des larmes qui coulaient sur ses joues. « S'il n'y a pas de complications, elle devrait s'en sortir.

— Ah ! Bon Dieu, Del... » Lucas tenta de sourire mais son visage était irrémédiablement crispé.

« Que s'est-il passé ? demanda Del en les regardant l'un après l'autre. Qu'y a-t-il eu d'autre ?

— On a tiré sur la femme de Danny. Elle est morte. Et nous ne retrouvons pas Mike Sherrill.

— Les salauds », lâcha Del d'une voix âpre.

Au même moment, Danny Kupicek franchit l'entrée comme un boulet. Le gamin qui le suivait tant bien que mal était encore en tenue de hockey, chaussé de Nike grosses comme des navires de guerre, les yeux cachés sous une crinière blonde. L'intérieur de l'hôpital semblait l'impressionner.

« Del, dit Kupicek. Seigneur, où en est Cheryl ? Ça va aller ?

— Danny... », commença Lucas.

Ils trouvèrent Mike Sherrill dix minutes plus tard. Marcy Sherrill arriva juste au moment où les flics entouraient la Firebird et se glissa parmi eux alors qu'ils ouvraient la porte : elle se trouva face à face avec son mari, couché en chien de fusil, les yeux grands ouverts, mort.

Elle se retourna et l'un des agents en tenue, une femme, la prit par les épaules. La seconde suivante, elle émit un son qui ressemblait à la fois à un hululement et à un croassement, puis elle s'effondra.

Des trois, LaChaise fut le premier à regagner la maison. Quand Martin avait appelé d'une cabine téléphonique, il l'avait envoyé récupérer Butters.

« C'est grave ? avait demandé Martin à voix basse, très maître de lui.

— Je ne sais pas, mais je perds du sang. Et ça fait un mal de chien.

— Tu peux respirer à fond ?

— Ouais, mais je n'y tiens pas.

« — Tu penses pouvoir rentrer à la maison ?

— Je crois que oui.

— Rentre, alors. On sera là dans un quart d'heure. »

LaChaise souffrait, mais pas au point de ne pouvoir atteindre la maison. Il trouva ça encourageant. À part la douleur lancinante, qui était localisée, il ne se sentait pas vraiment mal. Il n'avait pas l'impression que quelque chose se déglinguait à l'intérieur.

Une fois rentré, il constata cependant qu'il n'arrivait pas à enlever sa parka tout seul. Quand il leva le bras, une lance de feu déchira sa cage thoracique. Il s'affala sur le tapis du salon et attendit, contemplant le plafond.

Martin entra le premier, suivi de Butters qui faisait tomber la neige de ses manches.

« Regardons un peu ça, proposa Martin.

— Vous avez eu les vôtres ? » demanda LaChaise.

Martin opina et Butters répondit : « Ouais. Et toi ?

— J'ai touché quelqu'un. Il y avait des ambulances partout... »

Ils l'aidèrent à s'asseoir en continuant à parler. LaChaise leur raconta comment il avait sonné à la porte, puis l'apparition de Del derrière sa femme.

« Ce salaud m'a reconnu... Eh là, doucement ! »

Ils le dépouillèrent avec précaution de sa parka, de son gilet et de sa chemise de flanelle, trouvant chaque vêtement plus imbibé de sang que le précédent. Il y avait deux petits trous sur son tee-shirt, et une tache de sang aussi grosse qu'une assiette.

« On ferait mieux de découper ça, suggéra Butters.

— Oui. » Martin sortit son couteau et le tee-shirt Jockey se déchira comme une serviette en papier. « Tourne-toi par ici, Dick... »

LaChaise essaya de rouler sur le côté gauche et leva le bras. Il transpirait abondamment. « Merde, ça fait drôlement mal », grogna-t-il.

Martin et Butters examinèrent la plaie. « Ça n'a pas l'air trop méchant, dit Butters. On ne voit pas d'os.

— Oui, mais on voit l'entrée et la sortie d'une balle...

— Quoi ? s'exclama LaChaise.

— Tu t'es juste fait écorcher, mais il y a un trou, à côté de la plaie. Ça a dû toucher une côte, c'est ça qui te fait mal. Il faut nettoyer les trous. Il doit y avoir un tas de fils collés et de saloperies qui viennent des vêtements.

— Fais venir Sandy, demanda LaChaise. Appelle-la. Non, va la chercher. J'suis pas sûr qu'elle viendrait d'elle-même. Elle peut arranger ça, elle a été infirmière. »

Martin regarda Butters et acquiesça. « C'est la meilleure solution. Elle a peut-être du matériel.

— Des comprimés, dit Butters.

— Ramenez-la », gémit LaChaise.

9

Le Sandhurst était un hôtel de briques jaunes assez confortable, à la bordure ouest du quartier des affaires. Il dominait de trois étages toutes les constructions à deux rues à la ronde et était facile à surveiller. Sa clientèle était pour l'essentiel constituée d'acteurs en tournée, de metteurs en scène, artistes et conservateurs de musée venus visiter le Guthrie Theater ou le Walker Art Center.

Lucas et Sloan firent entrer Weather par l'arrière, en empruntant une ruelle cernée par des voitures banalisées. Deux membres du groupe d'intervention d'urgence étaient postés sur le toit, munis de radios et de fusils.

« … tout ce que j'ai essayé de faire », disait Weather. Lucas opinait de la tête tout en écoutant à moitié. Il examinait chaque visage de la ruelle. La main plongée dans sa poche tenait un 45. La femme de Sloan était déjà à l'intérieur.

« Ça ne durera pas longtemps, promit Lucas. Ils ne peuvent pas tenir plus de deux jours.

— Qui ? Qui ne peut pas tenir ? demanda Weather en le regardant. Tu ne sais même pas qui ils sont, en dehors de ce LaChaise.

— On trouvera. Ils vont payer, ces salauds, un par un. » Son ton ne laissait aucun doute et Weather eut un mouvement de recul, mais il la conduisit fermement vers l'hôtel en la tenant par le bras.

« Lâche-moi, se plaignit-elle. Tu me fais mal.

— Pardon. » Il lui lâcha le bras et la fit avancer en la poussant dans le dos.

Les deux entrées de l'établissement, avant et arrière, donnaient sur le hall. Franklin et Tom Black, l'ancien équipier de Sherrill, étaient assis derrière un large comptoir de réception en palissandre. Chacun tenait un fusil posé en travers de ses genoux, que personne ne pouvait voir. Le flic le plus costaud de la police de Minneapolis, un dénommé Loring, lisait un journal dans un des fauteuils recouverts de tapisserie du vestibule. Vêtu d'un costume gris perle et d'un foulard, il avait l'air d'un lutteur professionnel à la retraite.

Un portier en livrée qui se trouvait dans le hall, percevant du mouvement à l'arrière, se retourna et les regarda. Andy Stadic leva la main, Lucas le salua d'un signe de tête et poursuivit son chemin avec Weather jusqu'aux ascenseurs.

« N'importe qui peut découvrir où nous sommes, tu sais, dit Weather.

— Ils ne peuvent pas entrer. Et ils ne peuvent pas te voir.

— Tu as dit que c'étaient des gens des Seeds, et les gens des Seeds sont censés appartenir à ces milices », dit-elle. Weather était du nord du Wisconsin, elle connaissait les Seeds. « Et s'ils mettaient une de ces grosses bonbonnes d'engrais dehors ?

— Aucun camion ne peut prendre cette rue, dit Lucas. Les services municipaux sont en train de creuser la chaussée des deux côtés.

— Tu ne vas pas pouvoir tenir comme ça, Lucas. La presse va arriver, la télévision aussi. »

Lucas secoua la tête. « Ils apprendront que vous êtes ici mais ils ne pourront pas entrer. S'ils essaient, on fera un premier coup de semonce, et puis on les flanquera au trou. Nous ne plaisantons pas. »

Il l'accompagna au dernier étage, dans une petite suite de deux pièces aux murs couleur fumée de cigare, qui sentaient le désinfectant et le déodorant en aérosol. Weather jaugea les lieux et dit : « C'est horrible.

— Deux jours, trois au max. Je t'aurais bien emmenée à la cabane, mais, Dieu sait comment, ils sont au courant de nos relations et je ne peux pas prendre ce risque.

— Je ne veux pas aller à la cabane. Je veux travailler.

— Oui, fit Lucas, l'esprit ailleurs. Il faut que je me dépêche... »

Pendant les deux heures qui suivirent les meurtres, le bureau de Rose Marie Roux ressembla à une salle d'attente d'aéroport, traversé par une cinquantaine de personnes qui mesuraient leur importance, espérant pour la plupart apparaître à la télévision sur le réseau national d'informations. Le gouverneur passa, exigeant une mise au point. Une douzaine de députés de l'État sollicitèrent une entrevue avec Rose Marie, en même temps que les membres du conseil municipal.

Lucas assista pendant une demi-heure à l'interrogatoire de Duane Cale par Sloan et un autre flic. Il n'avait pas grand-chose à raconter.

« Mais si Dick est dans le coin, il faut que je quitte la ville », dit Cale.

L'interrogatoire ne leur apporterait rien, estima Lucas. Il s'enferma dans son bureau avec Franklin, loin des médias et des flics qui voulaient parler de l'affaire. Sloan les rejoignit un peu plus tard et se mit à téléphoner. Puis Del arriva, les vêtement encore tachés du sang de sa femme.

« Comment va Cheryl ? » demanda Lucas.

Del secoua la tête. « Elle est sortie du bloc opératoire. Elle dort. Ils l'ont mise en réa, je n'ai pas le droit d'entrer. Elle doit y rester jusqu'à demain matin, au minimum.

— Tu devrais prendre un peu de repos, suggéra Lucas.

— Pas question. Et vous, vous faites quoi ?

— On contacte les gars du milicu... »

À eux trois, ils appelèrent tous les gens qui opéraient dans la rue et possédaient un téléphone. Lucas essaya Sally O'Donald une demi-douzaine de fois et lui laissa des messages dans tous les bars de Lake Street.

Un peu plus de deux heures après les meurtres, Roux appela : « Entrevue avec le maire dans son bureau. Dix minutes.

— Pour de bon ? demanda Lucas.

— Oui. Le maire en personne », confirma Roux.

Sally O'Donald rappela une minute plus tard.

« Vous pouvez venir regarder quelques photos ? lui demanda Lucas. Vous savez, le type dont vous pensiez que c'était un flic ?

— Je n'ai plus la moindre idée de la tête qu'il avait, mais je veux bien venir, si vous y tenez.

— Demandez Ed O'Meara, service des identifications.

— D'accord, mais, écoutez... J'ai parlé à mon agent...

— À qui ?

— Mon agent, répéta O'Donald, un peu gênée. Elle dit que je pourrais me faire cinq mille dollars en parlant au *Hard Copy*.

— Nom de Dieu, Sally ! s'exclama Lucas. Si jamais vous nous baisez, Del et moi...

97

— Doucement, doucement, dit Sally. Je ne veux baiser personne. Ce que je veux savoir, c'est si vous allez remettre LaChaise au trou.

— Oui, à un moment ou un autre.

— Donc, si je parle, il ne pourra pas me rattraper ? »

Lucas hésita un instant. « Écoutez, je vais être franc. Si vous parlez et que vous vous mettez au vert pendant quelques jours, il sera coffré à votre retour. Il ne peut pas tenir plus d'une semaine.

— C'est ce que je voulais savoir.

— Mais il faut me prévenir quand vous partirez. On mettra un type devant votre maison, à l'intérieur même, au cas où LaChaise viendrait jeter un coup d'œil.

— Seigneur ! » Il y eut une minute de silence. « Si vous voyez les choses comme ça… je ne vais peut-être pas le faire. Je ne veux pas avoir d'ennuis avec Dick.

— Quelle que soit votre décision, tenez-moi au courant. » Lucas consulta sa montre. La réunion allait commencer. « Venez ici, demandez Ed…

— Attendez une minute, juste une minute. J'ai pensé à un autre truc qui pourrait vous intéresser.

— Oui ?

— Vous devriez vérifier qui est le propriétaire de la laverie automatique.

— Pourquoi ne pas me le dire tout de suite ?

— J'ai cru comprendre qu'elle appartenait à Daymon Harp. »

Ce nom ne disait rien à Lucas.

« Qui est-ce ?

— Bon Dieu, Davenport ! Il faudrait descendre sur le terrain, de temps en temps. C'est un dealer. Assez important…

— Un type des Seeds ?

— Non, pas question. C'est un Noir, plutôt beau gosse. Demandez à Del, il le connaît.

— Merci, Sally.

— Vous avez parlé aux Mœurs ?

— Je leur parlerai ce soir. »

Il raccrocha et demanda à Del : « Daymon Harp ?

— Dealer. Pas une grosse pointure, mais presque. Précautionneux. Plutôt intelligent. Il est arrivé de Milwaukee il y a quelques années. Pourquoi ?

— Sally O'Donald dit qu'il est le propriétaire de la laverie où elle a vu LaChaise. »

Del secoua la tête en fronçant les sourcils. « Je ne vois pas le lien. J'imagine mal Harp en affaires avec les types des Seeds. C'est même la dernière combinaison à laquelle je penserais.

— Ça vaudrait peut-être le coup de vérifier... »

Del regarda Sloan : « Tu veux t'en occuper ? »

Lucas intervint. « Pourquoi tu n'irais pas te changer d'abord ? Sloan et Franklin peuvent rester près des téléphones. Dès mon retour, on ira tous. »

Lucas arriva le dernier. La réunion comprenait Roux, le maire et son adjoint ; Frank Lester, directeur des enquêtes ; Barney Kittleson, directeur des brigades de sécurité ; Anita Segundo, relations avec la presse ; et Lucas.

Rose Marie parlait à Segundo quand il entra. « Degré de gravité ? demanda-t-elle.

— CBS, NBC, ABC, CNN et une ou deux émissions de la Fox, ils ont tous envoyé des gens. *Nightline* présente un sujet ce soir. Ils racontent que LaChaise et son groupe sont des miliciens. Depuis l'explosion du bâtiment fédéral à Oklahoma City, c'est un sujet brûlant.

— Sont-ils effectivement des miliciens ? demanda le maire. Est-ce que ces gens de la presse savent quelque chose ?

— Selon le FBI, LaChaise était dans cette mouvance, mais ils ne pensent pas qu'il soit réellement impliqué, précisa Lester. Il connaissait des gens de l'Ordre dans les années 80.

— Ce ne serait pas l'Ordre qui a tué ce type de la radio à Denver ? »

Lester acquiesça. « Si, mais les fédés les ont éliminés un peu plus tard. LaChaise était un caïd des Seeds, et plusieurs membres de la milice du Michigan faisaient partie des Seeds du temps où c'était un gang de motards. Par la suite, certains des membres des Seeds se sont branchés sur Identité chrétienne – une sorte de groupuscule dissident. Et nous savons que LaChaise vendait des saletés néonazies dans son magasin d'accessoires de motos, les *Turners Diaries*, tous ces trucs-là. Certains pensent que les Seeds ont emprunté leur nom à un type d'extrême droite qui avait raconté à la radio qu'il était trop tard pour enrayer le mouvement car il y avait des Seeds partout. Mais c'est peut-être faux.

— Il faut arrêter ça tout de suite, déclara le maire en pointant son

99

index sur Roux. Si on a affaire à des milices, il faut envisager la chose en termes de bombes et d'armes lourdes. »

Roux regarda Lucas, se gratta la tête et dit : « Je ne crois pas... »

Elle s'interrompit et le maire haussa les sourcils : « Eh bien ?

— Je ne crois pas que ça relève de ce genre de choses, Stan. Je pense plutôt que nous avons affaire à de vrais cinglés, armés. Trois psychotiques qui ont peut-être fait partie du même gang de maniaques de la moto. Et aussi traficoté un peu dans les trucs nazis.

— Vous avez probablement raison, reconnut le maire. Mais s'ils s'en prennent à la First Bank, je ne veux pas me retrouver comme un con en train d'essayer d'expliquer pourquoi nous ignorions ce qui se préparait.

— Une chose est certaine, admit Roux, c'est que nous allons avoir besoin d'une opération de relations publiques extrêmement pointue, sinon nous sommes foutus. On va se retrouver avec des flics qui vont accepter des enveloppes, des journalistes qui vont harceler des témoins...

— Ce type de Rosedale, le collègue d'Elaine Kupicek au magasin de télés, il a déjà accepté de passer à *Nightline* », annonça Segundo.

Le maire était un homme au teint olivâtre, avec des épaules de taureau et de beaux cheveux noirs frisés qui commençaient à se clairsemer. Il regarda d'abord son adjoint, puis Roux. « Rose Marie, ça va être entre vous et moi.

— On dirait un tube des années 50, risqua l'adjoint. Rose Marie, rien que toi et moi. »

Tout le monde l'ignora.

« On va préciser le règlement concernant les flics qui parlent à la presse, déclara le maire : si vous le faites, mieux vaut que ça vous rapporte beaucoup d'argent, parce que, après, vous ne travaillerez plus ici. Nous avons chaque jour quatre conférences de presse majeures : la première assez tôt pour attraper les infos du matin, une autre juste avant midi, une avant dix-sept heures, et la dernière à vingt heures quarante-cinq, pour ne pas rater le journal de la nuit. Vous allez mettre les choses au point avec vos enquêteurs : il faut que nous ayons un os à leur jeter pour chaque conférence. Il n'est pas nécessaire que ce soit vrai, du moment que c'est satisfaisant... »

Le maire continua pendant cinq minutes sur la manière de gérer la presse.

Puis il se tourna vers Lester et Lucas : « Lucas, je veux que vos gars et vous restiez totalement dans les coulisses. Nous ne voulons aucune discussion sur le fait de savoir si votre riposte, à la banque, a été provoquée par les coups de feu.

— Je ne savais pas qu'on pouvait encore se poser la question, dit Lester.

— On ne se la pose pas, rétorqua le maire, irrité, mais les médias vont se jeter sur le premier os qu'ils trouveront. Vous ne devez jamais oublier que nous avons affaire à l'industrie du loisir. *Piège de cristal*, Oklahoma City, c'est la même chose. Maintenant, c'est notre tour de faire le film. » Il pianota sur la table du bout des doigts, sans cesser de regarder Lucas et Lester. « On peut leur raconter des bobards un certain temps, guère plus. Il faut absolument attraper ces types.

— Nous avons une procédure d'urgence », dit Roux. Le maire se tourna vers elle. « Nous menons deux enquêtes parallèles. Lucas et sa bande travaillent les angles d'approche, Frank gère le tronc commun. La coordination est effectuée par Anderson. Il remplit un journal de bord tous les jours avec les moindres petits morceaux que nous trouvons. Personne ne cache rien à personne.

— Et ça marche ?

— Jusqu'ici, oui, dit Lucas.

— Eh bien, procédons ainsi, décida le maire. Avons-nous un seul élément pour démarrer ? N'importe quoi ?

— Un, peut-être », répondit Lucas. Il pensait à la laverie automatique. Un point de départ.

Sandy conduisait, Butters assis à côté d'elle. Elmore suivait dans la camionnette de Sandy. Au début, il avait refusé de venir. Ça convenait à Butters : c'est de Sandy qu'ils avaient besoin, pas de son mari.

« Je n'irai pas, avait déclaré Sandy.

— Je n'ai pas le temps de discuter, Sandy, avait répondu Butters. Tu viens. » Il ne faisait aucun doute qu'elle allait venir : il ne prit pas la peine de lui montrer son arme, mais elle était là. Butters avait une manière affable, typique des gens du Sud, quoique, sous la surface, il fût aussi froid que Martin. Quand elle alla chercher son manteau, il la suivit.

« Tu me surveilles ? demanda-t-elle.

— Je veux m'assurer que tu vas venir. Je sais que tu ne veux pas.

— Tu vas me dire ce qui s'est passé ? Qui l'a blessé ?

— Non. » Il leur avait raconté que LaChaise avait été blessé au cours d'une bagarre. Comme Sandy et Elmore nourrissaient les bêtes, ils n'avaient pas vu la télévision.

Quand il fut clair que Sandy allait suivre Butters, Elmore insista pour les accompagner. Ne voulant pas perdre de temps à discuter, Butters finit par accepter. « Mais tu suis dans la camionnette. Sandy monte avec moi. Nous allons avoir besoin des deux véhicules pendant encore un moment. »

Ils s'arrêtèrent à la maison de retraite où Sandy allait parfois chercher des médicaments quand quelqu'un était malade. La panoplie de secours d'urgence du poste de garde des infirmières lui fournit bandages, aiguilles, fil, lames de rasoir et antiseptiques. Une grosse bouteille de Tylenol-3, parfaitement illégale, était cachée au fond du dernier tiroir du bureau, pour les diverses douleurs du troisième âge. Elle la vida entièrement. Quoi d'autre ? Des ciseaux chirurgicaux, deux rasoirs jetables Bic, de la bande adhésive. De l'eau oxygénée. Il y en avait un stock dans la réserve. Elle en prit cinq litres.

Les infirmières disposaient chacune d'un tiroir personnel dans une rangée de classeurs. Comme personne ne les fermait à clé, Sandy fouilla dans celui de Marie Admont et trouva un flacon de comprimés de pénicilline. Marie en avait eu besoin après qu'une vieille folle l'eut attaquée avec ses ongles. Sandy rafla la demi-douzaine de comprimés qui restaient.

Le parcours en camionnette jusqu'à Saint Paul parut durer une éternité, d'abord en ligne droite à travers le Wisconsin, puis par la route sinueuse, à la sortie de l'Interstate, quand on arrive dans le Minnesota. Butters prononça tout au plus six mots pendant le trajet, Sandy quatre ou cinq. Tous deux étaient plongés dans leurs pensées.

Arrivés dans les Villes jumelles, Butters leur fit prendre l'autoroute, puis les rues étroites, obstruées par la neige, de Frogtown. Ils se garèrent derrière la camionnette de Martin. Elmore s'arrêta derrière eux et les rejoignit en hâte dans la neige, blême. « Je veux dire un mot à Sandy, une minute. Avant d'entrer.

— Allez, entrez, magnez-vous, bordel ! dit Butters.

— Je vais parler à Elmore, décréta Sandy d'une voix aussi glaciale que la rue. J'irai voir Dick ensuite.

— Écoutez...

— Tu vas me tirer dessus, Ansel ? Ça aiderait vachement Dick. »

Butters se résigna et Sandy entraîna Elmore à une vingtaine de mètres de là. « Qu'est-ce qu'il y a ? »

Elmore tremblait de tous ses membres.

« J'ai écouté la radio en chemin, dit-il d'une voix rauque. Ils sont descendus en ville pour tuer des proches de certains flics. On ne parle que de ça à la radio, sur toutes les stations sans exception. Ils ont tué deux personnes et il y en a une troisième entre la vie et la mort. La terre entière les recherche, Sandy. »

Sandy le regarda, puis se tourna vers Butters qui les attendait en silence. « Oh, mon Dieu !

— Il faut qu'on se sorte de là.

— Allons d'abord voir Dick. Après, je trouverai un moyen pour nous faire sortir. Mais, tu as raison, il faut contacter John. »

Ils firent quelques pas dans l'allée, Butters ne pouvait pas les entendre. Martin les attendait sur le seuil.

« Entre », dit-il à Sandy. Il regarda Elmore, lui adressa un signe de tête. Elmore détourna les yeux.

Il y avait un canapé défoncé dans le salon. Martin avait mis les coussins par terre. LaChaise était couché dessus avec une couverture, la tête soulevée par un oreiller. Il sourit à Sandy quand elle entra.

« C'est grave ? demanda-t-elle.

— Pas trop. J'ai plutôt l'impression que ça a besoin d'être.. nettoyé.

— Voyons ça. Il me faut de la lumière. »

Ils écartèrent la couverture et LaChaise roula sur le flanc. Il avait moins mal, et il put lever le bras pour qu'elle voie mieux. Butters retira l'abat-jour de la lampe, qu'il souleva comme une torche au-dessus de LaChaise.

Sandy examina soigneusement la blessure. Une coupure béante, à l'arrière, se transformait en filet bleuissant à l'endroit où la balle était passée sous la peau. Un petit trou, là où la balle était ressortie, était visible dix centimètres en dessous de la pointe du sein, un peu décalé. Par une plaie béante, assez longue, on voyait de la chair au niveau d'une côte. Sandy regarda LaChaise : « Il faut que tu ailles à l'hôpital.

— Impossible. Tu dois soigner ça. »

Elle regarda de nouveau la blessure. En fait, elle pouvait y arriver. « Ça va faire très mal.

— Tu es super », dit LaChaise. Puis, à l'intention de Butters : « Je te l'avais dit.

— Je t'ai cru.

103

— Que s'est-il passé ? demanda-t-elle. Qui t'a tiré dessus ?

— Une dispute pour de l'argent. Le type me devait...

— Tu l'as tué ?

— Non, je ne l'ai pas tué, dit LaChaise en ébauchant un sourire. Bon, maintenant, tu me soignes ? Ça fait un mal de chien.

— Tu n'es qu'un salaud de menteur, dit Sandy très calmement. Tu as tué des gens chez les flics. Je devrais... »

Avant qu'elle ait pu finir sa phrase, Martin la gifla. Avec ses mains grosses comme des côtes de bœuf, il l'assomma quasiment. Pendant quelques secondes, elle resta dans le brouillard, puis, étourdie, les oreilles bourdonnantes, elle entendit LaChaise dire « Oh, oh ! » et derrière lui, Elmore : « Bon sang... »

Elle roula, essaya de se relever, se trouva nez à nez avec Martin : « Arrête tes conneries. Tu le soignes, ou bien je te découpe en lanières, de l'appât pour les poissons. » Au fond de la pièce, Butters souriait à Elmore, espérant plus ou moins qu'il allait faire un geste. Mais il déglutit et ferma sa gueule.

Sandy se releva, tourna le dos à Martin sans un mot, et s'adressa à LaChaise : « Je t'ai apporté des comprimés. Tu devrais en prendre avant qu'on commence. »

LaChaise la regarda, puis il sourit à Martin : « À ta place, je ferais gaffe. »

LaChaise avala les comprimés avec une gorgée d'eau et regarda Elmore. « El, je suis désolé d'avoir à te dire ça, mais tu ferais mieux de rentrer. Quelqu'un m'a reconnu, et les flics vont probablement repasser chez toi.

— Je pense que Sandy devrait rentrer ce soir.

— Elle reste, déclara brutalement Martin. Cette nuit, en tout cas. Jusqu'à ce que Dick soit rétabli.

— Mais putain, qu'est-ce que je vais dire aux flics, quand ils reviendront ? Ils vont demander où elle est passée.

— Raconte-leur qu'elle est allée faire des courses. Ensuite, tu nous appelles sur mon portable. Elle peut être de retour en une heure, dit LaChaise.

— Sandy... » Elmore fut incapable d'achever sa phrase, mais elle savait ce qu'il pensait.

« Allez, El, on va sortir mon matériel de la camionnette », proposa-t-elle. Elle fit un signe de tête à LaChaise. « Je vais chercher mes affaires et dire au revoir à El.

— Je viens vous aider, dit Butters.

— Tu peux attendre sous le porche », répliqua Sandy.

Dehors, devant la camionnette, Elmore chuchota : « Je suis désolé pour ce qui s'est passé. J'allais dire quelque chose… » Il poussa un peu de neige de la pointe de sa botte. « Il faut qu'on se sorte de là.

— Je sais. » Elle jeta un coup d'œil du côté de Butters qui attendait dans l'ombre du porche. « Mais d'abord, je dois faire ce qu'ils veulent. S'ils ont tué des gens chez les flics, ils sont comme morts. Je rentrerai demain et on réfléchira à un plan.

— Sandy… » Il fit un pas vers elle. Pour l'embrasser ? Elle pivota de quelques centimètres et lui posa un baiser sur la joue.

« Vas-y. Ça ira, ne t'inquiète pas. Attends que je sois de retour avant d'appeler John. »

Il ne voulait pas partir, mais il ne pouvait pas rester. Il remua les pieds, leva les yeux au ciel, secoua la tête et commença à marmonner d'une manière qu'elle connaissait bien : il se remettait à pleurer.

« El, El, calme-toi. Allons, El…

— Oh, Seigneur !

— Je serai là demain matin. »

Elmore fit tourner le moteur et Sandy remonta vers la maison. Butters descendit brusquement du porche et passa devant elle en agitant le bras à l'intention d'Elmore. Celui-ci baissa sa glace. Butters arriva à sa hauteur, se pencha, sourit d'un air menaçant et déclara : « Si t'appelles les flics, on te coupe la tête. »

La balle avait juste glissé sous la peau avant de ressortir, mais il fallait ouvrir la plaie et la nettoyer. Sandy incisa la peau avec précaution à l'aide d'une lame de rasoir. Du sang frais jaillit dans l'entaille ; dès qu'elle eut dégagé toute la longueur, elle y versa de l'eau oxygénée. Puis elle en imbiba un tampon de gaze stérile et nettoya la plaie. Au fond de la blessure, elle vit un éclair blanc. L'os de la côte.

« Je viens de toucher une côte, dit-elle à Martin.

— Je vois », fit-il en se penchant. Les blessures par balle l'intéressaient.

Après un dernier nettoyage, elle referma l'incision en suturant avec du fil de nylon noir et badigeonna le tout à l'antiseptique. LaChaise se tortilla deux ou trois fois, mais aucun son ne sortit de sa bouche.

Quand elle eut fini les points de suture, Sandy avait les mains couvertes de sang. Elle alla les laver dans la cuisine, revint auprès de LaChaise et posa une grosse compresse de gaze sur la blessure, qu'elle maintint en place en lui entourant la poitrine de plusieurs longueurs de bandage qu'elle fixa, pour finir, avec du sparadrap.

Quand ce fut terminé, LaChaise se redressa.

« Tu ne devrais pas bouger », conseilla Sandy.

Les comprimés faisaient leur effet. Il sourit faiblement et dit : « Merde, j'ai déjà eu des blessures plus graves que celle de ces mauviettes.

— C'est la codéine qui te soulage. Plus tard, ça va te faire vraiment mal.

— Je peux très bien le supporter. » Il se leva sur ses jambes tremblantes, regarda le bandage : « Seigneur, quel beau boulot. Vraiment du beau boulot. Tu es un vrai chou. »

Del et Lucas sortaient du bâtiment quand Sloan les rattrapa : « Je viens aussi. Ça vous empêchera d'avoir des ennuis. »

Sur le chemin de la laverie automatique, ils se disputèrent au sujet des dernières fusillades, et de la riposte à apporter. Del déclara que, pour sa part, la chasse était ouverte.

« Ça ne serait pas du meurtre, dit-il, obstiné. Je ne serais pas capable de les abattre à froid.

— Le problème, enchaîna Lucas, c'est que tu nous ferais tomber avec toi. On irait tous ensemble à Stillwater. Personne ne croirait que tu as fait ça tout seul. »

Un sourire involontaire éclaira le visage de Del : « Bordel, on connaît la moitié des gars là-bas. Ce serait comme une fête de famille.

— Lucas a raison, dit alors Sloan. À mon avis, tu ne devrais même pas nous accompagner. Si tu descends quelqu'un maintenant, avec ce qui est arrivé à Cheryl, les médias vont nous crucifier, le grand jury ne nous fera pas de cadeau, et les politiques nous massacreront.

— Merde ! De quel côté sont-ils, au fond ? s'indigna Del. Et Cheryl, alors ?

— Ne pose pas ce genre de question, la réponse te mettrait en rogne. »

Au volant de l'Explorer, Lucas fonçait à travers les rues désolées vers la banlieue sud. Il y avait de la lumière au premier étage de la laverie. Au rez-de-chaussée, derrière la vitrine, cinq femmes, toutes des Noires, pliaient du linge, lisaient des magazines ou restaient assises à contempler les murs de plâtre rose crasseux.

Lucas se gara sur un emplacement réservé aux bus, à une vingtaine de mètres de la laverie, au coin d'une rue.

« Quand j'ai parlé à Lonnie, dit Del en regardant les fenêtres du premier, il m'a expliqué que si on montait jusqu'en haut par l'escalier principal on tomberait sur un tas de saloperies empilées, genre caisses et cartons de livraison. On ne peut pas passer par cette porte, pas si on est pressé, en tout cas. Il y a un escalier de service qui descend directement dans le garage. Mais la porte du garage est verrouillée, et là non plus on ne passe pas.

— Donc, tu vas monter par l'escalier principal et faire un raffut de tous les diables, shooter dans les cartons et marteler la porte à coups de poing, lui répondit Sloan. Nous, nous attendrons côté garage. S'il ouvre la porte, tu nous appelles. S'il s'échappe par-derrière, on le coince.

— D'accord, dit Del, mais j'ai peur qu'on ne pourchasse le mauvais gibier. Je ne vois pas Harp ayant quoi que ce soit à voir avec une bande de... » Il s'arrêta en pleine phrase, tendit le doigt : « Hé ! regardez, là. »

Une femme s'avançait vers eux, patinant plus que marchant sur le trottoir glissant. Elle tenait ce qui pouvait passer pour un paquet blanc, probablement acheté dans une boulangerie. Elle passa sous un réverbère, puis dans l'éclairage plus puissant de la vitrine de la laverie.

« C'est Jas Smith, la copine de Daymon, expliqua Del.

— On la coince, dit Lucas. Elle nous proposera peut-être de monter.

— D'accord. » Del et Sloan descendirent du côté droit tandis que Lucas contournait le capot du véhicule, et le trio convergea vers Jasmine. Pour éviter la neige, elle baissait sa tête couverte d'un chapeau à large bord, et elle ne les vit qu'au moment où ils lui tombèrent dessus.

Elle sursauta, porta la main à son cœur : « Mon Dieu, Capslock, vous pourriez vous annoncer !

— Pardon.

— Si j'avais eu un petit revolver, j'aurais pu vous tirer dessus, légitime défense. »

Elle regarda Lucas et Sloan d'un air préoccupé. Del fit les présentations : « Voici Lucas Davenport, directeur adjoint de la police de Minneapolis, et l'inspecteur Sloan. Il faut qu'on parle à Daymon au sujet d'un truc. On ne va pas le secouer, juste bavarder.

— Pourquoi vous ne l'avez pas appelé ?

— Parce qu'on ne voulait pas qu'il nous raccroche au nez, dit Sloan en plaisantant. Vous avez entendu parler des maris et femmes de flics qui se sont fait descendre aujourd'hui ?

— Tout le monde est au courant.

— Ma femme était dans le lot, dit Del. Elle est à l'hôpital maintenant, et elle souffre vachement. On doit vous expliquer que la situation est vraiment grave, alors, pourquoi vous ne nous ouvrez pas le garage ? On pourrait monter parler à Daymon... »

Elle les regarda l'un après l'autre. « Il me taperait dessus si je faisais ça, je veux dire, il me taperait vraiment. »

Del dévisagea Lucas et opina : Daymon en était capable.

« Qu'est-il arrivé à votre main ? » demanda Lucas. En fait, Jasmine ne portait pas un sac en papier blanc : sa main était entourée d'un gros pansement très professionnel. Elle baissa les yeux et sa lèvre trembla. « Je me suis sectionné le doigt avec un cutter. » Elle se mit à bafouiller. « Il était là, là... j'ai senti la coupure, et puis le sang a jailli...

— Vraiment, c'est trop bête, fit Lucas. Écoutez, Daymon a sûrement un numéro qui figure sur la liste rouge, n'est-ce pas ? Forcément. »

Il opina, elle opina. Il sortit son portable de sa poche.

« Eh bien, vous allez le composer et lui dire que nous sommes en bas, devant le garage. Il n'a qu'à se brosser les dents, ou ce qu'il veut, et après, on montera.

— Je vais essayer », accepta-t-elle après un moment d'hésitation.

Harp les laissa monter à contrecœur. L'appartement sentait la marijuana, mais ce n'était pas une odeur récente, juste des souvenirs incrustés dans les rideaux et le tapis, assez pour vous mettre en route si vous aviez été à la fac dans les années 60. Harp les attendait dans la cuisine, les fesses appuyées contre la table, les bras croisés sur la poitrine. Il regarda Jasmine comme si elle était en faute, et elle se défendit : « Chéri, ils m'ont interceptée dans la rue, ils savaient que tu étais en haut...

« — C'est vrai, Day, intervint Del. On serait montés de toute manière.

— Qu'est-ce que vous voulez ? grogna Harp.

— Tu as entendu parler des meurtres ?

— C'est pas moi. »

Lucas eut un picotement. Harp était un poil trop coriace. « Nous savons que ce n'est pas toi, mais nous pensons qu'il y a un lien avec toi. Deux des types impliqués dans cette tuerie se sont rencontrés dans ton magasin, en bas. Nous avons un témoin. Nous voulons savoir pourquoi deux criminels ont eu besoin de traverser la moitié du pays pour se retrouver dans la laverie automatique de Daymon Harp.

— Vous croyez que j'irais aider des toubabs ? s'exclama Harp, indigné. J'ai fait de la taule avec des putains de Blancs. Daymon Harp n'aidera jamais ces gens-là, jamais et nulle part.

— Comment sais-tu qu'ils étaient blancs ? demanda Sloan. On ne te l'a pas dit.

— On ne parle que d'eux à la télé. Ce sont des Seeds, n'est-ce pas ? Je connais toute l'histoire. En ce moment, dans le poste, on ne peut plus voir que des infos. Ils ont même annulé *Star Trek*.

— Comment s'appelle ton copain flic ? » demanda Lucas.

Rapide mais perceptible tressaillement des paupières de Harp. « Qu'est-ce que c'est que ces conneries ? »

Ils le pressèrent pendant une vingtaine de minutes sans rien en tirer. Il ne savait rien, n'avait rien vu, rien entendu. Sur le seuil, Lucas dit à Jasmine : « Soignez bien votre main. »

Dehors, ils rejoignirent le 4 × 4 en hâte, propulsés par le vent. Sloan parla le premier : « J'ignore ce qu'il sait, mais je suis sûr qu'il y a un problème.

— Je vais parler aux Stups, dit Lucas. On va l'empêcher de faire son petit trafic. » Puis, se retournant vers les fenêtres éclairées : « Dans vingt-quatre heures, il sera peut-être disposé à parler. »

Del secoua la tête. « Il ne peut pas. Il y a trop de morts, maintenant. S'il a le moindre lien avec eux, il fera le maximum pour le dissimuler. » Il leva les yeux vers l'appartement : « Je te parie ce que tu veux qu'il s'y emploie. »

LaChaise avait appelé Stadic pour lui donner le numéro de son nouveau portable. Stadic se trouvait au bureau. Il le nota et rangea le papier dans son portefeuille.

Deux heures plus tard, les emmerdes commencèrent. Il essaya d'appeler le numéro, personne ne répondit. Puis il fut entraîné dans la tornade du plan de représailles et se retrouva vêtu d'une livrée de portier, chargé d'ouvrir la porte de l'hôtel où les familles étaient réfugiées. Pas moyen de rappeler.

À dix heures, la nuit des agressions, le panneau d'affichage horaire de la banque du bout de la rue indiquait une température de − 2. Stadic troqua sa livrée contre ses vêtements civils et fonça vers sa voiture. La férocité des agressions l'avait abasourdi. Au bord de la panique, il avait passé la nuit à faire les cent pas devant le Sandhurst et à se demander s'il devait prendre la fuite. Il avait presque assez d'argent...

Mais, en réfléchissant un peu, il admit que c'était trop tard. Des proches de flics avaient été touchés. C'était pire que de tuer les flics eux-mêmes. Si quiconque découvrait qu'il avait été impliqué dans cette histoire, il ne pourrait plus se cacher nulle part. Si quelque chose devait le sauver maintenant, cela ne pouvait prendre qu'une forme : la mort de LaChaise et de ses complices. Ce qui n'était pas impossible...

Il monta dans sa voiture, sortit son portable, composa son propre numéro. Deux messages sur le répondeur. L'un était de Daymon Harp, il tenait en deux mots : « Rappelez-moi. » L'autre n'était rien.

Stadic effaça la bande, raccrocha, trouva le numéro de LaChaise dans son portefeuille, enfonça les touches. On décrocha à la première sonnerie.

« Allô ? » Une voix d'homme, un accent du Sud.

« Passez-moi Dick. »

LaChaise fut au bout du fil dans la seconde. « Alors ?

— Vous êtes foutus, maintenant. On ne peut pas faire un pas dans la rue sans tomber sur un flic.

— On saura se débrouiller. Mais on a besoin de savoir où elles sont cachées. On a entendu à la radio qu'on les avait toutes mises à l'abri.

— Elles sont à l'hôtel Sandhurst de Minneapolis. Séquestrées dans des chambres. Il y a des flics absolument partout. Des snipers sur les toits. Des travaux d'excavation aux deux bouts de la rue, aucune voiture ne peut passer. »

LaChaise ne dit pas un mot pendant quelques secondes, puis : « On va bien trouver un moyen.

— Non, vous ne trouverez rien. On ne passe pas. Lequel d'entre

110

vous a été blessé ? Il y en a un qui a été touché, on a repéré du sang sur le trottoir devant chez Capslock.

— J'ai été égratigné, admit LaChaise. Ce n'est rien. Faut qu'on en sache plus sur cet hôtel.

— Impossible d'y entrer. En revanche, il y a des gens qui pourraient vous intéresser à l'extérieur. Et je ne pense pas que ceux-là soient surveillés.

— Qui donc ? demanda LaChaise.

— Vous connaissez Davenport ? » demanda Stadic en jetant un coup d'œil vers l'hôtel, au bout de la rue. Derrière les portes vitrées de l'entrée, un autre flic paradait, revêtu de la livrée de portier. Stadic devait reprendre sa faction le lendemain matin. « Il dirige le groupe qui a tué vos femmes.

— Nous connaissons Davenport. Il est sur la liste, répondit LaChaise.

— Il a une fille dont presque tout le monde ignore l'existence, parce qu'il n'a jamais épousé la mère. Elle ne figure sur aucune liste d'assurances.

— Où habite-t-elle ?

— Près de la rivière Minnehaha, Minneapolis Sud. J'ai l'adresse et le numéro de téléphone.

— Je vais chercher de quoi écrire… » LaChaise revint une minute plus tard, nota l'adresse. « Pourquoi faites-vous ça ? demanda-t-il.

— Parce que je veux vous voir terminer ça rapidement et disparaître. Vous éliminez la fille de Davenport, on monte un piège pour se débarrasser de Franklin et vous partez. »

LaChaise ne répondit rien. Stadic entendit le grésillement de la ligne. Puis LaChaise reprit : « Vous me racontez des conneries.

— Écoutez, je veux juste que vous foutiez le camp d'ici. » Puis : « Il faut que j'y aille. Je vous rappellerai pour Franklin. »

Il raccrocha et fit le numéro de Harp. Celui-ci décrocha à la première sonnerie.

« Alors ? demanda Stadic.

— Les flics sont venus. Capslock, Davenport et un autre. Quelqu'un t'a vu avec LaChaise à la laverie. Ils croyaient que je savais quelque chose sur lui.

— Ne craque pas.

— Risque pas, mec. J'envisage de prendre des petites vacances. »

Stadic réfléchit un instant. « Dis-moi, ça serait très ennuyeux pour tes affaires si tu partais une semaine ?

— Pas très. Si je fais deux ou trois grosses livraisons, ça pourra aller. Tu penses que je devrais m'éloigner ?

— Ouais. Va dans un endroit auquel ils ne penseraient pas. Ni Las Vegas, ni Miami.

— Porto Rico ?

— Ça serait parfait. Ça ne leur viendra jamais à l'idée.

— Il y a des filles formidables. Rien ne vaut une Portoricaine.

— Laisse tomber les filles. Contente-toi de filer là-bas pour que Davenport ne puisse pas te coincer. Emmène Jas.

— Pour quoi faire ? Elle ne me sert à rien. Elle n'arrête pas de pleurnicher à cause de son doigt.

— Tu vas avoir besoin d'un témoin. Il se prépare du vilain. Tu auras peut-être à prouver que tu n'étais pas dans le coin. Emporte une carte de crédit et achète-toi deux ou trois bricoles là-bas. Garde les reçus, ça te servira de preuve.

— Ouais, d'accord. C'est une bonne idée.

— Maintiens le contact. Appelle chez moi et laisse le nom de votre hôtel sur le répondeur. Rien d'autre, juste le nom de l'hôtel.

— C'est comme si on était partis. » Harp raccrocha.

La disparition de Harp allait simplifier les choses, pensa Stadic. Un problème de moins sur les bras. LaChaise aurait dégagé d'ici une semaine, et dans une quinzaine, personne ne s'occuperait plus de Harp.

Lucas convoqua tout le monde pour dix heures. À neuf heures un quart, il s'enferma dans son bureau, posa les pieds sur sa table, ferma les yeux, et essaya de résoudre certains aspects du problème. À neuf heures trente, il se plongea dans le dossier de LaChaise, tout ce que Harmon Anderson avait pu obtenir du Michigan, du Wisconsin, de l'Illinois et du FBI.

La carrière criminelle de LaChaise avait commencé, quand il était adolescent, par des infractions à la réglementation des jeux dans le Wisconsin, suivies de vol de bois dans des forêts domaniales – il avait coupé et revendu des châtaigniers du sud de l'État. Il avait été condamné deux fois pour avoir abattu des cerfs en dehors de la saison de chasse, et deux fois pour vol d'arbres.

À un point de son parcours, il avait rejoint les Seeds, qu'on appelait Bad Seed à l'époque, un club de motocyclistes impliqué dans le trafic de drogues, la pornographie et la prostitution. Ensuite, il semblait qu'il se soit lancé dans les affaires : on l'avait condamné pour avoir omis de reverser les taxes sur ses ventes à l'État du Wisconsin, et le stock de son magasin de motos avait été saisi.

L'année suivante, il avait rouvert un nouveau magasin qui avait été fermé une première puis une deuxième fois, et il avait été saisi, apparemment pour couvrir la dette fiscale qui grevait le premier établissement.

Deux mois plus tard, accusé d'avoir falsifié sa déclaration d'impôts sur le revenu, il avait été acquitté. Les délits suivants, décharge illégale de déchets industriels, avaient été enregistrés dans le Michigan. Plus quelques broutilles : menaces à un garde-chasse, violation de propriété privée, deux voies de fait – apparemment des bagarres de café – et deux condamnations pour conduite en état d'ivresse.

L'acte d'accusation de meurtre était faible, comme l'avait dit Sandy Darling.

Quand le nom de Sandy Darling jaillit dans l'esprit de Lucas, il pressa le dossier contre sa poitrine et se mit à réfléchir : s'ils ne trouvaient rien, il aurait intérêt à faire un saut chez elle. Ce n'était pas très loin, et elle connaissait LaChaise mieux que personne. Il fallait bien qu'il se soit réfugié quelque part...

Il se replongea dans le dossier : il contenait des coupures de presse relatant l'arrestation et le procès de Dick. Les journalistes soulignaient que la condamnation avait été dure à obtenir et rapportaient la jubilation du ministère public et des avocats locaux quand le verdict « coupable » était tombé.

Un shérif était cité : « Un jour ou l'autre, il va tuer un citoyen innocent ou un représentant de la loi. Mettre Dick LaChaise en prison, c'est un acte de service public. »

Il n'empêche, la condamnation était douteuse... ce qui ramena ses pensées à Sandy Darling.

À neuf heures cinquante, Del entra dans le bureau, suivi peu après de Sloan, Franklin et Sherrill. Kupicek n'était pas des leurs pour l'instant : il avait perdu les pédales, comme disait Franklin, sans méchanceté d'ailleurs.

Sherrill accusait le coup, plus que Lucas ne s'y serait attendu.

« Je n'imaginais pas éprouver encore quelque chose pour lui jusqu'au moment où je l'ai vu mort », avoua-t-elle, affalée sur sa chaise. Contrastant avec ses cheveux et ses yeux noirs, son visage était blanc de cire. « J'ai entamé la procédure de divorce il y a deux mois, mais, Seigneur, pour rien au monde je n'aurais souhaité sa mort.

113

« — Tu vas pouvoir tenir ? demanda Lucas.

— Oh, oui. » Elle avait pris dix ans en cinq heures, songea-t-il. Une petite ride dure descendait de l'aile gauche de son nez à la commissure de sa bouche, et ce n'était pas une marque de sourire. « Oh, oui, je peux te l'assurer : je suis complètement avec toi sur ce coup-là. »

Lucas la contempla un instant, hocha la tête et regarda les autres : « Je ne sais pas ce que Del et Sloan t'ont raconté, mais nous pensons que LaChaise et ses amis pourraient être liés d'une manière ou d'une autre à Daymon Harp, un dealer de la ville. Nous allons commencer à lui mettre la pression. D'abord, il faut éplucher les documents que Harmon a réunis sur LaChaise, puis tout ce que nous pouvons ramasser sur Harp, et voir s'il y a des recoupements. LaChaise devait avoir un bon contact ici, vu qu'il avait la liste de nos proches. Il est à envisager que ce contact soit un policier.

— Un flic ! » s'exclama Sherrill. Elle regarda Franklin qui secoua la tête, comme s'il ne pouvait le croire.

« C'est possible, confirma Sloan.

— Il faut retrouver les partenaires connus de LaChaise dans les Villes jumelles et chercher avec qui ils traficotent. Il doit y en avoir. Et on va leur botter le cul. J'entends, dès ce soir. Autre chose : je veux que chacun de vous appelle tous les contacts qu'il a dans la rue, tous sans exception, pour les prévenir qu'il y a un paquet de fric à la clé pour celui qui me rencarde sur une planque. Un paquet de fric, dix mille dollars. Dix mille dollars, je ne poserai pas de questions, et sous la forme qu'ils veulent.

— Et d'où viendra le pognon ? demanda Franklin.

— De ma poche », répondit Lucas en le fixant. Lucas était plein aux as, on n'en parlait jamais, mais ce n'était un secret pour personne.

« C'est une solution », admit Del. Et, se retournant vers les autres, il ajouta : « Voilà comment on va les avoir. On va débusquer ces salauds en leur faisant miroiter du fric. »

Le téléphone sonna sur le bureau de Lucas.

Même si les alentours de l'hôtel grouillaient de policiers, il en restait quelques-uns qui effectuaient le travail de routine dans les autres quartiers.

L'établissement de Barney, Old Time Malt Shoppe, attirait beaucoup de flics parce que Barney était un ancien de la maison, qu'il leur servait le café gratuitement et qu'il y avait toujours un box libre pour eux. Une seule voiture de patrouille était garée sur le parking de Barney. Stadic releva son numéro, 603, puis roula lentement en regardant avec attention par la fenêtre. Un grand sergent mince aux joues roses, cheveux clairs, moustache plus foncée : Arne Palin, deux classes en dessous de Stadic à l'école de police.

Stadic s'arrêta contre le trottoir, sans quitter les flics des yeux. Harp avait écrit le numéro d'immatriculation de la camionnette utilisée par LaChaise le soir de leur rencontre à la laverie automatique. Stadic sortit le bout de papier de sa poche et appela le standard sur son téléphone de service : « Oui, six-zéro-trois, je voudrais le propriétaire d'une Chevy S-10, Wisconsin Q-tiret-H-O-R-S-E.

— Ne quittez pas. »

Il eut la réponse quelques minutes plus tard : la camionnette était immatriculée au nom d'Elmore Darling, dans un chemin de campagne à Turtle Lake, Wisconsin.

« Merci beaucoup. »

Il regarda à l'intérieur de chez Barney. Les flics de la patrouille n'avaient pas entendu appeler leur numéro de voiture. Il roula un peu plus loin, s'arrêta à un feu rouge.

Encore un coup de fil.

Il pesa le pour et le contre alors que le feu passait au vert. Les rues étaient vides et il était là, les yeux perdus dans le vague, pendant que les lueurs rouge, orange, vert, sautillaient sur son visage. Il connaissait le numéro de téléphone, très bien. S'il avait le cran... En même temps, ce n'était plus une question de cran mais une question d'urgence. Et sa décision était prise.

Si Davenport apprenait que LaChaise en voulait à sa fille, LaChaise était un homme mort. Et c'est justement ce dont Stadic avait besoin. Des hommes morts. Il prit son courage à deux mains et composa le numéro. Mon Dieu, et s'ils reconnaissaient sa voix...

Une sonnerie, et Davenport en personne répondit : « Oui ?

— Je ne veux pas dire mon nom – je ne veux pas être impliqué – mais vous m'avez donné votre carte, un jour... » Il haussa le ton d'un cran, parlant d'une voix veloutée, sirupeuse.

« Très bien », dit Lucas, légèrement impatienté, les yeux fixés sur Sherrill qui se mordillait l'ongle. Lucas n'avait pas besoin de tuyaux concernant des prêts douteux, des cigarettes de contrebande, des cartes de crédit trafiquées, des laboratoires de drogue.

« J'habite à côté de chez Richard Small et Jennifer Carey. » La voix était étrangement suave. « C'est bien votre petite fille qui habite avec Jennifer, n'est-ce pas ? » Un long silence s'ensuivit et Lucas dit : « Seigneur !

— Il y a une camionnette qui rôde dans le coin. Je l'ai vue deux fois en allant promener mon chien. Immatriculée dans le Wisconsin. J'ai pensé que je ferais mieux d'appeler. »

Et la ligne fut coupée.

Lucas bondit de sa chaise, sortit de son bureau comme une fusée et traversa le bâtiment en courant jusqu'au standard. Les quatre autres le suivirent, n'ayant rien compris.

Une voiture de patrouille attendait devant la maison, ses gaz d'échappement dessinant une spirale dans la neige qui tombait. Une autre était garée de l'autre côté de la rue et ses deux occupants surveillaient l'arrière. Lucas arriva un quart d'heure après son sprint, vêtu de son pardessus de lainage noir, une mallette à la main. Del suivait à quelques pas, l'air d'un garde du corps licencié, observant les fenêtres des deux côtés de la rue. Un policier les accueillit à la porte.

« Nous avons écarté tout le monde des fenêtres, précisa-t-il. Il n'y a rien eu de particulier dans la rue. Pas un mouvement.

— Bien. Et merci. Continuez à ouvrir l'œil. »

Jennifer Carey et Richard Small l'attendaient dans le salon, rideaux tirés.

« Où est Sarah ? demanda Lucas d'emblée.

— Là-haut, dans son lit », répondit Jennifer. C'était toujours une grande blonde mince, avec quelques rides de plus, toutefois, que du temps où ils avaient eu Sarah. Lucas aurait voulu – avait proposé, en tout cas – l'épouser, mais, si elle tenait à avoir l'enfant, la perspective du mariage avec Lucas ne l'intéressait pas. Depuis, elle avait fondé un foyer avec Small, vice-président de la chaîne TV3, sa propre fille et son fils à lui. Elle regarda derrière Lucas et sourit doucement : « Comment ça va, Del ? »

Il haussa les épaules. « Je pense que Cheryl va s'en sortir.

— Quel est le degré de gravité de la menace ? » demanda Small. Il était trapu, musclé, brusque, un ancien pilote de la marine pendant la guerre du Vietnam. Lucas l'aimait bien.

« Nous l'ignorons. Le coup de téléphone était bizarre, mais on ne peut prendre aucun risque. Il va falloir vous installer ailleurs.

— Je ne peux pas m'arrêter de travailler, protesta Jennifer. Ce que j'ai à faire est trop important.

— Ça rend la menace plus concrète, dit Lucas.

— Nous allons la garder en sécurité, à l'intérieur du bâtiment, proposa Small. On s'assurera qu'elle ne sort pas aux heures habituelles. Nous pouvons changer de voiture.

— Tout cela peut aider, dit Lucas, mais nous n'avons pas encore mesuré ce qu'ils sont capables de faire. Nous savons qu'ils sont plusieurs et nous n'avons la fiche d'identité que d'un seul, LaChaise. On ne connaît pas les deux autres. »

Jennifer regarda Small. « Tu penses que tu pourrais partir ? »

Small secoua la tête. « Je ne vais nulle part. Il faut que je reste ici. » Se tournant vers Lucas : « Cet hôtel dans lequel vous avez mis les autres, il est vraiment sûr ?

— Parfaitement. Ce serait le meilleur endroit. Nous ignorons ce que ces types savent sur nous. Je me demande d'ailleurs comment ils ont trouvé, pour Jen et Sarah...

— La femme de Sloan », dit Jennifer.

Small et Lucas la regardèrent, intrigués.

« La femme de Sloan peut s'occuper d'eux, elle adore les enfants. Et elle est à l'hôtel, pas vrai ? »

Lucas acquiesça.

« Appelle-la. »

Elle partit téléphoner et Lucas se tourna vers Small : « Si nous pouvons vous emmener à l'hôtel ce soir, nous aimerions poster un ou deux gars ici... Je resterais avec eux...

— Utiliser la maison comme piège...

— Exact.

— D'accord. Emmenons les enfants. »

Jennifer revint : « Elle dit qu'elle serait ravie de s'en occuper.

— Va préparer une valise, ordonna Small. Cette nuit, tu restes avec les enfants. Lucas va dresser une embuscade ici... et j'aimerais être dans les parages. Pour être sûr que les flics ne volent rien. »

Del le regarda : « Vous avez une arme ?

— Oui, bien sûr. Je n'aime pas qu'on s'en prenne à mes gosses. »

Mes gosses...

Lucas ne cilla pas, mais en se dirigeant vers le téléphone il surprit le reflet de Jennifer dans la vitre. Pendant qu'il lui tournait le dos, elle avait posé un doigt sur ses lèvres. Small opina. Lucas composa le numéro du siège : « Sherrill et Franklin sont dans le coin. Passez-les-moi. »

Une voix haut perchée dit quelque chose à l'arrière de la maison et Jennifer partit en courant dans cette direction. Lucas fit un pas dans le couloir et découvrit Sarah en pyjama rose, plantée au milieu de l'escalier, qui frottait ses yeux ensommeillés. « Nous faisons quelques changements ici », annonça-t-il au téléphone.

En grandissant, Sarah deviendrait grande, mince et blonde comme sa mère, et comme la mère de Lucas, mais elle aurait le sourire dur de son père, et son regard profond. Jennifer lui lâcha la main et elle avança vers Lucas, lui attrapant l'index, et elle attendit qu'il ait raccroché pour demander : « Qu'est-ce qui se passe ? »

Lucas s'accroupit et la regarda droit dans les yeux : « Nous avons un problème. Tu vas devoir dormir à l'hôtel ce soir. Avec maman. Et Mme Sloan sera là aussi.

— Quel genre de problème ?

— Il y a des messieurs très méchants… », commença-t-il à expliquer, mais le téléphone sonna. Small décrocha et lui tendit l'appareil : « C'est la patronne. Je m'occupe de Sarah.

— Allô ? dit Lucas.

— *Nightline* va commencer. Regardez. » Les mots de Rose Marie Roux sortirent en rafale. « Nous avons ramassé une empreinte de pouce sur cette porte à Roseville et, bien entendu, le FBI a trouvé un nom qui collait. Un dénommé Ansel Butters, du Tennessee, un vieil ami de LaChaise. Washington nous a fourni une photo que nous avons aussitôt communiquée à la presse. Elle devrait passer dans *Nightline* d'une minute à l'autre.

— On a quelque chose sur Butters ? Des contacts locaux ?

— Rien, autant que je sache. Mais Anderson fait des recherches sur les fichiers informatiques. Il ne s'est rien passé de votre côté ?

— Pas encore. Je vais allumer la télé.

— On parle déjà de la récompense que vous avez offerte, les dix mille dollars. La Trois est au courant, ce qui veut dire que tout le monde le sera dans une heure. Je ne suis pas sûre que ce soit une bonne initiative.

— Il n'y a jamais rien eu de tel, répliqua Lucas.

— D'accord. J'espère en tout cas que ça donnera quelque chose. Au fait, ce Butters a un surnom : le Fou. Ansel Butters le Fou.

— Voilà tout ce que je voulais savoir. »

Lucas, Del et Small se groupèrent devant la télévision pendant que Jennifer préparait les enfants. Le présentateur habituel de *Nightline* étant en vacances, c'était un journaliste inconnu d'ABC qui pilotait l'émission. Il annonça « une information sensationnelle » et une photo en noir et blanc d'Ansel Butters remplit l'écran.

« Si vous avez vu cet homme... »

Puis il se lança dans son introduction rédigée à l'avance : « *Minneapolis, une ville sous le choc et figée dans la terreur en cette nuit d'hiver...* », alors que les trois hommes, Lucas, Del et Small, s'écriaient ensemble : « Bon Dieu ! »

Jennifer partit avec les enfants dans un convoi de trois voitures. Les voisins furent réveillés, des policiers postés dans les maisons les plus proches. La neige cessa de tomber à minuit, et Lucas, Small et Del, voulant donner l'impression que la maison était normalement animée, regardèrent la météo et constatèrent que les rafales de neige se déplaçaient vers le nord-est pour gagner le Wisconsin.

À minuit trente, ce qui, selon Small, était leur heure habituelle, ils commencèrent à éteindre les lumières et la télévision. La circulation était réduite. Postés derrière les fenêtres plongées dans l'obscurité, ils se sentirent menacés par le sommeil.

« C'était peut-être un coup de fil bidon, suggéra Small.

— Peut-être, mais nous n'avons pas d'autre piste, dit Lucas. Et, en tout cas, celui qui a appelé connaissait mon numéro de téléphone personnel. Ce n'est pas innocent.

— Peut-être quelqu'un qui veut te faire marcher, avança Del.

— Je ne pense pas, dit Lucas en bâillant. Ce type savait quelque chose.

— J'espère qu'ils vont venir, dit Del avec ferveur. J'espère vraiment qu'ils vont venir. »

10

Au moment où Lucas fonçait chez Sloan, Stadic traversait la rivière Saint Croix à Taylor Falls et pénétrait dans la nuit du Wisconsin par la route 8. Il avançait lentement car il n'y avait pas d'éclairage et, par moments, quand il traversait une bourrasque de neige, la chaussée disparaissait virtuellement. Une pancarte verte, « Turtle Lake 17 », fila sous ses yeux, suivie, bien plus tard, d'une affiche John Deer et enfin de lumières.

Il marchait désormais à l'adrénaline : cinq heures seulement s'étaient écoulées depuis les agressions, qui lui semblaient une vie entière.

Arrivé à Turtle Lake, il passa devant un hôtel qui affichait complet, puis le casino se détacha dans la neige, comme une hallucination d'alcoolique. Il s'engagea sur le parking et ne trouva une place qu'à mi-chemin du fond. Les casinos étaient toujours pleins, même en pleine nuit, même par temps de chien.

Un vigile surveillait l'entrée d'un œil attentif. Stadic demanda : « Où y a-t-il un téléphone ? » et l'homme désigna du doigt l'autre extrémité du bâtiment : « Devant les toilettes. »

Le premier appareil mural, accroché entre les toilettes pour dames et celles pour messieurs, était occupé par une femme qui semblait au bord de la crise de nerfs : elle torturait un mouchoir de sa main droite, tout en pleurant dans le récepteur. Stadic ne s'attarda pas et en dénicha un autre, quelques pas plus loin. Le bruit des machines à sous pouvait poser problème, se dit-il, mais il fallait absolument qu'il appelle. Il couvrit le récepteur de la paume de sa main et composa le numéro des pompiers.

Une voix d'homme ensommeillée lui répondit. Tout en surveillant la circulation devant le casino, Stadic déclara : « Ici le sergent Manfred Hamm de la patrouille routière de Taylor Falls, Minnesota. Qui est à l'appareil ?

— Euh ! Jack, euh ! Lane, répondit la voix ensommeillée.

— Monsieur Lane, vous faites partie de la brigade de pompiers de Turtle Lake ?

— Euh, ouais ?

— Monsieur Lane, nous avons un problème. Mme Darling a été victime d'un accident de voiture à la sortie de Taylor Falls et nous devons envoyer un de nos hommes pour l'annoncer à M. Darling. Nous ne savons pas exactement où se trouve sa maison, nous n'avons qu'un chemin de campagne comme adresse. Pourriez-vous me situer plus précisément la maison des Darling ?

— Ben, euh… Attendez un instant. »

Stadic entendit le pompier parler à quelqu'un. Puis : « Sergent Baker ?

— Sergent Hamm, rectifia Stadic.

— Ah, oui, Hamm, pardon. Les Darling sont à la borne d'incendie numéro 12-89. Vous restez sur la 8, vous dépassez l'embranchement de la 63 et continuez à rouler pendant près de deux kilomètres, puis vous prenez la route de campagne qui va vers le sud. Ils sont à quinze cents mètres de là sur cette route… vous verrez une pancarte rouge à l'entrée de leur allée, marquée "Municipalité d'Almena", et le numéro, 12-89. Vous l'avez bien noté ?

— Oui, merci beaucoup, dit Stadic en griffonnant. On va envoyer quelqu'un.

— Est-ce que, euh ! l'accident… ?

— Nous ne pouvons rien dire tant que la famille n'est pas prévenue, décréta Stadic d'un ton officiel. Et encore merci. »

La neige tombait moins fort quand il s'engagea avec précaution sur la route de campagne, s'efforçant de rester au milieu de la chaussée. L'air était transparent, mais la neige avait tout nivelé : il ne voyait pas les bords et ne savait pas où commençait le fossé. Roulant au ralenti, il dépassa plusieurs grosses boîtes à lettres en scrutant les bas-côtés dans le faisceau de ses phares, cherchant les bornes d'incendie.

Et il la trouva, exactement là où le pompier l'avait dit.

La maison des Darling était en retrait de la route, avec une grange flanquée d'un éclairage extérieur marchant à la vapeur de sodium. Le champignon inversé d'une antenne parabolique jaillissait d'un côté de la grange, orienté vers le sud. La maison, blanche et propre, avait deux étages. Une clôture de bois blanc s'en détachait, qui allait se perdre dans l'obscurité et la neige.

Des traces de pneus fraîches menaient au garage. Vu la quantité de neige qui était tombée, cela signifiait une arrivée récente. Stadic continua à rouler quelques centaines de mètres, jusqu'à l'allée privée suivante, fit demi-tour et rebroussa chemin.

LaChaise lui avait donné un numéro de téléphone dans les Villes jumelles, et quand il avait appelé une autre voix avait répondu. Ils étaient donc deux au minimum, probablement trois, car, après l'agression, ils avaient dû se replier ensemble.

Il ne savait pas du tout ce qu'il allait trouver là : s'ils étaient des amis de LaChaise, ils avaient sans doute une idée de l'endroit où il se cachait... et ils connaissaient peut-être le nom de Stadic.

Juste avant l'allée des Darling, il éteignit ses phares et continua avec les veilleuses. Il s'engagea à l'entrée de l'allée, coupa le moteur sans appuyer sur le frein. La voiture s'arrêta d'elle-même.

Il avait un fusil au pied du siège arrière. Il le ramassa, logea une balle dans la chambre, remonta la fermeture à glissière de sa parka, enfila ses gants et ouvrit doucement la portière. Il avait oublié l'existence du plafonnier. Le voyant clignoter, il referma vivement. Il scruta les environs. Rien. Il tâtonna dans l'obscurité, poussa la manette du plafonnier à gauche, entrouvrit la portière. Pas de lumière. Il sortit et longea l'allée, fusil en main.

Devant la fenêtre de la cuisine, un triangle de lumière éclairait la neige. Stadic risqua un rapide coup d'œil, un quart de seconde, sous le bord du store jauni. Un homme, visage grisâtre et coupe de cheveux de bouseux, en chemise à carreaux et jean bleu, était assis, seul, à table. Il mangeait des macaronis à même un bol Tupperware en regardant CNN, une canette de bière à portée de main.

Stadic se baissa et passa sous la fenêtre à pas de loup, s'appliquant à ne pas faire crisser la neige, contourna la maison, s'approcha du garage et regarda par une fenêtre latérale. Il alluma sa lampe de poche le temps d'apercevoir la camionnette à l'intérieur. Il vérifia l'immatriculation : Q-HORSE 2. Ainsi, ils avaient deux véhicules. Il ne devait pas y avoir plus de deux habitants dans la maison, vu que le pick-up ne pouvait charger que deux passagers, et pas plus d'une personne à l'intérieur en ce moment, l'homme qu'il avait aperçu, puisque l'autre véhicule n'était pas là.

Il revint vers la maison, regarda derechef par la fenêtre. L'homme – Elmore Darling ? – poursuivait son repas. Stadic se dirigea vers la porte de derrière, qui donnait sur une petite véranda. Il ouvrit précautionneusement la porte-tempête en aluminium, centimètre par centimètre, puis essaya la porte intérieure : le bouton tourna sans peine. Personne ne fermait rien à clé dans ce pays. Connards. Et la poussa comme l'autre, centimètre par centimètre, veillant à ne pas heurter le chambranle avec son fusil.

Dans la véranda, il reprit sa respiration, précipitée par la tension de l'opération. Son haleine s'élevait en spirale comme de la fumée sous le faible éclairage. Il entendait vaguement la télévision – un ronronnement. Le porche sentait le blé et peut-être, légèrement, le crottin de cheval : pas désagréable. Des odeurs de ferme. Il faisait presque aussi froid que dehors, sous la véranda. Il referma tout doucement la porte métallique. Celle qui reliait la véranda à la maison était munie d'une fenêtre cachée par un rideau rose. Il risqua un coup d'œil. Le type mangeait toujours. Stadic réfléchit : il fallait y aller avant que Darling ne perçoive sa présence. Il inspira à fond, tendit la main, tourna la poignée. Résistance.

Très bien. Il recula d'un pas, leva son fusil en position de « présentez, armes », tendit la jambe.

Il prit une deuxième inspiration et donna un grand coup de pied dans la poignée.

La porte s'ouvrit brutalement, les vis de la serrure, arrachées, s'envolèrent à l'intérieur. Darling, une cuiller de macaronis à deux centimètres de sa bouche, tomba de sa chaise, atterrit sur le linoléum et commença à se relever.

« Pas un geste ! » cria Stadic en fonçant sur lui et en approchant de son visage le canon de l'arme. « Police ! À plat ventre ! À plat ventre ! »

Avec son manteau noir qui lui battait les chevilles, le vent qui soufflait dans son dos, et le fusil noir, il était l'image même de la mort. Darling s'aplatit, les mains derrière la tête, et hurla : « Ne tirez pas ! Ne tirez pas ! »

Sandy regarda pendant une heure les informations télévisées, l'atmosphère de crise qui gagnait les salles de rédaction. Des experts en meurtres et en terrorisme débarquaient sur les différentes chaînes comme des trains entiers de réfugiés de guerre, et, de toute évidence, ils aimaient cela : le meurtre, les armes, leur rôle d'analyste. Cela leur donnait l'impression d'exister.

« Quelle bande de vautours ! » s'exclama Butters.

LaChaise, Butters et Martin étaient tous les trois ivres. Cela rendait Martin plus silencieux et plus méchant : il dévisageait Sandy, buvait, la regardait de nouveau. Butters avait l'alcool plus gai : il titubait dans la maison et voulait danser. LaChaise ressassait le bon vieux temps, quand ils roulaient avec les Seeds, et revenait sur ce que les flics lui avaient fait, à lui et à son père.

« Ça ne peut pas être pire que ce qu'ils ont fait au mien, dit Butters à un moment. Il lui arrivait de signer des chèques en bois quand on avait trop faim, maman et moi, et ils lui tombaient dessus. Ils lui passaient des raclées terribles et il pleurait. Ça lui plaisait bien, à cet enfoiré de shérif, de voir un homme pleurer. J'étais bien décidé à le tuer quand je serais assez grand, mais quelqu'un s'en est chargé à ma place.

— Qu'est-ce qui lui est arrivé finalement, à ton père ? demanda Sandy.

— Un jour, il s'est pendu dans le sous-sol, juste à côté du gros casier contenant ses pots de Ball vides. Je l'ai trouvé en rentrant de l'école, qui tournait doucement sur place. Il avait fait ça avec du cordon électrique en plastique, ça a été toute une affaire de le détacher. »

Cette histoire mit LaChaise en rage. Il fit le tour de la maison en donnant des coups de pied dans toutes les portes. Quand il revint, il décréta : « Je ne veux plus entendre parler de ton vieux », avant de se laisser tomber dans un fauteuil, recroquevillé, dardant sur l'assemblée un regard réprobateur qui plomba l'atmosphère.

« Eh bien ! va te faire foutre », répondit Butters, et Sandy eut l'impression que ça pouvait très bien exploser entre eux. Mais LaChaise riposta : « Toi aussi » en souriant, ce qui désamorça tout conflit.

Puis ce fut l'heure de *Nightline*, avec le reportage sur Butters. Ils écoutèrent le présentateur dresser la liste de ses méfaits.

« Comment savent-ils tout ça ? rugit LaChaise en lançant des coups d'œil furieux à travers la pièce, comme si l'un d'eux avait dénoncé Butters. Bordel, c'est qui, le traître ? »

124

Puis ça lui vint, et il se jeta sur Sandy sans lâcher la bouteille de Jim Beam. « C'est ce putain d'Elmore. »

Sandy recula en secouant la tête : « Non, pas Elmore. Je lui ai dit de fermer sa gueule, et il m'a donné sa parole. » Mais, ce disant, elle pensa : *Il l'a peut-être fait.* Il avait peut-être téléphoné au vieux John.

« J'ai pu laisser mes empreintes quelque part », dit Butters sans perdre son calme. LaChaise pivota vers lui. « Tu portais des gants.

— Oui, mais je n'arrivais pas à sortir le pistolet de ma poche, alors je les ai enlevés. J'ai fait attention à ne rien toucher, mais ça m'est peut-être arrivé quand même. Si les flics trouvaient mes empreintes, ça leur rappellerait un tas de souvenirs. »

LaChaise réfléchit un instant avant de déclarer : « Non, c'est ce connard d'Elmore qui nous a donnés.

— Si c'était Elmore, il leur aurait aussi donné Martin, rétorqua Butters en avalant une gorgée de bourbon.

— Il a raison, Dick... », commença Sandy, mais il pointa un index menaçant sous son nez en aboyant : « La ferme ! »

Il se laissa retomber dans son fauteuil et dit, au bout d'un moment : « J'ai tout simplement perdu mes moyens. J'ai vu ce mec, et j'ai perdu mes moyens. »

Trois hommes étaient allés tuer leur cible, et seul LaChaise avait raté la sienne. Il avait broyé pas mal de noir à cause de ça.

« Tu ne pouvais pas le prévoir », finit par dire Martin. Il était aussi bourré que Butters. « Ça aurait aussi bien pu m'arriver à moi, ou à Ansel. Tu appelles, tu vérifies, qui peut deviner qu'il va se pointer une seconde plus tard ?

— Non, c'est de ma faute, objecta LaChaise. Je n'étais pas assez solide. Je ne pouvais pas me les faire tous les deux. J'aurais pu l'abattre d'abord, elle, et lui après, et les laisser se regarder mourir mutuellement. Elle était devant moi, mais je ne sais pas ce qui m'a pris, et puis brusquement, ce flic surgit derrière elle. Il était drôlement rapide...

— Encore heureux qu'il t'ait touché sur le côté, et pas en plein dos », dit Butters. Ils savaient tous ce qu'il voulait dire, et le mot « dos » resta suspendu dans l'atmosphère. LaChaise était en train de détaler quand il avait été blessé.

« Il faut que je parte », dit Sandy en se levant. Mais LaChaise s'extirpa de son fauteuil et cria : « Putain, je t'ai dit de la fermer ! » Et, tel un coup de fouet, la gifle partit, envoyant Sandy au sol.

Exactement comme Martin, plus tôt dans la soirée. Butters et Martin, sans broncher, la regardèrent se mettre à genoux.

Elle sentit le goût du sang dans sa bouche. Elle leva les yeux vers lui et pensa qu'elle aurait aimé avoir une arme. La nuit où elle avait découvert qu'il venait de tuer un flic, elle aurait pu le tuer, mais elle n'en avait pas été capable. Maintenant, elle pourrait le faire.

« Tu vas la fermer, oui ? demanda LaChaise.

— Laisse-moi rentrer, Dick, implora-t-elle en s'essuyant les lèvres du revers de la main.

— Pas question, bordel ! Tu restes ici. »

Mais il ne reparla plus d'Elmore.

Elmore raconta tout ce qu'il savait à Stadic, en mentant juste sur deux ou trois points mineurs. « Sandy n'est pas du tout dans le coup, affirma-t-il. Ils se sont pointés, et on n'a rien pu faire. Ils avaient toutes les armes du monde.

— Qui sont les autres ? demanda Stadic.

— Martin, une espèce de pédale cinglée du Michigan qui se balade partout avec un arc et une flèche, et Ansel Butters. Il est du Tennessee et il vient souvent ici pour chasser avec Martin.

— Butters est pédé aussi ? »

Stadic et Darling étaient assis à la table de la cuisine, face à face. Le canon du fusil était posé dessus, dirigé vers Elmore. Stadic avait fermé la porte-tempête, la chaleur commençait à envahir la pièce. La cuisine était agréable, avec juste ce qu'il fallait de chintz et de poterie artisanale pour donner une impression de confort. Stadic se dit que Darling avait une bonne épouse.

« Non, Butters est hétéro, mais il se drogue un max. Martin, en revanche, tout le monde dit qu'il est pédé et qu'il en pince pour LaChaise, mais il ne fait jamais aucun geste homo. C'est juste une tendance.

— Et c'est tout ? Il n'y a qu'eux quatre ?

— Eux trois. Vous ne pouvez pas compter Sandy. Je voudrais bien vous dire ce qu'ils mijotent, mais j'en ai pas la moindre idée. Enfin, je sais vaguement… »

Darling avait gardé une information pour lui. C'était un excellent menteur, et Stadic était un professionnel de l'interrogatoire. Il n'était pas certain que Darling mente, mais il savait aussi qu'il ne pouvait pas le contrôler. Il ne pouvait ni l'emmener avec lui, ni le retenir là. Et si

Darling entrait en contact avec LaChaise, celui-ci reconnaîtrait Stadic à sa description. Problème.

Il était assis sur sa chaise, le canon braqué vers la poitrine de Darling.

« Répète-moi ça, dit Stadic. Tu sors à Lexington...

— Et après, c'est à environ six blocs en continuant vers le nord. Et après, à droite. Une toute petite maison.

— Tu n'as vu ni le numéro, ni le nom de la rue.

— Non, je suivais juste derrière. Mais... (son visage s'éclaira)... je vais vous dire un truc : ma camionnette est garée là. Celle de Martin aussi. Vous pouvez facilement reconnaître la mienne, la plaque, c'est Q-HORSE.

— Donc, six ou sept blocs ? c'est ça ?

— Pas plus. On pourrait la retrouver. Je peux venir avec vous. »

Stadic considéra la proposition, secoua la tête et dit : « Non.

— Quoi, alors ? » demanda Darling, levant les sourcils d'étonnement, un sourire imbécile aux lèvres. Stadic haussa les épaules et pressa la détente.

Les balles double zéro de la cartouche Magnum arrachèrent Elmore Darling de sa chaise.

Sandy se recroquevilla dans la chambre, ne pensant qu'à s'éloigner d'eux.

LaChaise s'endormit dans son fauteuil, tandis que Martin et Butters restaient dans le salon, le volume de la télévision baissé, à parler tranquillement des meurtres qu'ils avaient commis.

« Mes mains étaient sur lui, expliqua Martin, et, quand le couteau est entré, il a eu une sorte de sursaut, et un tremblement. Un peu comme lorsqu'on tranche la gorge d'un cerf, tu sais, quand ils ont cet ultime réflexe pour continuer...

— Ouais, je vois, une poussée vers le haut, ils essaient de tendre les pattes.

— Ça peut être vachement dangereux, enchaîna Martin. Je connais un mec du côté de Luce County, Rob Harris, il s'est payé un tout jeune cerf, comme ça. Il lui a enfoncé son couteau dans la gorge et le cerf s'est redressé, et une de ses dagues est entrée droit dans l'œil de Rob. Crevé, il est, l'œil...

— Et le cerf ? demanda Butters.

127

— Dans la nature. Rob dit qu'il a dû le toucher à la poitrine, parce qu'il y avait du sang partout. Il doit continuer à courir, à l'heure qu'il est.

— Ouais, eh bien ! ce n'est pas le cas du dénommé Sherrill.

— Risque pas, si je peux m'approcher aussi près, dit Martin. Quand je m'approche comme ça, le type est cuit... »

Ils se retournèrent ensemble vers LaChaise, craignant de l'avoir vexé, mais LaChaise dormait.

« La femme Kupicek, elle n'a même pas tressailli, expliqua Butters. Elle ne s'est pas rendu compte de ce qui lui arrivait. Elle m'a parlé, et la minute suivante, elle était devant saint Pierre.

— Le silencieux a bien marché ?

— Superbien, opina Butters. On entend juste un tout petit cliquetis, tu sais, un léger "pop", mais pas plus que si on ouvrait une boîte de soda.

— J'aimerais bien avoir un silencieux comme ça...

— Si je dois recommencer, je crois que je le chargerai pour un seul coup. Tu sais, juste une cartouche, le chien relevé, et verrouillé sur un magasin vide. Dans ce cas, tu n'as pas le cliquetis... »

Ils continuèrent sur le même mode, revenant sur les détails, le son de la télé toujours en sourdine. Toutes les demi-heures environ, le visage de Butters apparaissait sur l'écran. Aux premières actualités du matin, vers cinq heures trente, TV3 passa une série de reconstitutions par ordinateur de portraits de LaChaise et Butters coiffés de différentes manières et arborant diverses barbes et moustaches.

« Tu devrais te raser le crâne, suggéra Martin, c'est le seul truc qu'ils n'aient pas prévu.

— Non, c'est trop tard pour moi, dit Butters en consultant sa montre. Le jour va se lever d'ici deux ou trois heures. Je sors. Je vais voir chez la gamine, la fille de Davenport.

— Tu ferais mieux d'attendre Dick. »

Butters secoua la tête en se levant.

« Y a cinquante pour cent de chances que ce soit une embuscade. Vaut mieux qu'un seul y aille. Et puis Dick est blessé, et toi, ils te connaissent pas encore.

— Tu es sobre ?

— Comme un juge. »

Martin plaqua ses mains sur ses cuisses, une petite tape en guise de conclusion, et opina. « Aide-moi à charger, demanda Butters.

— Qu'est-ce que tu emportes ?

— Un de chaque », répondit Butters avec un large sourire.

LaChaise remua dans son fauteuil, ouvrit à moitié les yeux, secoua la tête et sombra de nouveau dans le sommeil.

« Je ferais mieux d'y aller, dit Butters. Je ne voudrais pas troubler le sommeil réparateur de Dick. »

11

Del était dans le couloir, allongé sur trois coussins du canapé. Small s'était couché tout habillé, en chaussettes, aux aguets. De temps à autre, il descendait de son lit, longeait le couloir à pas de loup et chuchotait à l'intention de Lucas :

« Du nouveau ?

— Pas encore. »

Lucas bâilla, appuya sur un bouton pour éclairer le cadran de sa montre. Cinq heures quarante-cinq. Encore deux heures avant les premières lueurs de l'aube. Il se dirigea avec précaution vers la salle de bains, naviguant d'instinct entre les formes sombres du mobilier. C'était un cabinet de toilette d'appoint, pour les visiteurs : petit, avec des toilettes et un lavabo, un tube de pâte dentifrice et un présentoir de brosses à dents d'enfant, destiné au brossage après les repas. Pas de fenêtre donnant sur l'extérieur. Lucas ferma la porte et alluma, cligna des yeux sous l'éclat de la lampe, s'aspergea le visage d'eau. Il avait une sale tête, mais sa bouche était pire : il étala un centimètre de dentifrice sur ses dents, frotta du bout de l'index, cracha le mélange verdâtre dans la cuvette et resta un instant penché, en appui sur les avant-bras, à regarder l'eau.

Ils possédaient toutes sortes d'indices et de signes, mais aucun n'était vraiment solide. Il pensait cependant que l'affaire serait réglée rapidement. S'il était encore vivant dans une semaine, ainsi que Weather, Sarah, Jennifer et Small, c'est que tout serait terminé.

Ce serait terminé même s'ils n'étaient plus en vie.

Ils auraient aussi bien pu partir tout de suite, prendre un avion pour

Tahiti – il avait largement les moyens –, s'allonger sur la plage, et, à leur retour, ce serait fini. L'affaire d'une semaine.

Peut-être devraient-ils le faire.

En même temps, il aimait la sensation que procure la chasse.

Il n'aimait pas ce que cela avait fait à Cheryl Capslock et aux autres, les morts, mais bon Dieu ! il aimait la sensation de la chasse.

Il éteignit et retourna dans le salon.

Del était éveillé. « Cheryl ne sentait pas grand-chose à la sortie du bloc.

— Ça ira mieux aujourd'hui, répondit Lucas en touchant malgré lui la cicatrice blanche sur sa gorge, où il avait subi une trachéotomie.

— Ouais, c'est ce que disent les toubibs.

— Ils ont parlé des cicatrices ?

— Elle va en avoir quelques-unes, mais ça ne sera pas trop embêtant. Elle peut se coiffer différemment.

— Je connais un plasticien à l'hôpital universitaire, un ami de Weather. Si tu en as besoin... »

Ils s'assirent un moment dans l'obscurité. Et Del reprit : « Si elle mourait, je ne sais pas ce que je deviendrais.

— Elle va s'en sortir.

— Oui... Ce n'est pas exactement ce que je voulais dire. En réalité, je n'y avais pas pensé jusqu'à cet après-midi. Si elle disparaissait, je serais perdu. Je suis resté trop longtemps dans la rue, le monde entier me semble à l'envers. C'est Cheryl qui m'empêche de devenir fou. J'étais en train de le devenir, quand je l'ai rencontrée. J'étais complètement cinglé, et tellement alcoolo que ça aurait pu mal tourner.

— Qui se ressemble s'assemble, dit Lucas avec cet humour cynique qu'affectent les flics dans les moments de sincérité embarrassante.

— Ouais... Ah, bon Dieu, je veux avoir la peau de ce salaud... »

Au même moment, une voix de guetteur annonça dans leur radio : « Lucas, quelqu'un arrive. » Lucas empoigna la radio et alla vers la porte d'entrée. Il pouvait voir par les vitraux encastrés sans être vu.

« Blanc, sexe masculin, dans un pick-up, conduit doucement. Pas un livreur de journaux.

— Vous voyez les plaques ?

— Moi, non, mais Tommy peut, il a la lunette télescopique de nuit... Tommy ? Il sera là dans une minute.

— Oui, il arrive.

— Lucas, le type s'approche de la maison, maintenant. »

Lucas vit d'abord les phares sur la neige, puis la voiture roulant au ralenti. « Les plaques, je veux le numéro.

— Il dépasse la maison, mais il a regardé. Jeff, qu'en penses-tu ?

— Ouais, il a regardé.

— Doucement, les gars, dit Lucas, on ne veut pas tirer sur un foutu journaliste. Alors, Tommy, les plaques ?

— Celle de devant est sale. Je lis CV. C'est le Minnesota.

— Bon sang, Tommy…

— Ça y est, ça y est… » Il épela le numéro d'immatriculation à voix haute et le standardiste confirma que c'était noté. « Il tourne au coin de la rue…

— De quel côté ?

— Sud. Attendez, il s'arrête… Oui, il s'arrête.

— Dick, vous autres, vous venez ici avec la voiture, ordonna Lucas dans le micro. Faites le tour du pâté de maisons par l'arrière.

— Je ne pensais pas que ça arriverait, dit Del, parfaitement réveillé, le souffle court.

— Calme-toi », conseilla Lucas.

Dans l'escalier, Small demanda : « Qu'est-ce qui se passe ?

— Rien », répondit Lucas.

Del sortit le premier et avança à petits pas sur le trottoir, de cette démarche de pingouin qu'ont les hommes en hiver sur la glace. Lucas était toujours en contact avec la radio. Tommy annonça : « Il sort quelque chose de l'arrière. Son plafonnier est allumé, il farfouille derrière.

— Tout le monde fait très attention, dit Lucas. On ne sait pas ce qu'il peut y avoir à l'arrière. »

Dick revint : « On arrive, on tourne au coin. »

Lucas lança : « Allons-y ! » et ils s'élancèrent en courant dans la neige, levant les genoux. Au coin, ils contournèrent un thuya et virent le pick-up à une cinquantaine de pas, de l'autre côté de la chaussée, portière ouverte. Le conducteur était tourné vers eux, il tenait quelque chose dans ses mains…

« Pas un geste ! » hurla Lucas. Del sprinta en tête, Tommy surgit sur le côté, les longs pans de son manteau lui battant les jambes, et Dick arriva avec la voiture…

À huit cents mètres de la maison, Butters avait commencé à tracer des cercles, quadrillant le quartier, scrutant les visages à l'intérieur des rares voitures qu'il croisait, guettant les lumières, le moindre mouvement. Dans les bois, il avait appris à ne pas rechercher l'animal lui-même, mais l'agitation suscitée par son passage. Le cerf peut donner l'impression de porter des bottes cloutées quand il traverse la forêt en martelant le sol. L'écureuil provoque un frémissement des branches d'arbres qui n'est pas celui du vent. Même un serpent, s'il est assez gros, laisse dans l'herbe un sillon comparable à celui d'une étrave de bateau dans la mer.

Il guetta un mouvement de ce genre et ne vit rien.

Pourtant, quelque chose clochait. Le flic croyait peut-être que la gamine était en sécurité, mais pourquoi aurait-il pris un tel risque ? La logique aurait voulu qu'il la mette à l'hôtel.

Butters ne voyait rien mais il sentait quelque chose. Cette enfant avait tout de l'appât pour ours : un seau rempli de miel et d'avoine, placé là pour les piéger. Mais ils étaient bien obligés de vérifier, vu qu'elle était sans doute une de leurs dernières chances de régler leurs comptes. Or c'était justement pour ça qu'elle était l'appât idéal.

Alors, il continuait à se rapprocher de la maison en traçant des cercles concentriques.

La voiture de police banalisée prit le pick-up dans la lumière de ses phares. Son conducteur se retourna en entendant le cri de Lucas, vit les hommes qui arrivaient en courant, s'adossa à la portière et demanda : « Qu'y a-t-il ? »

Del n'était plus qu'à une vingtaine de pas de lui. L'homme leva les mains et Del faillit le descendre. Faillit.

« Pas un geste. Restez où vous êtes. » Lucas était derrière Del, Tommy sur le côté, les portières de la voiture banalisée claquèrent.

« Qu'y a-t-il ? » répéta l'homme, blafard, la mâchoire pendante, en état de choc. Il s'écarta du pick-up.

Quelque chose bougea à l'intérieur du véhicule et Tommy pivota en levant son fusil. Une tête blonde. Puis une voix d'enfant, fatiguée et inquiète : « Papa ? »

Quelques cercles de plus et il vit, au bout d'une rue qui menait presque directement à la maison cible, un spectacle nocturne : une voiture garée en travers de la chaussée, phares braqués sur un pick-up. Un homme devant, mains en l'air. D'autres hommes dans la rue.

« Eh bien, voilà, dit Butters, satisfait. Je savais que vous seriez dans le coin. »

Lucas aperçut la camionnette de Butters. Il la remarqua surtout parce qu'elle était absolument identique à celle qu'ils encerclaient.

Del présenta ses excuses au propriétaire qui rentrait de chez ses parents, s'efforça de rassurer la petite fille, en âge d'être terrifiée par tous ces hommes autour d'elle.

Au croisement, l'autre camionnette s'arrêta le temps d'un, deux battements de cœur, et repartit très naturellement. Le conducteur a dû repérer l'agitation dans la rue, se dit Lucas. « J'ai une fille du même âge que toi, expliqua-t-il à l'enfant. Elle habite au bout de la rue. Tu connais Sarah Davenport ? »

La petite opina en silence. Tout était rentré dans l'ordre.

« Bien sûr que nous connaissons Sarah… », répondit le père. Lucas lui fit quelques amabilités et oublia l'autre pick-up.

En repartant, Del, tremblant et blême, dit : « Bon Dieu, il faut que je me calme. J'ai failli tirer sur ce type. Il n'avait absolument rien fait. Mais je voulais tirer. »

Stadic réfléchit à la situation en roulant vers les Villes jumelles. Sa journée de service, la route, tuer cet homme, tout ça l'avait épuisé. À travers la neige qui tombait de plus en plus fine, il avait des flashes, des visions terribles par leur clarté et leur intensité, d'Elmore Darling assis à la table de cuisine une seconde avant le coup de feu. Darling souriait, plein d'espoir… effrayé. Il était vivant. Puis il ne l'était plus. Aucune transition, juste une détonation, l'odeur de poudre et de viande crue, et Elmore Darling n'était plus de ce monde.

Ces visions affolaient Stadic. Que se passait-il ? Était-il en train de perdre les pédales ? En même temps, son cerveau de flic élaborait la suite inéluctable des événements. Il savait maintenant où se cachaient LaChaise et ses amis. S'il préparait bien son coup, s'il trouvait le bon baratin, il pouvait leur tendre une embuscade. Il fallait qu'il les fasse sortir de leur trou sans éveiller leurs soupçons.

Il pouvait s'embusquer devant la maison, dans le noir, près de leurs véhicules. Darling avait dit qu'ils étaient garés dans la rue. Ensuite, il les attirerait dehors. En les appelant et en leur disant que les flics avaient été renseignés, qu'ils étaient en route. Ils seraient bien obligés de s'enfuir.

LaChaise blessé, seuls Martin et Butters étaient au mieux de leur

134

forme. Il les choperait dès qu'ils mettraient le pied sur le seuil, avant qu'ils puissent refermer la porte et, ensuite, il s'occuperait de la femme.

Mais que faire pour le fusil ? Darling ayant été tué avec du double zéro, il ferait peut-être mieux de passer au triple ? À moins de faire ça avec un pistolet. S'il était bien placé, vraiment tout près, il pouvait les descendre au pistolet, oublions le fusil. Évidemment, si LaChaise était sérieusement blessé, s'il ne sortait pas, il faudrait bien aller le chercher à l'intérieur...

Il y avait des risques. Il ne pouvait les éviter.

Et comment se justifierait-il auprès des flics de Saint Paul ? Il pouvait prétendre que des drogués du coin lui avaient passé le tuyau et qu'il n'y avait pas trop cru. Qu'il était allé jeter un coup d'œil, était tombé dessus...

Mais pourquoi était-il entré dans la maison ? Pourquoi n'avait-il pas appelé des renforts ?

Préoccupé, Stadic rumina toutes les données en roulant vers les Villes jumelles. S'il se décidait à le faire, il fallait qu'il s'arrête au bureau pour prendre un gilet pare-balles. Mais, quand il le fit, la première chose qu'il entendit ce fut des pas précipités dans les couloirs.

Lucas regardait entre les lattes des stores vénitiens. Dehors, c'était toujours l'obscurité. « Personne ne vient.

— Donc, c'était bidon, déclara Del en bâillant.

— Peut-être. N'empêche, maintenant que j'y repense, c'était un drôle de coup de fil, dit Lucas. Il m'a appelé directement, il avait mon numéro perso.

— On devrait laisser deux ou trois gars ici, au cas où, suggéra Del. Il faut que j'aille voir Cheryl à Hennepin.

— Oui, vas-y. »

Le standard du quartier général intervint sur la radio : « Lucas ?

— Oui ?

— Une femme vous a appelé. Elle prétend avoir un renseignement, elle veut les dix mille dollars.

— Transférez-la.

— Elle a raccroché. Apparemment, elle craignait que son mari puisse l'entendre. Mais elle a laissé une adresse. Elle dit que vous devez l'aider à sortir de chez elle, des fois que son mari se... elle a dit : "foutrait en rogne". » La demoiselle du standard ne pouvait pas dire « foutrait en rogne », mais elle pouvait citer le propos.

« C'est quoi, l'adresse ? demanda Lucas.

— Dans le sud-est de la ville. Vous avez un crayon ? »

Pendant que Lucas notait, Del demanda : « Tu veux que je t'accompagne ? »

Lucas secoua la tête : « C'est sans doute n'importe quoi. La moitié des drogués de la ville vont appeler et nous raconter des salades pour palper. File voir Cheryl.

— Ça va bientôt être l'heure de la visite. » Le cadran de sa montre s'éclaira brièvement. « Faut que j'y sois quand elle se réveillera.

— Ouvre l'œil, surtout, conseilla Lucas. Ces cinglés rôdent peut-être dans les parages de l'hôpital. »

Commençant à sentir le poids de toutes ces heures sans sommeil, Lucas contempla la maison et eut un doute : me voilà attiré dans un pavillon mitoyen de banlieue, juste avant le lever du jour, serait-ce une embuscade ?

« Qu'en pensez-vous ? demanda-t-il.

— Attendez ici, répondit le flic de service. On va aller frapper. »

Les deux flics de la patrouille, l'un très grand et l'autre encore plus, portaient des gilets de combat capables d'arrêter des balles de fusil. Deux collègues postés dans la ruelle, derrière la maison, couvraient la porte du fond.

Lucas attendit près de la voiture pendant que les policiers avançaient vers l'entrée. L'un d'eux jeta un coup d'œil à une fenêtre et battit précipitamment en retraite : on leur ouvrait. Une brune hagarde passa la tête par l'entrebâillement et leur dit quelques mots. Le plus grand fit signe à Lucas de venir et entra avec son collègue.

Lucas les rattrapa sur le seuil. Le plus grand chuchota : « Le mari est dans la chambre du fond. Il y a un fusil par terre au pied de son lit. Comme on nous a laissés entrer, on peut le coincer. »

Lucas acquiesça, et les deux policiers, progressant aussi discrètement que possible sur le tapis élimé, longèrent le couloir, suivis de la femme. Arrivé devant la dernière porte, le chef de file fit un geste, la femme hocha la tête, et le flic avança la main à l'intérieur de la pièce obscure pour allumer l'interrupteur. Lucas l'entendit annoncer : « Police ! », puis : « Prends l'arme », et enfin : « Allez, réveillez-vous. Hé ! réveillez-vous. »

Une voix d'homme, haut perchée, couina : « Qu'est-ce qui se passe, bordel ? »

La femme repartit dans le couloir et rejoignit Lucas. Elle mesurait un mètre soixante-cinq et faisait à peine cinquante kilos. Ses pommettes évoquaient des Frisbees, pensa-t-il. « Je vous ai entendu promettre la récompense.

— Si vos renseignements valent quelque chose. »

Les deux flics de la patrouille firent sortir le mari de la chambre. À moitié endormi, vêtu d'un caleçon Jockey, les mains menottées dans le dos, il avait l'air complètement dépassé.

« Oh ! mes renseignements sont bons », dit la femme à Lucas. Puis : « Vous vous souvenez de moi ? »

Il la regarda attentivement. Il y avait quelque chose de familier dans ses sourcils bruns broussailleux. Mentalement, il lui ajouta une bonne dizaine de kilos et dit : « Oui. Vous travailliez au Taco Bell, celui de Riverside. Vous étiez… laissez-moi deux secondes, vous faisiez partie de l'orchestre de Sammy Cerdan. Vous jouiez… avec eux. De la basse ?

— Oui, de la basse », confirma-t-elle, contente qu'il se souvienne.

Il allait ajouter : « Que s'est-il passé ? » mais il se ravisa : il savait.

Elle souriait toujours, un sourire friable qui aurait pu se détacher de son visage et tomber par terre. « Oh ! oui, dit-elle, c'était le bon vieux temps. »

Son mari intervint : « Qu'est-ce que c'est que ce bordel ? Qui est ce connard ? »

Le plus grand des policiers dit : « Il y avait un paquet de dope sous son matelas. »

Il lança un sachet à Lucas : la substance, de quoi remplir une cuiller à café, ressemblait à du sucre brun.

« C'est complètement illégal, glapit le vieux. Je veux voir votre mandat de perquisition.

— T'aurais pas dû le cacher, Dex », lui dit sa femme. Puis, s'adressant à Lucas : « Je m'échine toute la journée au Target et il ne me donne jamais rien.

— Je vais te botter le cul, oui », cria Dexter qui se débattit pour échapper au grand flic et essaya de flanquer un coup de pied à sa femme. Elle esquiva l'attaque et lui fit un bras d'honneur.

« Fermez-la ! » dit Lucas à Dexter. Puis, à la femme : « Où sont-ils ?

— Mon frère leur a loué une maison, mais il ne sait pas qui ils sont.

Ce type, Butters ? Il est venu poser des questions sur les flics ripoux et les maisons à louer. Dès que je l'ai vu à la télé, j'ai su que c'était lui.

— Connasse ! » cria le mari.

Lucas se tourna vers lui, un sourire aux lèvres : « La prochaine fois que tu l'ouvres, je te casse la gueule. »

Le mari la boucla et la femme l'ouvrit : « Je veux l'argent.

— Si ça débouche sur du solide, vous l'aurez. Alors, cette adresse ?

— Je veux autre chose.

— Quoi ?

— Quand ma mère a embarqué les gosses, on m'a sucré l'allocation d'aide sociale.

— Et alors ?

— Je veux la récupérer. »

Lucas haussa les épaules. « Je demanderai. Si vous pouvez leur montrer les enfants, ça devrait...

— Je ne veux pas que les enfants reviennent. Je veux juste qu'on me remette sur la liste. Il faut que vous m'arrangiez ça.

— J'essaierai, mais je ne peux rien promettre. Bon, maintenant, où sont-ils ?

— À Frogtown. J'ai écrit l'adresse quelque part.

— Et ce flic ? insista Lucas. À qui avez-vous adressé Butters ?

— On ne connaissait pas de flic, dit-elle en secouant la tête. Dex lui a juste donné les noms de quelques drogués qui seraient susceptibles d'en connaître.

— Quels drogués ? demanda Lucas en se tournant vers Dexter.

— Allez vous faire foutre, répondit celui-ci.

— Je vais vous donner plein de temps pour y réfléchir, dit Lucas en le menaçant de l'index. Au trou. Pour possession de drogue, ajouta-t-il en agitant le paquet de dope. Si vous réfléchissez assez vite, vous pourrez peut-être couper à l'accusation de meurtre.

— Rien à foutre. Je veux un avocat.

— Emmenez-le », dit Lucas aux agents. Puis, à la femme : « Donnez-moi l'adresse. »

LaChaise se réveilla dessoûlé mais avec la gueule de bois. Il se leva précautionneusement, alla à la salle de bains, ferma la porte, trouva l'interrupteur, l'actionna, pissa et tira la chasse.

Il avait dormi avec son jean, son tee-shirt et ses chaussettes. Il souleva le maillot pour voir, dans le miroir fêlé au-dessus du lavabo, comment se présentait le bandage recouvrant ses côtes : pas de traces de sang frais, juste l'alcool iodé qui avait séché sur la compresse. Mieux encore, il n'avait pas la sensation d'être gravement blessé. Or il connaissait bien l'impression de tomber en morceaux que l'on a après une mauvaise blessure, comme il en avait connu lors de bagarres ou d'accidents de moto. Là, il avait simplement mal.

La maison était silencieuse. Il sortit de la salle de bains, longea le couloir jusqu'à la chambre contiguë, poussa la porte et découvrit Sandy recroquevillée sur le lit, enveloppée dans une couverture.

« Tu dors ? » demanda-t-il doucement.

Pas de réponse. Il la soupçonna pourtant d'être réveillée. Il allait reposer la question quand il entendit du bruit dans le couloir. Il recula d'un pas et vit Martin qui arpentait l'entrée, un 45 à la main. Ayant aperçu LaChaise, Martin plissa le front : « Tu vas bien ?

— Ça fait mal, mais j'ai connu pire. Où est Ansel ?

— Il est allé voir du côté de la gamine de Davenport.

— Merde, c'est mon travail », protesta LaChaise.

La bouche de Martin tressaillit. Il avait peut-être tenté de sourire.

« Il s'est dit que tu allais penser cela, mais comme ça pouvait bien être un piège, il s'est dit, comme ça, que t'étais notre pièce maîtresse. T'es le cerveau de l'opération, quoi.

— Il aurait dû me prévenir.

— T'étais cuit. »

Sandy se redressa. LaChaise nota que, sous la couverture, elle portait une parka.

« Que se passe-t-il ?

— Ansel est allé chez la fille du flic, expliqua LaChaise en regardant la parka. Qu'est-ce qui ne va pas ? Pourquoi tu portes ça ?

— On se croirait dans une chambre froide, ici, dit-elle en croisant les bras sur sa poitrine avec un frisson.

— Foutaises. Elle veut être prête au cas où l'occasion de filer se présenterait », grommela Martin.

LaChaise se tourna vers elle : « Si tu t'enfuis, on te tranchera la gorge. Et si tu y arrivais... » Il fouilla dans la poche de sa chemise, en sortit une poignée de photos. Deux hommes assis devant une table, un Blanc, un Noir. LaChaise les lui jeta comme des cartes à jouer. « On tient un flic. La seule façon de s'en sortir, pour lui, c'est qu'on réussisse à s'échapper. Ou qu'on meure tous. Si tu nous files entre les doigts et que tu vas trouver la police, il essaiera de te rattraper, des fois que tu saurais son nom. Réfléchis bien à ça : nous tenons un flic qui peut te tuer, et tu ne connais pas son nom. » Il remit les photos dans sa poche.

Sandy frissonna de nouveau. « Je ne pense pas à m'enfuir. J'ai simplement froid.

— Foutaises ! cracha Martin avec mépris.

— Pourquoi tu ne mets pas tes chaussures ? proposa LaChaise. On va sortir.

— Sortir ? » s'étonna-t-elle. Elle regarda la fenêtre : il faisait encore nuit. Puis LaChaise : « Tu es blessé, Dick…

— Bah ! ce n'est pas si grave. Et ça ne saigne plus. D'ailleurs, je ne veux pas me faire cueillir ici… »

Malgré la migraine, il était d'humeur plutôt joyeuse.

« J'aimerais mieux rester ici.

— Ne sois pas idiote. Sortons et allons voir ce qui se mijote. L'un de vous deux peut conduire. Je m'installerai derrière. »

Pendant que Sandy et Martin s'apprêtaient, il alluma la télévision, zappa sur toutes les chaînes et ne vit rien d'intéressant hormis le bulletin météo. La neige allait diminuer en cours de matinée et le soleil pouvait même percer dans l'après-midi. En revanche, ça allait sérieusement se gâter au sud-ouest, mais pas avant plusieurs jours.

« Fait froid », grogna Martin en sortant de sa chambre. Il portait sa parka de camouflage.

« Tant mieux, vu qu'ils ont collé partout des photos de Butters et moi, dit LaChaise. Y aura moins de gens dans la rue.

— Il n'a rien dû arriver à Ansel. Les chaînes ne parleraient que de ça, s'il avait fait quelque chose.

— Il est peut-être reparti, hasarda LaChaise. Ça se peut qu'il n'y ait eu personne là-bas. »

Martin regarda Sandy : « T'es prête ?

— Je me demande si on devrait…, dit-elle. Si quelqu'un nous voit…

— On va juste rouler un peu, dit LaChaise. Peut-être acheter des EggMcMuffins dans un drive-in.

— Il va bientôt faire jour », annonça Martin.

Butters retourna à la maison et vit l'espace sans neige où la camionnette de Martin avait été garée, avec les traces de pneus qui s'éloignaient. Il avait pourtant l'impression de n'être parti que quelques minutes. Que se passait-il donc ? Il gara la camionnette de Sandy à la place de l'autre et entra. Un message, posé par terre dans l'entrée, expliquait : « Crise de claustro. Sortis une heure. On revient. »

Butters secoua la tête : se sentir claustro n'était pas une raison suffisante pour sortir. Lui, bien sûr, était sorti, mais n'empêche. LaChaise lui avait sauvé la vie, un jour. LaChaise était le meilleur ami que Butters ait connu… mais personne n'avait jamais prétendu que c'était un génie.

Quand Lucas arriva au parking du croisement University-Lexington, les flics de Saint Paul étaient en train de former le groupe d'intervention commandé par le lieutenant Allport. Quatre officiers en civil de la police de Minneapolis, issus de la Crim ou des Mœurs, observaient les préparatifs des gars de Saint Paul.

Allport repéra Lucas et vint lui serrer la main : « Comment ça va ?

— On peut vous aider d'une façon ou d'une autre ? » demanda Lucas.

Allport secoua la tête : « On contrôle la situation. » Pause. « Deux ou trois de vos gars avaient très envie de nous accompagner.

— Je vais les tenir à l'écart. On pourrait peut-être se poster à la limite de votre périmètre d'action.

— Bonne idée. Nous manquons un peu de monde sur le terrain parce qu'on doit agir vite. Nous voulons y aller avant qu'il y ait trop de gens dans la rue. » Il leva les yeux vers le ciel, qui semblait plus sombre que jamais, plombé de nuages lourds de neige. Pourtant, l'aube pointait. Ça ne se voyait pas à l'horizon, mais il faisait plus clair, dans l'ensemble. « Pourquoi vous n'emmenez pas vos gars à l'est, sur Grotto ? Vous ne serez qu'à un bloc de la maison, ça vous permettra d'être rapidement sur place s'il se passe quelque chose.

— Bien vu, dit Lucas. Merci de nous accepter.

— Bon, allons-y. »

Lucas rassembla les agents de Minneapolis : « On va emmener deux voitures de patrouille sur Grotto, qui n'est pas très protégée. On va se déployer dans la rue. Les gars de Saint Paul nous appelleront dès que le groupe d'intervention sera entré. »

Un flic des Mœurs nommé Lewiston objecta : « Saint Paul n'a pas beaucoup de monde sur le coup.

— C'est parce qu'il faut faire vite, expliqua Lucas. Ils veulent y aller avant qu'il n'y ait trop de passants dans la rue. »

Lewiston opina, comprenant la logique de la situation, mais Stadic soupira : « Je regrette qu'on ne puisse pas y aller nous-mêmes. Ces foutus salopards… »

Lucas sourit. « On ne sait même pas si on va trouver quelque chose. L'adresse est peut-être fausse. »

Le groupe d'intervention s'ébranla. Les autres flics suivirent, répartis entre voitures de patrouille et voitures banalisées, morose procession qui longea les rues étroites de Frogtown et s'arrêta à deux rues de la cible. Ils firent le reste à pied.

Stadic suivait à l'arrière, son fusil sous le bras. Il avait été emporté par l'agitation collective en arrivant au bureau, au moment où l'on venait d'apprendre qu'une source de Davenport avait peut-être livré quelque chose d'important. Maintenant, il était inquiet : s'ils s'y prenaient bien, ils risquaient de sortir des gens vivants de la maison…

Davenport marchait en tête d'un pas vif, en compagnie de deux autres flics de Minneapolis. Pour Stadic, c'était la première et probablement unique occasion : il s'abrita derrière un orme malade, sortit son portable et appuya sur une touche sélectionnée.

LaChaise répondit au bout de deux secondes, comme s'il avait toujours l'appareil à la main : « Ouais ?

— Sortez de là, dit Stadic d'une voix rauque. Il y a un groupe d'intervention de Saint Paul qui rapplique. Sortez par-derrière, filez vers l'est, c'est moins bien couvert de ce côté-là. Partez tout de suite. »

Une seconde de silence. « On n'est pas à la maison, dit LaChaise.

— Quoi ?

— On est dans la camionnette. Où allez-vous ?

— Une vieille bicoque à Saint Paul, au nord de la voie express, à quelques pâtés de maisons de… Si c'est bien l'endroit, n'approchez pas. Je ne peux pas parler, il faut que j'y aille. »

Il entendit LaChaise dire : « Merde ! », éteignit l'appareil et hâta le pas pour rejoindre les autres.

Butters avait monté l'escalier pour aller à la salle de bains quand il regarda par une fenêtre de derrière et vit l'homme courir à un bloc de là. Une foulée rapide et lourde. Pas un joggeur, un soldat. Il sut immédiatement que les flics étaient à la porte.

Il n'avait pas enlevé sa parka de camouflage. Il redescendit l'escalier sur la pointe des pieds et se dirigea vers le placard du couloir où Martin avait rangé les armes : invisible de l'extérieur et d'accès facile. Butters s'empara de l'AR-15, chargé à l'avance, et de quatre magasins pleins. Il fourra les munitions dans sa poche, introduisit une balle dans la chambre et fonça vers la porte du fond.

L'arrière de la maison était encore dans l'obscurité. Il s'arrêta un instant, à l'écoute. Il n'entendit rien, mais il savait qu'ils allaient arriver par cette porte. Il fit volte-face, traversa la maison vers l'endroit le plus sombre, loin de la porte du fond, entra dans la chambre de Martin et essaya d'ouvrir la fenêtre. Bloquée. Dans la chambre voisine, le loquet céda. Il le souleva, perçut un infime déchirement comme de la vieille peinture qui craque. L'odeur lui chatouilla les narines, mais il pensait avoir été assez discret. Les fenêtres, équipées à l'ancienne contre la tempête, donnaient sur des buissons ratatinés et sans feuilles. Il regarda dehors, ne vit personne, poussa le battant, regarda avec plus d'attention. Toujours rien. Pas assez de lumière. Il inspira à fond, franchit l'ouverture à plat ventre, retomba dans la neige, derrière la haie.

La neige crissa sous son poids là où l'eau dégouttant des feuilles avait gelé en surface. Il resta quelques secondes immobile, aux aguets. Bien écouter était vital dans l'obscurité : il avait passé des semaines dans des abris, en haut des arbres, à guetter les brindilles cassées et les bruissements du petit matin, le cerf repartant vers son taillis, les renards et les coyotes chassant les campagnols, les canards arboricoles se frayant un chemin bruissant dans les feuilles de chêne sèches, les arbres dégelant sous le soleil naissant, l'herbe surgissant au petit matin. Ansel Butters avait entendu le blé pousser, et maintenant il entendait des pas dans la neige, arrivant par l'arrière, puis d'autres, par l'avant.

Butters longea le flanc de la maison en écoutant le crissement des pas qui s'approchaient. Il décida qu'ils ne l'entendraient pas. Eux-mêmes faisaient trop de bruit, ces citadins dans la neige, alourdis par leurs armes. Il obliqua à gauche, vers la maison voisine, se colla contre son revêtement malmené par les intempéries. Essayant de voir, d'écouter…

143

Puis il les vit arriver par le jardin du fond, ils étaient trois ou quatre, estima-t-il. Il gagna l'angle de la maison sans se relever, la contourna par l'est. Il n'avait plus vraiment le choix de la direction à prendre...

Le haut-parleur retentit comme un coup de tonnerre :

« Halte. Ne bougez plus, près de la maison... »

Et il pensa aussitôt : ils ont une lunette télescopique de nuit. Les derniers mots furent à peine proférés qu'il connaissait déjà la position des hommes arrivant par l'arrière.

Il les sentait bouger.

Butters courut latéralement et tira une salve prolongée en plein dans le groupe, trente munitions qui tombèrent en averse là-bas, et son visage s'illumina à la flamme du canon comme une roue de wagon éclairée par un stroboscope.

La riposte le rata de peu, à un cheveu de l'endroit où il s'était tenu. Il vida son magasin sans cesser de bouger, en engagea un autre tout en guettant les flammes qui sortaient de la bouche des armes adverses, et tira des séries de trois-quatre coups, plus pour les contenir que pour faire mouche.

Et là encore, ils le manquèrent de peu.

Puis il se retrouva derrière un garage. Il sentit quelque chose juste devant lui et ralentit à temps. Il toucha et franchit une clôture métallique d'un mètre vingt de haut, sauta par-dessus la clôture suivante, et encore une, se fraya un chemin en force à travers une haie en s'écorchant le visage, franchit encore une clôture, et encore une autre, entendit des poubelles s'écrouler derrière lui, et des cris, une autre série de coups de feu qui se perdirent quelque part, d'autres cris.

Il entendait maintenant sa propre respiration, cherchait à retrouver son souffle, essayant de calculer combien de balles il lui restait. Six ou huit, probablement, sans compter le troisième chargeur dans sa poche.

Il se sentait bien, en mouvement, en pleine action, il contrôlait la situation.

Et se dirigeait vers l'est.

Le haut-parleur et les coups de feu prirent Lucas au dépourvu, ainsi que les autres flics qui bavardaient tranquillement en attendant derrière les voitures. Ils se raidirent, se retournèrent en sortant leur arme, s'accroupirent derrière les carrosseries. Les radios se mirent en branle d'un bout à l'autre du pâté de maisons et Lucas se précipita vers une des voitures de patrouille de Saint Paul en demandant : « Que se passe-t-il ? Que se passe-t-il ?

— Merde, il y en a un qui est sorti. Il vient peut-être par ici », répondit un sergent de Saint Paul.

Lucas rejoignit ses hommes en courant, leur tapota l'épaule : « Faites gaffe, faites gaffe, il vient peut-être par ici... »

Butters courut de toutes ses forces, atteignit l'extrémité du bloc, fonça entre deux maisons et, dans l'espace sombre qui les séparait, entra en collision avec un petit arbre. Le choc l'ébranla mais il ne lâcha pas son fusil. Un filet de sang coula dans sa bouche et le picotement cuisant lui apprit qu'il s'était coupé la lèvre, et assez profondément. Il rampa jusqu'à la rue, se ressaisit.

De l'autre côté, des gens parlaient. D'autres se regroupaient derrière lui. Il n'avait pas le choix. Il vérifia que le chargeur était bien en place et courut vers la chaussée.

Et là, un flic – quelqu'un – juste devant lui, planqué derrière une voiture de patrouille, faible visibilité, se tournant vers lui, levant la main...

Sans cesser de courir, Butters tira sur le flic embusqué et le vit s'effondrer.

Un autre ouvrit le feu sur la droite, puis un troisième, et il fut touché : une morsure, comme si quelqu'un avait fouetté ses fesses nues avec une branche de pacanier. Il savait ce que c'était, et, tout en ripostant, il traversa la file de voitures, tandis que les flics se tiraient mutuellement dessus en essayant de l'intercepter, certains se jetant dans la neige pour éviter les balles, d'autres poussant des cris...

Butters continua sa course.

Devant lui, une maison, des lumières allumées. Et maintenant, il ressentait plus qu'une simple douleur, il lui semblait que sa cuisse gauche était en feu. Il gravit en courant les quatre marches du porche de la maison éclairée, tomba sur une porte doublée d'un panneau de verre sur presque toute sa hauteur. Il tira dans le verre qui explosa, et franchit le seuil.

Un homme en pyjama se tenait au pied de l'escalier. Du haut des marches, une femme regardait.

Butters braqua le fusil sur elle et gueula : « Descendez ! »

Un enfant hurla : « Maman ! qu'est-ce qui se passe ? »

Lucas le vit arriver sur la droite. Il tira deux fois, pensa l'avoir touché au moins une fois, mais l'homme se déplaçait avec une grande rapidité, en faisant des séries de deux pas irréguliers, en zigzag, qui le rendaient difficile à cibler, surtout avec un pareil éclairage. L'homme tira sur lui, et Lucas sentit une morsure l'entailler à la naissance des cheveux, ça faisait moins mal qu'une balle, plutôt comme une déchirure provoquée par un éclat. Puis Butters traversa la rangée de policiers et Lucas vit une succession de flammes éclater dans sa direction. Il se laissa tomber à terre en criant : « Arrêtez, bon Dieu ! »

Quand les coups de feu cessèrent, il se releva sur les coudes juste à temps pour voir Butters avaler les marches du porche, faire cracher son fusil et franchir la porte.

« Passez par-derrière. Quelqu'un par-derrière ! » cria-t-il.

Deux flics de Saint Paul qui s'étaient immobilisés pendant la fusillade s'élancèrent vers le côté d'une des maisons voisines, fonçant vers l'arrière, pendant que Lucas et un des gars de Minneapolis, Lewiston, se précipitaient en direction du porche.

« On le descend ? demanda Lewiston.

— On rentre, dit Lucas. Essayons de…

— Vous êtes blessé, dit Lewiston. Votre tête saigne.

— Je crois que je me suis coupé. Prenez par la droite… »

Butters braqua l'AR-15 sur la femme en haut de l'escalier et cria : « Descendez ! »

Et l'enfant appela : « Maman ? »

La femme hurla : « Jim, retourne dans ta chambre ! Jimmy… »

Butters n'arrivait plus à réfléchir. Sa jambe était en feu, le type en pyjama était pétrifié, la femme criait quelque chose à l'enfant… Une voiture passa dehors, il se retourna pour regarder, ne vit rien. La femme continuait de hurler à l'intention de l'enfant et Butters lui cria derechef : « Descendez de là, bon Dieu, ou je bute votre mec… »

Il pointa le fusil vers le type en pyjama et la femme descendit les marches, le visage en feu, terrifiée, les yeux fixés sur lui. Elle était en chemise de nuit de flanelle et il y avait là quelque chose, le pyjama, la chemise de nuit de flanelle…

À ce moment précis, le gamin surgit en haut de l'escalier. Il portait un tee-shirt et un caleçon Jockey qui dévoilait ses petites jambes maigrichonnes, il crevait de trouille et ses cheveux étaient dressés à l'endroit où sa tête avait reposé sur l'oreiller.

Là, tout lui revint en mémoire : l'hiver où les flics avaient débarqué chez lui, quand ils avaient sorti son père et sa mère du lit, et Butters, lui, qui était arrivé dans l'escalier en caleçon, exactement comme ce gosse maintenant... Il se souvint de sa peur, des flingues que les flics portaient sur la hanche, de la façon dont son père avait rampé jusqu'à eux, à cause des armes, et de la panique de sa mère... Ils puaient de trouille. Il puait de trouille.

Ce qui se passait là était exactement pareil, à ceci près que c'était lui qui tenait l'arme.

« Ne nous faites pas mal, supplia la femme.

— Et merde ! » dit Butters.

Il dégagea le chargeur du fusil, en enfonça un troisième, qui était plein, vérifia que le premier, à moitié vide, était à portée de main dans sa poche, et dit :

« Retourne au lit, petit. »

Il franchit le seuil en courant, traversa le porche, courut vers les deux voitures garées à droite dans la rue. Il y avait deux hommes tout près, un à droite et un à gauche. Celui de droite lui rappelait quelqu'un. Il le choisit.

Il se tourna vers Lucas et leva son fusil, il vit l'arme de Lucas se dresser mais il savait qu'il avait une fraction de seconde d'avance.

Stadic approchait par le milieu, mais il était encore à une trentaine de mètres quand Butters ressortit en trombe. Davenport et Lewiston étaient trop près du porche, en contrebas, pour le voir sortir, alors que Stadic, dans l'obscurité, eut juste le temps d'entrevoir ses pieds et d'ajuster son fusil.

Butters se tourna vers Davenport, arme pointée. Davenport réagit avec un quart de seconde de retard, et probablement une vie entière... Le fusil de Stadic cracha un cylindre de flamme, en plein dans le visage de Butters, aurait-on cru.

Et le pulvérisa.

Butters s'effondra comme un sac vidé.

147

Tous les flics alentour se figèrent comme dans un arrêt sur image. La seconde suivante, ils bougeaient de nouveau. Des radios crachotèrent à l'arrière-plan. Tout, dans l'esprit de Stadic, avait l'air de tourner au ralenti. Les types qui s'approchaient de Butters, Davenport le regardant, lui, Stadic…

« Eh bien ! mon vieux, dit Lucas, j'étais foutu. Vous m'avez sauvé la peau. »

Davenport lui tapa sur l'épaule. Dans un recoin de son cerveau engourdi, Stadic pensa : *Et de deux.*

Lucas assena une tape sur l'épaule de Stadic ébahi, et courut dans la rue jusqu'à la voiture où un policier avait été touché. Il l'avait vu s'effondrer après un tir de Butters, vision qu'il avait emmagasinée quelque part dans son cerveau en attendant de pouvoir intervenir.

Au même moment, un hélicoptère balaya le ciel au-dessus de lui, dessina un cercle serré, et ils se retrouvèrent inondés de lumière. Un opérateur filmait la scène par la porte ouverte.

Deux policiers de Saint Paul atteignirent le blessé en même temps que Lucas. Il s'agenouilla : l'homme avait été touché en pleine tête. Il saignait du nez et des oreilles, ses yeux étaient exorbités, mais il bougeait encore.

« Il faut l'emmener tout de suite ! cria Lucas à un des policiers de Saint Paul. Pas le temps d'attendre une ambulance. Portez-le dans la voiture… »

Ils soulevèrent le blessé et le posèrent à l'arrière de la voiture de patrouille. L'un des deux policiers s'assit à côté de lui et l'autre démarra en trombe, les portières arrière se déployant comme de grandes oreilles quand la voiture tourna au coin de la rue, suivie par les projecteurs de l'hélicoptère.

« Nom de Dieu, sortez-moi ce foutu hélico de là ! cria Lucas à un sergent de Saint Paul. Faites-les partir. »

Le sergent, appuyé au capot d'une des voitures de patrouille, se tourna brusquement, tête baissée, et vomit dans le caniveau. Lucas repartit avec une seule idée en tête : la maison. Y avait-il d'autres gens ? Que s'était-il passé là-bas ?

Le sergent dit alors : « On n'a même pas eu l'occasion de dire quoi que ce soit…

— Je sais, je sais… » Et il courut dans la rue vers le corps du tireur. Le visage de Butters avait été entièrement oblitéré par le fusil. Mort.

Bon, maintenant, la maison.

Il se releva, partit en sens inverse, vit d'autres silhouettes qui couraient, des flics qui entraient. Un policier de Saint Paul, un lieutenant qu'il ne connaissait pas, demanda : « Qu'est-il arrivé ?

— On l'a eu, mais un de vos hommes est blessé. Il est mal en point, on l'a évacué vers l'hôpital.

— Oh, mon Dieu !

— Alors, la maison ?

— Seigneur, qui a été touché ? demanda le lieutenant en regardant autour de lui, comme fou. Qui est blessé ?

— La maison, répéta Lucas. Que s'est-il passé ?

— Vide. Personne à l'intérieur. Juste des armes.

— Merde. »

Le lieutenant partit en courant vers le sergent de patrouille qui ne vomissait plus mais tremblait, appuyé au capot de la voiture.

« Qui a été blessé, Bill ? Qui est-ce ? »

Lucas baissa les yeux vers Butters. Mort.

Il s'accroupit, le palpa. Le mort rangeait son portefeuille dans la poche gauche. Lucas le prit, l'ouvrit, feuilleta les documents : permis de conduire délivré dans le Tennessee, en cours de validité. La photo correspondait.

Stadic contourna la voiture, fixa le corps de ses yeux écarquillés : « J'espère que j'ai... J'espère que j'ai...

— Vous avez très bien fait », dit Lucas. Lewiston les rejoignit et Lucas lui demanda : « Ça va ?

— Impec. J'ai eu une sacrée trouille.

— Pourquoi vous n'emmenez pas Andy à Ramsey ? lui suggéra Lucas.

— Je vais très bien, protesta Stadic.

— Vous êtes à côté de vos pompes, insista Lucas. Vous avez besoin de vous asseoir un moment, de laisser retomber votre tension. »

Stadic lui adressa un regard absent, confus, et soudain accepta : « D'accord. Allons-y. »

Il avait parlé d'un ton sec, d'une voix de commandement, déplacée.

149

Lucas jeta un coup d'œil à l'autre flic : « Emmenez-le. » Et, comme ils s'éloignaient : « Hé, encore merci ! »

Lucas reprit son inspection du portefeuille, à la recherche de n'importe quoi : un bout de papier avec une adresse, une note, un nom, mais Butters n'avait presque rien sur lui : une carte de crédit Mobil, une carte de fidélité de Sears, un permis de chasse du Tennessee, son permis de conduire, une vieille photo en noir et blanc représentant une femme vêtue d'une robe des années 40 et une autre, plus récente et en couleurs, d'un labrador. Peu de chose, comme point de départ.

Le lieutenant vint à lui en courant : « Le quartier général est en train d'appeler l'Agence fédérale de l'aviation, ils vont essayer de dégager ces connards. » Ils levèrent en même temps les yeux vers l'hélicoptère, puis le lieutenant, les baissant vers le corps de Butters, dit : « Vous savez qu'on a vraiment eu du pot…

— Comment ça ? » Le cuir chevelu de Lucas commençait à cuire sérieusement, comme si quelqu'un y appliquait un fil de fer brûlant.

« Il était dans cette maison », expliqua le lieutenant. Lucas se retourna.

Un homme, une femme et un petit garçon regardaient par la porte fracassée, au-delà de l'agent qui était accouru pour s'assurer que tout le monde allait bien. La femme essayait de repousser l'enfant, mais il voulait voir. « S'il s'était replié à l'intérieur, on n'aurait pas pu faire grand-chose. On aurait même pu avoir un supercauchemar, là-dedans.

— Ouais… » Et soudain, Lucas se mit à rire, évacuant toute la tension des dix dernières minutes. « Mais regardez ce qu'il a fait à votre bagnole ! »

Le lieutenant regarda la voiture, qui présentait une série de trous en zigzag courant sur toute sa longueur, d'un pare-chocs à l'autre. Deux balles avaient creusé un sillon dans le toit, les vitres n'étaient plus qu'un souvenir. Le lieutenant la longea en marchant comme Stan Laurel et dit : « Ollie, ils ont abîmé ma voitu-u-ure !

— Je crois bien. Il n'y a pas un centimètre de tôle qui lui ait échappé.

— D'accord, c'est assez embêtant, poursuivit le lieutenant en adoptant le ton d'un vendeur de voitures. Mais, regardez les pneus, ils sont en parfait état. »

150

Ils rirent ensemble, secouant la tête. Ils rirent de soulagement, parce que la peur avait disparu, parce que leurs collègues et les habitants de la maison s'en étaient tirés sains et saufs.

Un autre hélicoptère, de TV3 celui-là, arrivant avec un peu de retard, survola la maison, tous projecteurs allumés, et les surprit devant le corps d'Ansel Butters, en train de regarder la voiture et de rire comme des malades.

12

L'aube arriva comme une morne feuille d'acier poussée à l'horizon, froide, maussade, stupide. Quinze voitures de police bloquaient le quartier et du ruban plastique jaune indiquait le chemin suivi par Butters dans sa fuite. Une demi-douzaine de flics le reconstituaient en cherchant des indices qu'il aurait éventuellement pu laisser sur son passage, bout de papier, reçu, n'importe quoi.

La police du Tennessee s'était rendue chez Butters dans la nuit, dès que ses empreintes avaient été identifiées. Dans un verger à l'abandon, ils avaient découvert une tombe récemment creusée, l'avaient ouverte et y avaient trouvé un labrador abattu d'une balle dans la tête.

« Un vieux chien, les os saillants dans le dos, le museau tout gris, précisa le flic du Tennessee qui communiquait les informations à Lucas. Il a dû l'abattre il y a une quinzaine. Mais il a fait tellement froid que le corps est intact. »

Debout dans la rue à côté de la voiture endommagée, Lucas s'impatienta, n'ayant que faire du chien : « Nous avons besoin d'absolument tout ce qui pourrait nous conduire à ses partenaires. Fouillez la maison, n'importe quel bout de papier, la facture de téléphone, tout nous intéresse.

— On est en train de mettre l'endroit sens dessus dessous, mais quand on a vu la tombe, on a pensé qu'il fallait voir ça de plus près.

— La tombe, on s'en fout. Ce qu'on veut, c'est savoir où il a été et avec qui il se trouvait...

— On vous regarde à la télé, dit le flic d'un ton sec. On sait que vous avez un problème. On va retourner toute la maison. »

Lucas reconnut la camionnette au premier coup d'œil : c'était celle qui avait ralenti au croisement. Il n'en était pas sûr à cent pour cent, mais presque. Ainsi, Butters allait bien chez Small. La personne qui avait téléphoné, qui que ce fût, était au courant. Elle avait sauvé la vie de Sarah, et probablement aussi celle de Jennifer, de Small et du petit garçon.

« Elle appartient à Elmore Darling, lui annoncèrent les flics de Saint Paul quand il arriva à leur hauteur. Les gars du Wisconsin sont partis voir chez lui.

— Bon Dieu ! » s'exclama Lucas. La fille les avait roulés. Ils la tenaient et ils l'avaient laissée partir, et maintenant, ils étaient devant sa camionnette.

Dans laquelle on trouva des reçus d'essence, des cartes routières, des boîtes de soda vides et une douzaine d'empreintes. Les fusils découverts dans la maison, ayant été soigneusement essuyés avec un chiffon à poussière, n'avaient donné que des fragments d'empreintes. Il y en avait quelques-unes de bonne qualité, en revanche, sur un arc, et davantage sur des flèches. Tout était en route pour le laboratoire du FBI.

Les spécialistes de Saint Paul avaient occulté la plaque d'immatriculation de la camionnette, à cause des caméras, et demandé aux médias de ne pas la mentionner. Mais l'information allait inévitablement filtrer, et sans doute assez vite. Si les flics de Dunn County arrivaient à temps chez les Darling, ils les surprendraient peut-être, et quiconque pouvait se trouver avec eux. Lucas dut se retenir pour ne pas foncer dans le Wisconsin et participer à l'expédition. La police locale pouvait très bien s'en sortir sans lui.

Alors qu'il examinait les divers petits bouts de papier trouvés dans la camionnette, tous soigneusement enfermés dans des sachets en plastique scellés, Del s'approcha.

« Comment va Cheryl ?

— Elle a mal. Ils lui ont redonné des sédatifs au moment où je partais. Seigneur, j'ai appris ce qui s'est passé, je n'arrivais pas à le croire.

— C'était intéressant, dit Lucas.

— Qu'est-ce que tu as à la tête ?

— Une coupure. Pas grand-chose.

— Tu saignes comme un porc.

— Mais non... »

Lucas se passa la main dans les cheveux et regarda sa paume : pleine de sang.

« Tu es au courant pour le gars de Saint Paul qui a été touché ? Waxman ? »

Lucas, qui cherchait un endroit où s'essuyer la main, s'arrêta et releva la tête : « Je ne connaissais même pas son nom. Alors ?

— Ils viennent de l'annoncer à la radio : il est mort.

— Oh, merde ! »

Lucas regarda la rue. Les policiers de Saint Paul s'attroupaient. La nouvelle commençait à circuler.

« Ils disent à la radio qu'ils n'ont même pas eu l'occasion de l'emmener au bloc, poursuivit Del. Il respirait à peine quand ils ont franchi la porte de l'hôpital. Il paraît qu'il est mort trente secondes plus tard. »

Roux arriva en compagnie du chef de la police de Saint Paul. Ils trouvèrent Lucas et Del à l'intérieur de la maison, en train de manger des petits beignets à la cannelle. Les armes découvertes dans le placard avaient été soigneusement alignées sur le plancher du salon, en attendant d'être emmenées en ville.

« Mon Dieu, Lucas ! s'exclama Roux, atterrée. Vous êtes blessé !

— Mais non, c'est juste une coupure. » Il se tapota doucement le crâne. La plaie commençait à le démanger et, quand il la toucha, une sensation de brûlure envahit son crâne. Il grimaça. « Ça ne saigne plus... » Il écarta sa main, la regarda : du sang sur les doigts.

« Lucas, je ne vous le demande pas, je vous l'ordonne. Allez vous faire soigner.

— Oui...

— Et tout de suite », ajouta Roux. Puis, regardant les armes : « Ils avaient emporté un véritable arsenal. On a eu de la chance.

— Écoutez, il va falloir que vous parliez aux gars de la patrouille, dit Lucas. LaChaise court dans les rues, à cette heure. Il va certainement chercher à joindre un ami, du côté des anciens motocyclistes, des drogués, quelqu'un comme Dexter Lamb, par exemple. En fait, on devrait planquer devant chez Lamb, ils pourraient fort bien y aller.

— Oui, oui...

— Et il faut demander à nos hommes de secouer un peu les contacts qu'on a dans la rue. Proposer un peu plus d'argent. Ça a marché, la première fois. Si on commence à harceler tous ces paumés et qu'il y a de l'argent à la clé, on va les trouver.

— *On* s'occupe de ça. *Vous* vous occupez de votre blessure. »

Del conduisit Lucas à quelques rues de là, au centre hospitalier Ramsey, où une femme médecin anesthésia la plaie avant de la nettoyer et de poser des points de suture.

« Un souvenir », dit le médecin en tendant à Lucas un bout de métal gris argenté qui ressemblait à un morceau de boule de Noël mais en plus rigide – peut-être un fragment d'antenne de voiture.

« Il va falloir combien de points ? demanda Lucas.

— Douze ou treize, je suppose », répondit-elle en cousant avec application.

Del lisait un numéro vieux de deux ans de *Golf Digest* en levant les yeux de temps en temps pour voir si tout se passait bien. Ayant terminé, le médecin dit : « Et voilà », jeta la gaze et le tampon imprégné d'antiseptique dans une corbeille métallique, marqua une pause et demanda : « Pourquoi riiez-vous après avoir tué cet homme ?

— Comment ? » Lucas n'avait pas compris la question. Del baissa son magazine et regarda le médecin.

« Je l'ai vu à la télévision. Vous étiez debout, là, devant son corps, en train de rire.

— Je ne crois pas, dit Lucas, essayant de se souvenir.

— Je l'ai *vu* ! rétorqua-t-elle sèchement. J'ai trouvé ça vraiment… dégoûtant, après ce qui venait de se produire. Les journalistes à l'antenne aussi, ils ont dit que c'était choquant.

— Je ne vois pas… » Lucas secoua la tête, porta la main à son crâne, qui lui parut mort, puis la laissa retomber. « C'est-à-dire, je vous crois, mais je ne me souviens pas d'avoir ri de quoi que ce soit. Bon sang, nous venions juste de transporter un policier blessé dans une voiture.

— Il est mort depuis, précisa Del en posant sa revue.

— Et je n'ai tué personne », dit Lucas. Il sauta à bas de la table d'examen et se planta devant le médecin, qui persista :

« Ce n'est pas ce qu'ils disent à la télévision. » Elle regarda Del et arracha ses gants chirurgicaux d'un geste sec.

« Ne croyez pas tout ce que vous voyez au cinéma, dit Lucas.

— Ce n'était pas du cinéma, c'était un enregistrement vidéo, et je l'ai vu.

155

— La seule différence entre les films et le journal télévisé, dit Del, c'est que les films ne prétendent pas être autre chose que de la fiction.

— Oh ! arrêtez vos conneries.

— Si vous opérez un patient d'un cancer et que ce patient vient à mourir, puis qu'en sortant du bloc vous rencontrez un ami et lui adressez un sourire… si à ce moment précis quelqu'un vous prend en photo, est-ce que cela reflétera vos sentiments concernant la mort du patient ? »

Elle le considéra quelques secondes et admit : « Non.

— J'espère bien, dit Lucas. Je ne me souviens pas d'avoir ri, mais je l'ai peut-être fait. En tout cas, cela n'avait rien à voir avec ce qui s'était passé. »

En sortant du bloc, Del demanda d'un air songeur : « Est-ce qu'on serait en train d'avoir des ennuis ?

— Je n'en sais rien. » Ils longèrent un interminable dédale de couloirs jusqu'à l'arrière de l'hôpital, où ils avaient garé la voiture pour éviter les journalistes rassemblés dans le hall d'entrée. « Avec la télévision, on a de plus en plus l'impression d'être tombé au fond d'un piège. »

Anderson appela : il avait obtenu des renseignements auprès de différents enquêteurs. « Les flics de Dunn County sont allés chez les Darling. Ils ont trouvé le mari… euh ! Elmore Darling… abattu dans la cuisine. La femme a disparu. Sa camionnette à lui est là, c'est donc qu'elle se trouve je ne sais où, si elle est toujours en vie.

— Oh, oh ! fit Lucas en secouant la tête. Une vendetta familiale ?

— Difficile de dire ce qui se passe vraiment, intervint Sloan. Ils ont trouvé un reçu daté de la nuit dernière, provenant d'une station-service Amoco de la I-94, à hauteur de Saint Paul. C'est donc qu'il est sorti, probablement pour se rendre dans la planque des autres. Et, ensuite, on le bute chez lui. Il ne fait aucun doute qu'il a été tué sur place, ça a éclaboussé toute la cuisine. Le coup a été tiré de près avec un fusil. »

Lucas répéta l'histoire à Del, qui se gratta le menton : « Ça ne colle pas. »

Lucas reprit le téléphone : « Ils relèvent des empreintes absolument partout, n'est-ce pas ?

— Je suppose. Ils ont amené leur technicien des premières constatations.

— Débrouille-toi pour savoir qui se trouvait exactement dans cette baraque. Si Sandy Darling était là avec le reste de la bande.

— Je vais insister », promit Anderson.

LaChaise, Martin et Sandy retournaient à la maison, munis d'un sac de doughnuts et de deux pintes de lait, quand Stadic les appela pour leur dire de rester à l'écart.

« Merde ! s'exclama LaChaise, abasourdi. Ils nous tiennent, ils ont trouvé la maison.

— Il est peut-être arrivé quelque chose à Ansel, avança Martin. Ils l'ont peut-être repéré quand il rôdait autour de chez Davenport, et ils l'ont suivi après. »

Il gara la camionnette le long du trottoir, sortit une radio de sa poche et l'alluma, tomba sur une station de bon vieux rock et tourna le bouton du sélecteur.

Sandy dévisagea les deux hommes : « Et maintenant, qu'est-ce qu'on fait ?

— J'essaie de réfléchir, dit LaChaise.

— Laissez-moi rentrer chez moi.

— Pas question », aboya Martin, qui ajouta à l'intention de LaChaise : « Faut qu'on disparaisse.

— Pourquoi pas dans la caravane ? On pourrait s'y planquer un moment.

— S'ils ont trouvé la camionnette d'Elmore, ils vont l'arrêter, c'est sûr. Et il va leur parler de la caravane. Il suffira qu'ils insistent un peu pour qu'il leur déballe tout. »

Il tournait toujours le sélecteur de la radio. Finalement, il passa aux ondes courtes, tomba tout de suite sur les informations, mais il n'y avait rien d'intéressant, que du blabla.

« Faisons demi-tour et éloignons-nous de là, décréta enfin LaChaise. Si Stadic dit vrai, on est beaucoup trop près.

— Si Stadic dit vrai, on devrait entendre quelque chose à la radio. »

Martin n'en fit pas moins demi-tour et ils repartirent vers l'ouest, en direction de Minneapolis. Au même moment, un hélicoptère vrombit au-dessus de leurs têtes, survolant la ville en diagonale, droit sur Frogtown.

« Nom de Dieu ! s'exclama Martin. C'est donc vrai ! »

Martin reprit ses recherches sur la radio, en vain.

« Allons à Minneapolis. On verra là-bas.

— Ce n'est peut-être pas Butters qui leur a montré le chemin. Ça pourrait être Elmore. Butters est peut-être encore dans le coin. »

LaChaise sauta sur l'idée : « Tu as raison. C'est donc de ça que vous parliez tous les deux hier soir, dit-il à Sandy. Hein ? De les conduire jusqu'à nous ?

— Pas du tout, mentit-elle.

— Ne te fous pas de ma gueule », grogna-t-il tout en continuant à tripoter la radio. Cette fois, il tomba sur les nouvelles locales :

> *« ... la police couvre entièrement l'est du quartier autour de Dale, avec l'idée qu'un ou plusieurs membres de la bande ont pu quitter la maison en même temps que Butters. Les habitants sont priés de signaler toute présence de piétons inhabituels dans leur rue mais de ne s'approcher de personne. Ces hommes sont armés et manifestement dangereux... »*

« Accouche, s'impatienta LaChaise. Qu'est-ce qui s'est passé ?

— Ils ont Butters, dit Sandy. S'ils savent que c'est lui qui est sorti de la maison, c'est qu'ils le tiennent.

— D'accord, mais vivant ou mort ? »

> *« ... notre reporter Tim Mead, qui se trouve au centre hospitalier Ramsey, nous apprend à l'instant que l'officier de la police de Saint Paul qui a été blessé lors de la fusillade vient de décéder. Nous ignorons encore son nom, et les autorités ont déclaré qu'il ne sera officiellement identifié que lorsque la nouvelle aura été annoncée à un membre de sa famille. En tout cas, notre envoyé au Ramsey confirme la nouvelle : l'officier de police est décédé. Avec Butters, cela porte à deux le nombre de victimes de ce dernier affrontement entre la police des Villes jumelles et le gang LaChaise... »*

LaChaise gémit : « Oh, merde ! Ils ont tué Ansel. Ces putains de salopards ont tué Ansel.

— Faut qu'on se trouve une planque, dit Martin. S'ils sont entrés dans la maison, ils vont relever mes empreintes. Et, quand ils les auront identifiées, ils finiront par remonter jusqu'à cette camionnette. Ça ne nous laisse pas beaucoup de temps. »

La grand-route était glissante avec cette neige, et LaChaise finit par demander à Martin de se garer quelque part.

« D'abord, on doit discuter. On est dans la merde. Et on a perdu nos armes.

— Tu as encore ton Bulldog, j'ai mon 45 et le couteau.

— On a perdu les armes lourdes, rétorqua LaChaise. Mais j'ai toujours l'argent de Harp, ajouta-t-il en palpant sa poche.

— Dick, tu dois oublier ton projet et prendre la fuite, intervint Sandy. Laisse-moi quelque part et j'appellerai les flics. Je leur expliquerai que vous m'aviez kidnappée mais que vous m'avez relâchée. Je leur ferai croire que vous êtes partis vers l'Alaska ou le Yukon, et vous pourrez filer au Mexique.

— Ça ne marchera jamais, dit LaChaise.

— Tout s'est passé en une seule journée, insista Sandy. Maintenant, vous êtes en cavale, sans armes, sans moyen de transport, sans endroit où aller.

— Mais nous avons de l'argent, objecta Martin. Ça va nous permettre d'acheter des armes. Et je viens de penser à un endroit où on pourrait se procurer une voiture, et se planquer. »

Martin les conduisit à la laverie automatique de Harp, à Minneapolis Sud. Elle était vide : trop tôt, trop froid pour songer à laver son linge. Ils garèrent la camionnette devant la porte du garage. Martin sortit un marteau de charpentier de sa boîte à outils, et ils revinrent ensemble vers la façade. La porte d'accès à l'escalier était fermée à clé. LaChaise la maintint pendant que Martin faisait sauter la serrure avec le marteau. C'était une vieille serrure, qui était là pour la forme. Martin la referma derrière eux et le pêne s'enclencha.

« Les serrures sont différentes en haut, expliqua-t-il. Ce qu'il y a de mieux comme modèle. Et la porte est blindée. Mais, si on peut le décider à l'ouvrir, même de quelques centimètres, le seul obstacle, ensuite, sera une petite chaîne de sécurité de merde. »

Martin s'engagea en tête dans l'escalier. Il avait parlé à LaChaise de la pile de cartons sur le palier. Ils les déplacèrent de manière à ménager un étroit passage vers la porte.

« Prêt ? » Martin tenait son 45, LaChaise sortit son Bulldog.

« Essaie », dit LaChaise.

Martin cogna à la porte, appuya sur la sonnette. Cogna derechef.

« Ouvrez, Harp ! cria-t-il. Police de Minneapolis, ouvrez ! »

Silence.

Il recommença. « Ouvrez cette putain de porte, bon sang ! Police de Minneapolis ! »

Ils entendaient leur propre respiration, mais ne perçurent aucune vibration, ni pas, ni heurt ou froissements suggérant qu'il y avait quelqu'un à l'intérieur.

« Il devrait pourtant y être, à cette heure, remarqua Martin.

— Peut-être qu'il ne peut pas nous entendre.

— Il devrait… » Martin colla son oreille à la porte, leva la main pour demander le silence et resta dans cette position pendant une bonne minute. Puis il regarda LaChaise : « Merde, il n'est pas là.

— On ne peut pas rester dans la rue…

— Je sais, je sais. » Martin contempla la porte, secoua la tête. « Pas moyen de franchir ça. Et la porte du garage doit être fermée. On pourrait essayer l'échelle d'incendie.

— Toute la ville va nous voir grimper, objecta LaChaise. Redescends en vitesse et va voir s'il y a du monde à la laverie. »

Martin opina, dévala l'escalier, se battit un instant contre la porte et disparut dehors. Une seconde plus tard, il était de retour. Il appela d'en bas : « Personne. »

LaChaise enfonça un des cartons et en poussa d'autres devant la porte pour dégager un pan de mur.

« Qu'est-ce que tu fabriques ? demanda Martin en gravissant les marches quatre à quatre.

— Ça. » LaChaise donna un grand coup de marteau dans le mur. Un carré de trente centimètres de plâtre sauta, découvrant les lattes de bois de la cloison.

« Seigneur, on dirait de la dynamite, dit Martin en jetant un coup d'œil en bas.

— Personne ne peut nous entendre, le rassura LaChaise. Et comme Harp ne monte jamais par ici, il ne verra rien. » Il continua à donner de grands coups dans le mur. « Tu devrais redescendre et faire le guet. Ça risque de prendre quelques minutes. »

LaChaise perça un trou d'une dizaine de centimètres, en utilisant alternativement la partie contondante du marteau pour pulvériser les matériaux, et la partie fourchue pour dégager les débris. Quand l'ouverture fut assez grande, il passa la main et fit sauter les verrous de la porte. Ils la poussèrent et entrèrent dans un appartement vide.

« Y a personne, fit Martin après un rapide tour d'inspection. Mais

160

sa voiture est en bas, la Continental. Il est peut-être allé faire des courses au coin.

— Ça nous laisse le temps de respirer. Il faut se tenir prêts. On ne doit rien entreprendre avant de le tenir. »

Sandy les avait suivis à l'intérieur. Il devait y avoir quatre petits logements à l'origine, observa-t-elle silencieusement, qu'on avait aménagés en un grand appartement. Un couloir le divisait en deux parties égales. Ce devait être l'ancien corridor du palier.

L'endroit donnait l'impression d'être vide. Plus exactement, abandonné. Elle ouvrit le réfrigérateur : rien, ou presque. Elle retourna dans le couloir, alla dans la chambre à coucher – elle y avait jeté un coup d'œil en entrant, mais là, elle poussa la porte et l'inspecta. Une petite valise de cuir gisait, vide, au pied du lit. Il faisait froid dans l'appartement, remarqua-t-elle. Elle revint au salon, vérifia le thermostat : treize degrés.

« Je crois qu'ils sont partis en voyage, déclara-t-elle.

— Hein ? grogna LaChaise. Pourquoi ?

— Eh bien, il y a des trous dans la penderie, là où ils ont pris toute une brassée de vêtements à la fois. Et puis une valise ouverte, par terre, comme s'ils en avaient finalement choisi une autre sans prendre la peine de remettre la première en place. Enfin, le thermostat est à treize degrés, comme s'ils l'avaient baissé avant de filer.

— Ouais, acquiesça Martin. On dirait bien qu'ils sont partis. »

Il repéra les deux répondeurs côte à côte. « Tiens, tiens ! Je me demande s'il y a un message enregistré. »

Il décrocha l'un d'eux, composa le numéro inscrit sur l'autre. La sonnerie retentit deux fois et une voix d'homme annonça : « Laissez votre message. » Pas intéressant. Il raccrocha et fit l'opération inverse. La voix de Harp résonna : « Nous sommes partis. Retour vers le vingt-six. Je prendrai connaissance des messages tous les jours. »

LaChaise lui demanda de repasser ce message, écouta et le regarda avec un large sourire : « Vingt dieux ! Nous voilà logés. » Il regarda autour de lui : « Cet endroit est dix fois mieux que l'autre. C'est super. Et on a une Continental. Une putain de bagnole de luxe... » Il éclata de rire et donna une grande claque dans le dos de Martin, qui esquissa exceptionnellement un sourire.

Roux et le maire rencontrèrent Lucas dans le bureau du chef, et écoutèrent ce qu'il avait à dire au sujet de l'incident.

« Je n'y ai pas cru avant de voir la bande, expliqua Lucas. Je ne sais absolument pas pourquoi on riait. Nous venions d'échapper à une supercatastrophe et nous sentions soulagés. Je pense que c'est ça. »

Cela semblait une piètre explication.

« Parce que le flic de Saint Paul qui a été tué, ce n'est pas une catastrophe ? demanda le maire.

— On ne savait pas qu'il était mort, à ce moment-là. En revanche, nous avions cru qu'une famille entière allait y passer. Quand Butters a couru vers leur porte et l'a pulvérisée, je me suis dit que nous étions foutus.

— Les gens de la télé se demandent pourquoi il n'y avait pas plus de policiers là-bas. Assez en tout cas pour le cueillir à la sortie.

— Normalement, il y en avait assez. Sinon qu'il nous a vus approcher et qu'il avait un fusil automatique. Et que ça lui était complètement égal de mourir. C'est ce qui a tout changé. Nous avons eu de la chance de ne perdre qu'un homme. Ç'aurait pu être trois ou quatre. S'il avait été entraîné au combat, il aurait attendu que le groupe d'intervention soit entré dans la maison et il les aurait tous ratissés.

— De toute manière, c'est l'affaire de ceux de Saint Paul, dit Roux. Et pour ce qui est du rire de Lucas, je pense pouvoir rétablir la situation.

— Comment ? s'exclama le maire.

— Vous connaissez Richard Small, de TV3 ? Il était sur le lieu de l'embuscade, cette nuit. Il ne voulait pas s'éloigner, et Lucas l'a laissé garder son fusil. Je l'ai eu au bout du fil ce matin. Il est persuadé que Lucas et Del sont ses compagnons de guerre, maintenant. Je vais lui parler du malentendu, lui expliquer pourquoi ils riaient – soulagement, hystérie –, lui dire que tout ça est très injuste, ce genre de boniment. Il est pour ainsi dire le patron de la chaîne. S'il présente un autre point de vue à l'antenne, on peut contourner l'écueil. Et il le fera. Quand je lui ai parlé ce matin, il était encore en train d'éjecter les balles de son flingue et de les remettre en place. »

Le maire regarda Roux, puis Lucas. « Allez-y. Insistez sur l'aspect injuste de l'accusation, et sur le fait qu'il faut rétablir la vérité au sujet de son camarade de combat. »

Puis, s'adressant à Lucas : « Vous, je vous conseille de rester tranquille et de ne pas trop vous montrer.

— Je vais essayer », promit Lucas.

La salle de la Crim avait été transformée en QG de temps de guerre : classeurs et bureaux poussés le long des murs, deux tables accolées pour y étaler une gigantesque carte plastifiée des Villes jumelles. Sherrill était présente, un 357 accroché à sa ceinture.

« Ça va ? lui demanda Lucas.

— Ouais. Tout est organisé pour Mike. J'ai pleuré toutes les larmes de mon corps.

— On en a descendu un.

— Pas celui qui m'intéresse, pas encore, dit-elle en secouant la tête. On a eu celui de Kupicek. Je veux le troisième, celui qu'on ne connaît pas. »

Anderson entra dans la pièce, repéra Lucas et se dirigea vers lui. « J'ai plein de nouveaux éléments, si ça vous intéresse. »

Ils parlèrent pendant une quinzaine de minutes de ce que faisaient les flics du Tennessee, et ceux du Wisconsin, de la mort d'Elmore Darling. « Nous avons d'autres photos de Sandy Darling, on va les faire diffuser. Mais je me demande… je ne sais pas si elle est complice de LaChaise ou si on va retrouver son corps dans un fossé quelque part.

— Elle est avec lui, affirma Sherrill.

— Qu'est-ce qui te le fait croire ? demanda Lucas.

— Rien de particulier. Je le sens, c'est tout. S'ils devaient tuer les Darling, pourquoi le mari seulement ? Je pense qu'elle se tape LaChaise. Ou bien l'autre. Je parierais qu'elle les a aidés à monter le coup du funérarium avec l'autre complice…

— Bonnie et Clyde », suggéra Lucas.

LaChaise, Martin et Sandy étaient cloués devant le téléviseur. Les images venaient d'une rue enneigée, avec une femme vêtue d'un long manteau et d'une toque de fourrure qui parlait dans un micro.

> « … ont emmené en hâte le policier blessé vers l'hôpital le plus proche, mais il est mort quelques secondes après son arrivée. Pendant ce temps, le commissaire Davenport et le lieutenant Selle riaient devant le cadavre du criminel… »

Sa voix poursuivit tandis qu'apparaissait un enregistrement vidéo, pris d'en haut. On y voyait un policier en tenue et un civil, debout devant quelque chose qui ressemblait à une pile de vêtements sur le trottoir. Ce devait être Butters. Et les flics riaient, c'était indiscutable.

« … la police a refusé de communiquer le nom du ou des poli-
ciers qui ont abattu Butters, promettant de le faire après que
LaChaise et sa bande auront été pris, mais personne n'a nié que
le directeur adjoint de la police de Minneapolis, Lucas Daven-
port, a pris part à la fusillade et a lui-même été blessé. Pour
l'instant, a déclaré leur porte-parole, la menace qui pèse sur les
familles des policiers n'autorise pas à divulguer entièrement… »

« Regarde-moi ces ordures », dit LaChaise.

Martin fronça les sourcils quand on repassa les images de Daven-port et Selle en train de rire. Il y avait un truc bizarre. « Ils n'ont pas l'air si contents que ça, dit-il.

— Ils rient ! hurla LaChaise. Ils sont en train de rire ! »

LaChaise se mit à marcher nerveusement devant le téléviseur en frappant dans ses mains, le claquement furieux de ses paumes ouvertes résonnant dans la pièce. Il alla à la fenêtre, regarda la rue à travers le store, tendit l'oreille, revint devant le téléviseur.

« Le flic qui riait, ils ont bien dit que c'était Davenport ? Celui qui est sur notre liste ? »

Comme si elle avait eu l'intention de lui répondre, la journaliste de la télévision déclara :

« Cette succession d'événements a commencé hier soir,
lorsque le commissaire Davenport a placé une équipe de surveil-
lance au domicile de Jennifer Carey, correspondante de TV3, qui
est la mère de sa petite fille et vit désormais avec le vice-prési-
dent de la chaîne, Richard Small… »

Elle poursuivit sur le même ton, concluant par un dernier passage de la bande vidéo où l'on voyait Davenport et Selle rire devant le corps de Butters.

« On va ratatiner ces ordures, brama LaChaise à l'intention de Martin.

— Dick, il faut faire gaffe. Si on veut arriver à un résultat, on ne peut pas y aller équipés au rabais. »

LaChaise arpenta l'appartement d'un air menaçant, balançant des coups de pied dans les murs, avant de se tourner vers Sandy : « Tu pourrais pas te rendre utile, bordel ? Va nous cuire quelque chose. »

Elle se leva sans dire un mot et alla dans la cuisine où elle entre-prit d'ouvrir les placards. Il y avait des conserves, pas grand-chose

164

d'autre. Elle versa le contenu de deux boîtes de ragoût de bœuf dans une casserole qu'elle mit à chauffer, et prépara du café.

« Si on doit rester ici quelque temps, il va falloir faire des provisions », déclara-t-elle en apportant la casserole dans le salon. Les deux hommes regardaient toujours la télévision, vautrés sur le canapé. Pendant qu'ils mangeaient, un journaliste de TV3 prononça l'éloge du policier mort en service. Il fut interrompu au milieu de son discours par le présentateur que l'urgence de son message faisait trembler.

> *« Dans le Wisconsin, les agents du shérif de Dunn County ont investi la maison de la belle-sœur de Dick LaChaise, Sandy Darling, et du mari de celle-ci, Elmore Darling. Selon les premiers rapports, le corps d'Elmore Darling a été retrouvé dans la cuisine, abattu d'un coup de fusil. Sa femme, Sandy, a disparu. »*

Une photo de Sandy, datant de cinq ans, emplit l'écran et Sandy hurla : « Elmore ! »

LaChaise sourit méchamment en pointant l'index : « Tu as pris quelques kilos, dis donc. »

Elle se couvrit le visage des deux mains : « Ils ont tué Elmore. » Regardant Martin, puis LaChaise, elle reprit : « Mon Dieu, ils disent qu'Elmore est mort. Ils ont tué Elmore. Il est mort.

— C'est peut-être du pipeau, dit Martin d'une voix neutre, presque absente. Peut-être qu'ils l'ont mis en taule. Ils ne veulent pas que ça se sache.

— Je crois pas », dit LaChaise. Le présentateur continuait à parler. Martin admit : « Ouais, t'as sans doute raison.

— Oh, non, non ! cria Sandy, les yeux fixés sur l'écran.

— Tu ne l'aimais pas vraiment, de toute manière, ajouta LaChaise.

— Mais je ne voulais pas qu'il meure, il ne devait pas mourir. » Des larmes coulaient le long de ses joues. LaChaise haussa les épaules.

« Il y a parfois des accidents.

— Je me demande si ce sont les flics qui l'ont tué… », hasarda Martin d'une voix détachée : il n'éprouvait aucune émotion, juste de la curiosité.

LaChaise réfléchit une minute. « Forcément. Qui ce serait, sinon ? »

Il regarda Sandy qui se détourna de la télévision et s'effondra dans un fauteuil. « Personne n'avait de raison de tuer Elmore. » Un instant plus tard, elle ajouta : « Qui a bien pu faire ça ? »

Stadic avançait dans le couloir menant à son appartement, traumatisé, l'esprit tournant à trois cents à l'heure. Il cherchait ses clés quand son portable grelotta. Il le sortit de sa poche : « Allô ? »

Sans préambule, LaChaise attaqua : « Qu'est-ce qui est arrivé à Butters ? Et à Elmore ?

— Seigneur ! Où êtes-vous ? demanda Stadic à voix basse. Vous êtes au courant ?

— On est chez un copain. On a tout vu à la télé. Qui a tué Butters ?

— Davenport, bien sûr. Je vous ai dit…

— On s'en doutait. Et pour Elmore ?

— Aucune idée. Quand je l'ai appris, j'ai pensé que c'était vous.

— Ce n'est pas nous. » LaChaise fit la moue. « Peut-être les flics du Wisconsin.

— Ou ceux du Michigan, suggéra Stadic. Il y en a deux ou trois qui battent la campagne là-bas. Ils sont furax après vous : vous avez tranché la gorge de ce mec, Sand.

— Ouais, eh bien ! voilà ce que ça rapporte de travailler dans cette foutue prison, dit LaChaise. Essayez de savoir qui a tué Elmore.

— D'accord. Mais, écoutez, les femmes des flics, à l'hôtel… J'ai entendu dire qu'elles avaient des fourmis dans les jambes. Elles veulent partir. La copine de Davenport va retourner à l'hôpital universitaire du Minnesota.

— Comment s'appelle-t-elle ? Elle ne figure pas sur les listes d'assurés.

— Parce qu'ils ne sont pas mariés. Vous ne m'aviez pas dit ce que vous vouliez faire avec ça. Elle s'appelle Weather Karkinnen. Elle est chirurgien là-bas.

— Qui d'autre ? Qui va quitter l'hôtel ?

— Jennifer Carey, la journaliste de TV3. C'est la mère de la fille de Davenport… Elle va retourner travailler mais il y aura une garde rapprochée autour d'elle, et la chaîne a des portes verrouillées et tout un système de sécurité. Ça va être dur d'arriver jusqu'à elle.

— D'accord. Trouvez-nous la réponse pour Elmore, si c'est possible. »

LaChaise raccrocha, refit la moue, plongé dans ses réflexions. Un instant plus tard, Sandy demanda : « Alors ?

— Davenport a tué Butters… et les femmes en ont marre d'être bouclées. Elles vont peut-être reprendre leur travail.

— Ça va être bourré d'agents de sécurité partout, dit Martin. Écoute, je te propose un truc : on prend la tire de Harp et on va acheter

166

de la bouffe dans un supermarché. Et puis, il faudrait peut-être abandonner la camionnette quelque part. Ça me rend malade, mais ce serait mieux. »

Recroquevillée au fond du fauteuil, Sandy n'écoutait pas.

Elmore était mort.

Elle se sentait affreusement coupable.

13

Allongée sur son lit d'hôtel, Weather Karkinnen pestait : la télévision montrait des informations en boucle. Les présentateurs avançaient la tête vers la caméra avec toujours le même air d'annoncer la fin du monde, mais ils n'avaient rien de nouveau à dire. Weather consulta sa montre : quatorze heures.

Lucas avait promis de passer vers midi, après quoi il avait appelé pour annuler. Il lui avait parlé de l'épisode du rire, qu'elle n'avait pas encore vu au moment de son appel, mais qu'elle vit par la suite. Les chaînes locales le repassaient environ toutes les vingt minutes et il avait été repris par le réseau national d'informations.

Lucas lui avait expliqué que c'était purement hystérique, ou de cet ordre. Elle l'avait à moitié cru. Elle vivait avec lui depuis assez longtemps pour deviner le plaisir que lui procurait l'affrontement, et plus l'affrontement était meurtrier, plus il aimait ça. Le goût de la mort, peut-être. Parfois, quand il parlait du monde dans lequel il vivait, elle avait du mal à croire que c'était le même que le sien. Ils traversaient la ville en voiture, et elle voyait de belles maisons, de charmants jardins, des enfants à bicyclette. Il voyait des putes, des drogués, des pédophiles et des voleurs de chats à la retraite.

Au début, elle avait trouvé cela intéressant. Un peu plus tard, elle s'était demandé comment il pouvait supporter ça, cette puanteur que dégageaient en permanence les pervers, les malades mentaux, les désaxés. Et, beaucoup plus tard, elle avait compris que c'était ce qu'il recherchait…

Elle consulta de nouveau sa montre : quatorze heures trois. Et merde. Elle ne pouvait plus rester là à ne rien faire. Ce LaChaise était peut-être un affreux criminel, mais il ne disposait quand même pas d'un réseau de renseignement suffisant pour savoir où elle se trouvait – à supposer qu'il connût son existence, ce dont elle doutait.

Et, quand bien même saurait-il où la trouver, une fois qu'elle serait mêlée à la foule, elle ne serait plus qu'une femme au milieu d'un million et demi de ses semblables, pareillement vêtues d'épais manteaux, le visage protégé par une écharpe. Dès lors, personne ne saurait la retrouver, pas même le FBI ni la police de Minneapolis, personne. À plus forte raison un tueur sorti des bois.

« Très bien », dit-elle. Dernier coup d'œil à sa montre. Elle avait dû déplacer une intervention programmée pour le matin même, mais elle avait encore le temps d'être là pour la réunion du personnel hospitalier à seize heures. Et elle pouvait être prête pour le lendemain. L'intervention du matin n'était pas importante – il s'agissait juste d'enlever un peu de tissu cancéreux et de faire une petite greffe de peau – mais ça la remettrait en train.

Elle venait d'enfiler son chandail et vérifiait combien il restait d'argent dans son sac, quand on frappa à la porte. Elle ouvrit et reconnut aussitôt la blonde qui se tenait dans le couloir, accompagnée d'une petite fille.

La blonde sourit. « Bonjour ! Je suis Jennifer Carey.

— Je sais qui vous êtes, dit Weather en lui rendant son sourire. Lucas m'a parlé de vous. Entrez. Bonjour, Sarah ! »

Sarah et Weather se connaissaient bien.

Jennifer était une grande femme mince, adepte de surf et diplômée d'économie et de journalisme. Elle remarqua le chandail de Weather. « Vous alliez partir ?

— Absolument. Je ne supporte plus de rester enfermée ici. Ça me rend folle.

— Je peux vous emmener, si vous voulez. À moins que vous n'ayez une voiture.

— C'est Lucas qui m'a accompagnée. Je serais ravie de profiter de la vôtre. J'ai cru comprendre que vous aviez du travail à faire.

— Oui. La femme de Sloan est ici, elle s'occupe de Sarah pour moi. Mais il n'y a aucune raison de laisser Lucas s'amuser tout seul, à poursuivre tout le monde l'arme au poing.

— Papa a tué un homme », dit Sarah d'un ton solennel, en regardant Weather.

Assise sur le lit, Weather avait les yeux au niveau de ceux de Sarah.

« Je ne crois pas, mon chou. Je lui ai parlé il y a un peu plus de deux heures. Il a dit que c'était un autre policier qui avait tiré.

— Mais à la télévision, ils disent que c'est lui. » Les grands yeux de Sarah étaient du même bleu que ceux de son père.

« Eh bien, je pense qu'ils se sont trompés sur ce point. »

Jennifer traversa la pièce d'un air pensif et alla s'asseoir sur le fauteuil du bureau. « Je crois savoir que vous allez vous marier, Lucas et vous. Bientôt.

— C'est au programme.

— Bonne chance, dit Jennifer, qui regardait la rue en contrebas. J'ai… enfin, nous y avons pensé, il y a plusieurs années. Je ne crois pas que ça aurait marché, remarquez. J'espère que ça marchera pour vous deux. C'est un type bien, malgré ses airs machos, et j'aimerais le voir heureux.

— C'est intéressant. Vous croyez que ça pourrait poser un problème ? Être heureux ? »

Jennifer secoua la tête et se retourna vers Weather. « Il a quelque chose de tragique, le pessimisme des catholiques. Et puis, son job… Je me demande comment il peut le supporter. Je sais très bien ce qu'il fait, puisque je l'ai couvert pour la télé, mais j'ai pris du recul. Voyez-vous, je rencontre tout le temps des journalistes très investis dans leur boulot, mais ils le sont beaucoup moins que lui. »

Weather opina et s'approcha à son tour de la fenêtre. Le ciel avait cet aspect menaçant des froides journées du milieu de l'hiver avant l'orage.

« Je vois très bien ce que vous voulez dire. J'y pensais justement, allongée sur le lit. Je le sens en lui. Je le sens également chez Del, c'est presque aussi fort. C'est vrai pour Sloan, mais pour Sloan, c'est avant tout un job. Tandis que, pour Lucas, on sent que c'est… sa vie.

— C'est ce truc catholique, reprit Jennifer. Parfois, ça me fait peur. C'est un peu comme si, quand il affronte un monstre, il ne pouvait résoudre le problème qu'en devenant un monstre encore pire… et une fois qu'il a gagné, il redevient le gentil Lucas. » Elle rougit soudain. « Mon Dieu, je ne devrais pas dire ce genre de choses à sa fiancée. Excusez-moi.

— Non, je vous en prie. Ça m'est très utile. J'essaie encore de comprendre dans quoi je m'engage au juste. » Regardant Sarah : « J'aimerais bien avoir un enfant avant qu'il ne soit trop tard… un enfant exactement comme elle.

— Plus tard, je serai journaliste à la télé, dit Sarah.

170

— Il n'en est pas question. Tu ferais mieux d'être chirurgien, comme le docteur Karkinnen.

— Vous avez couvert le hold-up de la banque, quand les deux femmes ont été tuées ? demanda Weather à Jennifer.

— Non, mais j'ai parlé à des collègues qui y étaient. En général, je traite plutôt des sujets de fond. Pour l'instant, nous préparons un reportage sur les unités de renseignement de la police.

— Qu'en pensez-vous ? Il y a des gens qui affirment que c'était une exécution.

— Non, pas du tout. Je suis convaincue que personne n'a poussé ces filles à faire ça. Mais vous connaissez Lucas… Il a tendance à arranger les situations pour qu'elles aillent à la rencontre de ses intérêts. » Elle s'interrompit une fois de plus. « Mon Dieu, je dois donner l'impression de… je ne sais pas, comme si je voulais l'enfoncer.

— Ne vous inquiétez pas, je vois très bien ce que vous voulez dire. » Weather prit son manteau, son chapeau et ses gants, et sourit à Jennifer : « Bon, vous êtes prête à vous enfuir ? »

Lucas se mit dans une colère noire en apprenant que Weather avait quitté l'hôtel, et que c'était Jennifer qui l'avait emmenée.

Il essaya de l'appeler à l'université, mais on lui répondit que Weather était en réunion et qu'elle ne pouvait être dérangée. Il joignit Jennifer à TV3 et lui passa un savon. Elle lui raccrocha au nez. Il rappela, l'eut de nouveau et s'enquit de Sarah.

« Elle est avec la femme de Sloan, lui répondit Jennifer. Elle va très bien. Elle regarde la télévision en mangeant de la pizza.

— Écoute-moi bien : je veux que Weather retourne dans ce putain d'hôtel…

— Mais, Lucas ! Elle ne t'appartient pas. Si tu l'appelles en ayant cette attitude, elle va te répondre la même chose que moi. Va te faire foutre. Fiche-moi la paix. »

Et elle raccrocha.

LaChaise dit : « C'est clair. Ils vont relever vos empreintes dans la maison. Après quoi, ils diffuseront nos trois portraits. Nous devons partir avant que ça n'arrive.

— Ils n'ont aucune photo récente de moi, dit Martin. Mais peut-être qu'on pourrait changer d'aspect…

— Et comment ? »

Martin haussa les épaules.

— Je ne sais pas, moi. Regarde ta barbe, par exemple. Ils vont la montrer sur l'écran. Si tu la coupais, et que tu te teignais les cheveux en gris… Merde, on va avoir l'air vachement vieux avec des cheveux gris. »

LaChaise se tourna vers la chambre. Sandy faisait les lits en chantonnant. Pas très gaie, la chanson. Plutôt une complainte pour elle-même, comme si elle perdait un peu la tête.

« Sandy pourrait s'en charger.

— Je pense que ce serait bien, insista Martin. Comme ça, on pourrait sortir et faire un tour.

— Eh bien, allons-y, acquiesça LaChaise. Je veux repartir à l'attaque. Trouver cette Weather. Et Davenport. Et les autres flics. Faisons la chasse aux flics. »

Sandy accepta de leur teindre les cheveux. Il y avait en elle quelque chose d'éteint qui énervait LaChaise : « Qu'est-ce que tu as ?

— Quand tout a commencé, Elmore m'a dit qu'avant deux ou trois jours nous serions tous morts. Il voulait aller trouver les flics, et je l'en ai empêché. »

Martin et LaChaise échangèrent un regard. « Pourquoi ? demanda LaChaise. Pourquoi tu l'en as empêché ?

— Parce que je croyais encore pouvoir arranger les choses. Vous sortir de là. Leur faire croire que je n'avais rien à voir avec tout ça. Et maintenant, ils passent mon portrait à la télé, et bientôt, ils en feront autant avec Martin. Elmore avait raison, mais il est mort, et Butters aussi. Il ne s'est même pas écoulé vingt-quatre heures. Si Elmore ne s'est pas trompé, il nous reste tout au plus deux jours. Ensuite, on sera morts tous les trois. Tu as envie de mourir ? » demanda-t-elle à LaChaise.

C'est Martin qui répondit : « Pas question. »

LaChaise garda le silence un instant, puis il pointa l'index sur elle : « Je ne veux plus entendre ce genre de conneries. Tu vas aller chercher la teinture avec Martin.

— Ma photo…

— Tu ne ressembles pas du tout à cette photo. Personne ne te reconnaîtra. Il nous faut un bon produit.

— Je vais devoir m'arrêter dans un endroit ou deux, dit Martin. Ils vont avoir ma photo dès que les empreintes seront identifiées, mais, si je me dépêche, je pourrai contacter quelques potes pour avoir des armes convenables... des copains avec qui j'ai fait des concours. Et puis il faudrait abandonner la camionnette au plus vite.

— Ça, on peut le faire cette nuit, dit LaChaise. Prends la Continental et mets la camionnette dans le garage en attendant. » Il tapa dans ses mains. « Essaie de ramasser un ou deux fusils automatiques, si tu peux... » Il plongea la main dans sa poche, en sortit l'argent que Butters avait pris à Harp. « Deux mille, ça ira ?

— Quatre, ce serait mieux.

— Appelle-moi avant de parler à qui que ce soit. Je vais rester devant la télé pour voir si ton portrait est diffusé. Et je vais essayer de joindre Stadic. Il aura peut-être du nouveau. »

Ils allèrent dans un drugstore Snyder, Martin ne la lâchait pas d'une semelle. Sandy était décidée à s'échapper à la première occasion. Mais Martin devait s'y attendre, pensa-t-elle. Ils parcoururent le magasin, choisirent un décolorant et une teinture. Martin palpa une grosse trousse de secours d'urgence, hésita, la prit sur l'étagère. « Il va bientôt falloir changer le pansement de Dick », dit-il à voix basse.

À quelques pas de la caisse, il heurta un présentoir de barres de céréales vitaminées qu'il fit pivoter : il en avait toujours eu à portée de main. Pendant qu'il examinait les variétés, Sandy repéra une cabine téléphonique près du comptoir de la pharmacie.

« Tu as vingt-cinq cents ? Je vais appeler Dick.

— Ouais », répondit Martin, l'esprit ailleurs. Il fouilla dans sa poche, lui tendit une pièce. Elle alla au téléphone, inséra la pièce, composa le numéro. LaChaise répondit.

« Il y a du nouveau ? demanda-t-elle.

— Rien. Toujours les mêmes conneries. Je vais dormir un peu. »

Elle raccrocha et vit le message en bas de l'appareil : « 911 – gratuit. » Un coup d'œil à Martin : il venait de se joindre à la file d'attente de la caisse et lui tournait le dos. Elle décrocha, se mordit la lèvre, composa le 911.

Une femme répondit aussitôt.

« C'est une urgence ?

— Oui. Je dois parler à l'inspecteur Davenport.

— Je suis désolée, mais ici...

— Je vous en supplie, par pitié, il faut que je lui parle, ou ils vont me tuer...

— Êtes-vous directement menacée ?

— Non... oui. Je ne sais pas.

— Attendez un instant, je vous prie. »

Lucas se reposait dans son bureau, allongé sur un matelas gonflable en plastique. Le matelas était inconfortable, froid au contact, mais la pièce était calme, plongée dans l'obscurité, et il s'était assoupi pendant une heure et demie. Il fut réveillé par la sonnerie du téléphone.

« Lucas, on a un appel sur le 911. La femme veut vous parler mais elle n'est pas sûre d'être en danger. Elle appelle d'un Snyder du sud de la ville. Pour l'instant, on n'envoie personne.

— Okay, dit Lucas, pas tout à fait réveillé. Passez-la-moi.

— Vous voulez qu'on reste en ligne ?

— Bien sûr... sauf si je dis quelque chose. »

Il y eut un déclic et la voix de la standardiste : « Allez-y, madame. Le commissaire Davenport est en ligne.

— Allô ? dit Lucas.

— C'est l'inspecteur Davenport ? »

Une voix féminine, hésitante, vaguement familière. Il se redressa. Était-ce... ?

« Oui. Qui est à l'appareil ?

— Sandy Darling. Je suis avec Bill Martin. Ils vont me tuer. »

Nom de Dieu, songea Lucas. Il invoqua le ciel : pourvu qu'ils aient déjà envoyé une voiture.

« Si vous restez où vous êtes, il ne vous arrivera rien.

— Non, non, Martin ne me quitte pas des yeux. Il faut que je parle à quelqu'un. Il faut que j'essaie de m'échapper. »

Elle chuchotait, la gorge serrée : ce n'était pas une blague.

« Ils vont aller chercher d'autres armes, poursuivit-elle. Ils vont tuer tous ceux qui s'approchent d'eux. Il y a un flic qui marche avec eux. L'un de vous.

— Qui est-ce ?

— Je dois y aller...

— Restez où vous êtes.

— Vous pouvez me trouver un avocat ? Je n'ai rien fait. Ils m'ont juste emmenée...

— Absolument, dit Lucas, sans problème. On va venir vous

174

chercher, vous donner tout le soutien juridique, toute la protection dont vous avez besoin. Mais ne bougez pas d'où vous êtes... »

Sandy avait peur de se retourner, de se trouver face à Martin avec son couteau. « Je ne peux pas. Faut que j'y aille. Sortez-moi de là.

— Rappelez. Rappelez-nous. Vous n'avez même pas besoin de parler. Composez le numéro, laissez le téléphone décroché, ou bien dites simplement "Sandy", et on viendra vous chercher...

— Faut que j'y aille... »

Plus personne.

« Allô ? Allô ? »

La standardiste intervint : « Elle a raccroché, Lucas. J'ai trois voitures en route, nous les avons lancées dès qu'on a entendu son nom, mais elles sont encore à trois ou quatre minutes du but.

— Merde, ah, merde ! Écoutez bien : prévenez les gars que nous avons trouvé des armes automatiques sur Butters ce matin. S'ils ne sont pas au courant.

— Ils le savent.

— Notez tous les éléments que vous pouvez, au cas où on engagerait une poursuite. Il y a combien de gens au courant, dans votre bureau ?

— Juste deux.

— Que ça reste comme ça. Si on n'arrive pas à la récupérer et que le bruit se répand, elle est foutue.

— Pigé. Vous allez parler à la patronne... au sujet du flic complice ?

— Oui. Je vais lui dire. »

Lucas raccrocha, contourna son bureau en hâte, atteignit la porte qui, s'ouvrant au même instant, faillit le heurter. Anderson s'exclama : « Woup !

— Je suis à la bourre, dit Lucas.

— Donne-moi un dixième de seconde. Tu connais un dénommé Buster Brown ? Comme les chaussures ?

— Buster ? demanda Lucas en réfléchissant. Ah, oui ! je me souviens.

— Il essaie de te joindre. Paraît que c'est urgent. Une question de vie ou de mort concernant LaChaise. » Il tendit à Lucas un papier avec un numéro. « Il dit que tu peux le trouver là.

— Bon, d'accord. » Lucas retourna à son bureau, décrocha le téléphone, appuya en hâte sur les touches tout en parlant à Anderson : « On a du nouveau, c'est grave. Va voir Lester, dis-lui de me retrouver chez Roux. Tout de suite… Oh ! par hasard, t'aurais pas un chewing-gum ? J'ai la bouche comme du carton.

— Non, mais Lester a du dentifrice dans son tiroir.

— J'arrive. » On décrocha à la première sonnerie. « Allô, Buster ? C'est Lucas… »

Reginald Brown était un habitué du scanner, diabétique au dernier degré, aveugle, amputé deux fois. Il pouvait être vraiment pénible mais, quelquefois, il donnait des tuyaux précieux. Il reconnaissait la plupart des dealers de la ville au ton de leur voix, sur leur portable.

« Mec, je crois que j'ai quelque chose pour toi, dit Buster.

— Qu'est-ce qui se passe ?

— J'ai entendu des gars parler de toi à l'instant, il y a juste une minute. Je crois que c'est le dénommé LaChaise. J'ai enregistré la moitié de la conversation.

— Passe-la-moi.

— Sûr. Écoute bien. »

« … faut que je sache où est cette Weather, et essayez de me trouver le numéro de chambre de la femme Capslock. On veut savoir où travaille Davenport, ainsi que Capslock, Sherrill, Sloan, Franklin et Kupicek. Vous connaissez la liste. »

Un long silence.

« Ça m'a l'air d'un bobard. Vous avez intérêt à me dire la vérité, ou votre nom va se retrouver sur la liste avec les autres, enfoiré… Hé, vous écoutez ce que je vous dis ? Non, pas vous. Vous avez trouvé quelque chose pour Elmore ? »

Un autre silence.

« C'est ce qu'on pensait. On s'occupera d'eux quand on aura terminé ici… Maintenant, écoutez-moi bien, on a besoin de ce matos, et on en a besoin maintenant. On vous rappelle dans… deux heures. Deux heures, pigé ? »

Silence.

« Je ne sais pas. Et ne vous inquiétez pas pour nous, on vous rappellera. Vous pourriez être en train de faire une connerie. Si ça vous traverse l'esprit, réfléchissez-y à deux fois… »

Silence.

« Ouais, ouais, dans deux heures. »

Lucas demanda à Buster de lui repasser l'enregistrement.

« Je connaissais ces noms, dit celui-ci quand ce fut terminé.

— C'était sur un portable.

— Oui, de mon côté en tout cas. De l'autre, je ne sais pas.

— Parfait. Tu as entendu autre chose, avant d'enregistrer ?

— Ben, oui. Un truc comme quoi ta petite amie n'était pas sur la liste d'assurances.

— Quoi ?

— C'est ce qu'ils ont dit.

— Je t'envoie une voiture de patrouille. Ils vont te ramener ici. Il faut que je te parle en face. Et apporte la bande. Elle vaut une journée de solde.

— J'espère bien, chef », dit Buster.

Lucas raccrocha, réfléchit un moment.

C'était forcément un flic. Ou un fonctionnaire. S'ils avaient tiré leurs renseignements de listes d'assurances, c'est qu'ils avaient accès au système informatique interne. Et l'histoire des assurances tenait la route : ça expliquait comment ils étaient renseignés sur les épouses, ce qui était mystérieux jusque-là.

Il redécrocha et appela Roux.

« Il paraît que vous arrivez chez moi. Des bonnes nouvelles ?

— Pas précisément. Vous auriez intérêt à convoquer le maire. »

Il rappela le standard : « Qu'est-ce qui s'est passé ?

— Deux voitures sont arrivées au Snyder. Plus personne, mais les gens se souviennent d'elle. Ils les ont ratés d'un cheveu.

— Quelqu'un a vu leur voiture ?

— Non. On vient juste d'arriver, les gars se renseignent... »

Martin et Sandy remontèrent dans la Continental et Martin demanda : « Qu'est-ce que Dick racontait ?

— Il n'a rien vu à la télé. Il dit qu'il va dormir un peu.

— Ça fatigue, d'avoir une balle dans la peau », déclara Martin en engageant la voiture dans la rue.

Le maire était appuyé au rebord de la fenêtre, les poings serrés dans les poches de sa veste de tweed, tête baissée. Lester, affalé dans un fauteuil, avait presque l'air de dormir. Roux tournait sans arrêt dans son siège pivotant, ne quittant pas Lucas des yeux.

« Quelqu'un d'autre est au courant ? demanda le maire.

— Seulement Anderson. Je lui ai tout raconté et je lui ai demandé de vérifier les ordinateurs, pour voir si quelqu'un avait tripoté les dossiers d'assurances. Et il va faire une recherche sur le nom du fameux Bill Martin.

— Il faut absolument garder le silence sur cette histoire de liste d'assurances, dit le maire en agitant l'index vers Roux et Lucas. On doit trouver ce type, s'il existe, et le coincer avant que quiconque soit au courant.

— Mon Dieu, je n'arrive pas à le croire ! s'exclama Roux. C'est peut-être un bobard.

— Je n'en ai pas le sentiment, dit Lucas. Nous avons un premier témoin qui dit avoir vu un flic. Puis Sandy Darling appelle, et elle parle aussi d'un flic. »

Roux enfonça les touches de son téléphone. « Ici, Roux. Du nouveau ? » Elle écouta quelques secondes et s'exclama : « Zut ! S'il se passe quelque chose, rappelez-moi. »

Elle raccrocha. « Rien de neuf au Snyder. On envoie des gens relever les empreintes sur le téléphone, pour être sûrs que c'est bien elle. Je n'arrive pas à imaginer que… »

On frappa à la porte. Anderson passa la tête et risqua : « Lucas a dit que si je trouvais quoi que ce soit…

— Bien sûr, entre. Qu'est-ce que tu apportes ?

— Deux choses. Vous voulez commencer par les bonnes nouvelles ou les mauvaises ?

— Les bonnes, dit le maire. On n'en a pas eu tellement, jusqu'ici.

— Nous avons rapproché Bill Martin, orthographe ordinaire, de Dick LaChaise, des Seeds, du Wisconsin et du Michigan. On l'a touché plein de fois, il est très proche du gang. Il vend des armes, soit dit en passant. Nous envoyons toutes les empreintes relevées dans la maison au FBI, ils vont faire la recherche. On saura dans dix minutes si ça colle.

— Excellent, dit Lucas, ajoutant à l'intention du maire : ça nous donnera le troisième.

— Et ça prouvera qu'on parlait bien à Sandy Darling, souligna Anderson. Pas à une mythomane.

— Les mauvaises nouvelles, maintenant », dit Lucas.

Anderson feuilleta nerveusement la demi-douzaine de feuilles qu'il tenait à la main. « Quand est-ce que votre témoin a vu le flic avec LaChaise ? À la laverie automatique ?

— Ça doit être… hier ? Hier matin tôt.

— Oh, mon Dieu. » Il fouilla un peu plus dans sa liasse, les lèvres en mouvement. « Hier, quelqu'un est entré dans les dossiers d'assurance de tous tes policiers.

— Qui était-ce ? demanda Roux.

— On l'ignore. Ils ont été ouverts et imprimés sur l'ordinateur du service du personnel à six heures du matin.

— À en croire O'Donald, le type qu'elle a vu à la laverie était un flic de terrain, pas quelqu'un du personnel, précisa Lucas.

— Nous avons donc affaire à un flic qui a un contact au personnel, avança Roux.

— Dans ce genre d'histoire, dit Lucas en secouant la tête, on peut avoir un coupable, mais pas deux. À moins que… est-ce qu'il y aurait une des employées du service du personnel qui serait mariée à un flic ?

— Je peux trouver ça, répondit Anderson en haussant les épaules.

— Faites-le donc, demanda Roux, l'air sombre.

— Eh bien… » Anderson avait l'air d'hésiter.

« Qu'est-ce qu'il y a ? demanda Lucas.

— On a souvent fait des incursions au personnel. Vous le savez. Pas mal de gars veulent consulter leurs dossiers, vérifier les résultats des tests ou les salaires. Il y a un certain nombre de gens d'ici qui y sont allés, et qui doivent s'y connaître suffisamment en informatique pour sortir des dossiers d'assurances.

— Mais si tu réfléchis, ce "certain nombre" ne doit pas être si élevé que ça, dit Lucas. Alors, fais une liste. On montrera les photos à O'Donald.

— S'il y a un flic dans le coup avec eux, gémit Roux, ça va nous faire un tort considérable.

— Pourquoi un flic irait-il s'associer avec LaChaise ? s'étonna le maire. LaChaise est un type sans avenir.

— Chantage », suggéra Lucas. Puis, regardant Anderson : « Quand tu vas faire les recoupements sur l'ordinateur, on va réfléchir à ceux qui ont une réputation limite. Quelqu'un à qui LaChaise aurait de bonnes raisons de s'adresser.

— Si c'est un flic, il est mort », le coupa Roux.

Le maire s'écarta du rebord de la fenêtre : « Je ne veux pas entendre ça.

— Je ne veux même pas y penser. Mais si quelqu'un en a l'occasion, il le descendra, j'en suis sûre. »

Le chef du service de chirurgie prit Weather à part et lui demanda : « Ça va aller ?

— Évidemment. Allons, même ma propre secrétaire ne sait pas où je suis. Ce n'est pas un bouseux armé d'un fusil qui va m'attraper. Ne vous inquiétez pas, Loren, ajouta-t-elle avec un grand sourire. Si je pensais qu'il y avait réellement un risque, je ne serais pas ici. »

14

Lucas trouva Weather en compagnie d'une autre femme au laboratoire du treizième étage. Elles examinaient des greffes de peau pratiquées sur un rat blanc. Weather eut un mouvement de surprise en le voyant passer la tête par la porte. « Il faut qu'on parle », dit-il d'un ton bourru.

L'autre femme regarda Weather comme si elle avait lieu de se sentir insultée. Mais Weather opina : « Bien sûr. » Quand ils furent dans le couloir, elle demanda : « Tu vas exploser de colère ou quoi ? Le pourtour de tes yeux est tout blanc.

— Ne plaisante pas là-dessus, dit-il d'une voix soudain rauque. Nous avons un enregistrement de conversation téléphonique. Ils parlaient de toi.

— De moi ?

— Oui. Ils veulent ta peau parce qu'on vit ensemble. Je me crève à courir après ces salauds, et voilà que je dois perdre une demi-heure à te chercher parce que tu t'es enfuie on ne sait où...

— Hé ! coupa-t-elle sèchement. Je ne me suis pas enfuie, je suis allée à l'hôpital où je travaille.

— Après avoir prévenu tout le monde que tu ne tenais pas à me parler, si bien qu'après avoir intercepté cette conversation j'ai dû laisser tomber l'investigation pour te retrouver.

— Je ne t'ai pas demandé de le faire. »

Il se tut un instant et reprit : « Écoute deux secondes. À ton avis, qu'est-ce que ça va donner, si un de ces cinglés se pointe ici avec un fusil automatique ? À ton avis, ils vont demander à te voir, et prendre un numéro dans la file d'attente ? Ou tu penses qu'avant de demander où tu es, ils vont juste descendre un ou deux de tes copains pour montrer qu'ils ne plaisantent pas ? Tu ne risques pas seulement ta propre vie, tu risques aussi celle des autres. Il y a déjà eu six morts dans cette affaire.

— Huit, corrigea-t-elle. Tu oublies les deux femmes à la banque. »

Martin roula sur la I-35 Ouest jusqu'à Burnsville puis, se fiant à sa mémoire, les entraîna dans un dédale sordide de rues de banlieue pour arriver devant une bicoque bleue, avec une allée enneigée qui conduisait à un double garage. Il se gara dans la rue. « J'espère qu'il est chez lui, dit-il en se penchant au-dessus de Sandy pour regarder de son côté. D'habitude, il ne bouge pas.

— Tu veux que j'attende ici ? demanda-t-elle, ne pensant qu'à s'enfuir dès que Martin aurait le dos tourné.

— Vaut mieux que tu m'accompagnes.

— J'ai eu tellement peur que quelqu'un me reconnaisse dans le magasin.

— Je ne crois pas que Dave te reconnaîtra. Il ne regarde pas la télévision, et il est un peu timide. »

Martin sonna à la porte, attendit, sonna de nouveau. La porte s'ouvrit. Dave – Martin n'avait pas cité son patronyme – était un homme plus âgé qui portait des lunettes et un gros chandail. Il entrouvrit la porte-tempête, vit Sandy derrière Martin et piqua un fard.

« Comment ça va, Dave ?

— Ah ! Bill. Entre donc, dit-il en ouvrant largement le battant. Tu pars en voyage ?

— Ouais. Je file vers... les Dakotas.

— Tu as entendu les ennuis qu'on a ? » Dave regarda Sandy du coin de l'œil, rougit de nouveau.

« À la radio.

— Et ils veulent prendre leurs armes aux gens comme il faut. Je ne peux plus croire ces types du gouvernement », dit Dave en secouant la tête.

Il les conduisit au sous-sol, où une rangée de fusils Remington s'alignait contre un mur. Il n'avait ni AR, ni AK, ni aucune arme automatique susceptible d'intéresser Martin, mais, en revanche, il avait un râtelier rempli de superbes fusils de chasse à verrou... « Les fusils de chasse recommencent à avoir la cote auprès des yuppies. J'ai vendu mes Weatherby d'occasion comme des petits pains. Si tu tombes sur des Weatherby Mark V en bon état, avec des munitions de trois cents grains ou moins, pense à moi.

— Je n'y manquerai pas. » Martin regarda un autre présentoir rempli de petits fusils à canon court. « C'est pour quoi faire, tous ces Ruger ? »

Dave haussa les épaules. « On m'en demande régulièrement... pour chasser le chevreuil. C'est très difficile à trouver, de nos jours...

— Combien tu en tires ?

— Jusqu'à quatre cent cinquante, pour un bon.

— Seigneur, neuf, ça vaut la moitié.

— C'est qu'on ne les fabrique plus depuis dix ans. Si Ruger ne reprend pas la production, je vais faire fortune avec ça... »

Ils parlèrent encore d'armes pendant quelques minutes. Sandy se tenait derrière eux, muette. Finalement, Martin acheta deux 45 d'occasion pour sept cents dollars.

« J'aimerais bien t'aider davantage », dit Dave en les raccompagnant à la porte.

« Encore deux courses », dit Martin à Sandy.

D'abord, dans un magasin d'articles de sport, il acheta quatre boîtes vert et jaune de munitions pour les 45, un arc Browning Mantis, deux douzaines de flèches Easton en aluminium, deux douzaines de pointes Thunderhead, un support de flèche, un viseur en fibre optique, un déclencheur et une cible en polystyrène pareils à ceux qu'ils avaient laissés dans la maison de Frogtown. Ils attendirent tandis que l'employé coupait les flèches à soixante-seize centimètres et taillait des encoches aux extrémités pour que Martin puisse visser les Thunderheads.

Pendant ce temps, Martin lorgna un Beretta et le reposa en soupirant : « Pas aujourd'hui. »

Deuxième emplette, il acheta six autres boîtes de munitions de 45.

« Tu connais tous les armuriers ? demanda Sandy.

— La plupart. La plupart de... ben, entre les Appalaches et les Rocheuses, et ceux de Salt Lake, Las Vegas et Reno. Je ne connais pas ceux des côtes. Enfin, quelques-uns en Floride, si ça peut passer pour une côte. »

Un instant plus tard, elle demanda : « Tu as songé à te sortir de ce pétrin ?

— Et toi ? »

Elle secoua la tête. « Non. Je suis coincée avec Dick, semblerait-il.

Je trouve juste qu'on devrait se tirer. Au Mexique. Je n'ai vraiment pas envie de mourir.

— Ah ! » Martin n'était pas très communicatif, mais, pour la première fois depuis qu'elle le connaissait, il se mit à parler. « Je suis comme Butters. Au bout du rouleau. Tous les gens comme nous sont pareils : ils vont finir par avoir notre peau, nous n'avons aucune chance de gagner. On fait juste un peu de résistance, et on disparaît.

— C'est qui, ils ? »

Il haussa les épaules. « Le gouvernement – tout le monde au gouvernement, les flics, les gardes-chasse, le FBI, l'ATF, tout ça. Et aussi les médias, les banques, les libéraux, appelle-les comme tu veux. Les juifs… Ils sont tous dans le coup. Les gens de la ville. C'est pas qu'ils nous veulent tous du mal, mais ils nous en font, tout simplement.

— Les Noirs ?

— Ah ! Les Noirs, c'est plutôt comme des jetons de poker. Le gouvernement se sert d'eux. C'est-à-dire qu'ils seraient capables d'utiliser les Noirs pour se débarrasser de nous, mais les Noirs n'en tireront aucun avantage. Pas plus demain qu'hier.

— C'est vachement pessimiste.

— Ouais. Enfin, tu sais, les gens qui dirigent, ils veulent le pouvoir. Le pouvoir, ils l'obtiennent en écrivant des lois et en t'obligeant à dépendre d'eux. Ils peuvent faire ce qu'ils veulent aux vieux, parce que les vieux ont besoin de la sécurité sociale et de l'assurance maladie, tous ces trucs-là. Si tu essaies d'être indépendant, ils te coincent avec les lois. Comme Dick. Y avait pas moyen qu'il garde ce magasin de motos. Il s'est gouré une fois avec ses impôts, et ils lui sont tombés dessus. Maintenant, ils ne le lâcheront plus. Il y a de quoi devenir cinglé.

— Tu crois que Dick est cinglé ?

— On l'est tous plus ou moins, dit-il en souriant. On n'y peut rien. J'y pensais l'autre jour… tu te souviens, comme on brûlait les feuilles mortes à l'automne, dans toutes les petites villes ? Et la bonne odeur que ça dégageait dans l'air, toutes ces feuilles qui brûlaient ? Eh bien ! aujourd'hui, y a plus moyen d'en brûler, parce qu'ils te laisseront pas. Ça ne tient pas debout, en tout cas dans les petites villes. On ne pollue rien du tout… Ils font les lois juste pour t'habituer. C'est-à-dire, ça commence avec des petites choses, et peu à peu, ça remonte aux grandes, comme de laisser les Mexicains entrer dans le pays, après quoi, les gens comme nous, on peut plus trouver de travail…

— C'est vrai, dit Sandy en hochant la tête.

184

— J'aimais bien cette odeur de feuilles brûlées à l'automne », dit Martin en regardant la neige par la fenêtre.

Sandy trouvait amusant de modifier leur aspect.

Elle installa LaChaise sur un tabouret dans la salle de bains, passa les doigts dans sa crinière de cheveux raides. « Je ne peux pas teindre par-dessus ta couleur naturelle, tu es trop brun. » Elle saisit le flacon de décolorant et LaChaise demanda : « Tu es vraiment sûre ?

— J'ai vu des tonnes de fois comment on faisait chez Pearl », expliqua-t-elle en appliquant le produit. Ayant terminé les cheveux, elle proposa : « Le décolorant risque d'être un peu fort pour le visage. Tu ferais peut-être mieux de te raser.

— Essaie quand même. » Elle obtempéra. Les vapeurs étaient agressives, mais LaChaise ferma les yeux et supporta l'épreuve. Les cheveux et la barbe brun foncé de LaChaise en sortirent d'un jaune très clair qui rappelait les barbes d'épis de blé. La délicatesse de la couleur offrait un curieux contraste avec ses traits frustes. « Bon sang, j'ai tout l'air d'une folle ! s'exclama-t-il en se contemplant dans le miroir de la salle de bains. Je devrais peut-être les garder comme ça.

— Ça fait trop bizarre, objecta Martin. On veut que les gens ne te remarquent pas, et non le contraire. »

Sandy appliqua donc la teinture. Quand il regarda le résultat, LaChaise fut impressionné. Avec cette barbe grise, on lui aurait donné dans les soixante-dix ans. « Tiens-toi légèrement voûté, et personne ne fera attention à toi », dit Martin.

LaChaise regarda Sandy : « Tu t'en es drôlement bien tirée. »

Sur le moment, Sandy avait trouvé ça amusant, mais, c'était fini. En se détournant, elle marmotta entre ses dents : « Va te faire foutre.

— À toi, maintenant », dit LaChaise à Martin.

Anderson avait des photos de Bill Martin : « On les communiquera à la conférence de presse de cet après-midi. On a une piste pour sa camionnette et ses plaques d'immatriculation, on met toutes les patrouilles dessus.

— Parfait. Vous avez vu Stadic ?

— Ouais. Il est venu, on l'a renvoyé chez lui. Je crois que ça l'a un peu secoué.

— Il n'avait jamais descendu personne. » Lucas bâilla et ajouta .

« Il m'a sauvé la peau, ce matin… Bon Dieu, il faut vraiment que je me repose un peu.

— Vas-y donc, lui conseilla Anderson. Il ne se passe rien… Où en est-on avec Jennifer et Weather ?

— Pour Jen, ça devrait aller – ils ont des vigiles armés à la chaîne de télé, et les enfants sont à l'abri. Mais il faut que je trouve deux flics qui acceptent de protéger Weather en dehors de leurs heures de service. Je les paierai de ma poche. Elle devient très nerveuse, elle refuse d'être consignée.

— Tu aurais dû lui donner quelques travaux d'aiguille, tu sais, un truc pour s'occuper les mains quand elle attendait à l'hôtel.

— Je ne crois pas… » Lucas s'interrompit pour regarder Anderson, dont le visage restait impassible. « Je ne veux pas qu'il leur arrive quelque chose, c'est tout.

— Oui, je sais. Tu ne veux pas qu'elles prennent les mêmes risques que toi… qu'elles aient droit à la même excitation. »

Lucas le regarda en coin : « Tu es de quel côté, au juste ?

— Du leur, avoua Anderson en haussant les épaules.

— Traître à son propre sexe, dit Lucas en bâillant. Écoute, je crois que je vais dormir une heure ou deux. En cas de besoin, je suis chez moi.

— On t'appellera.

— Ah, ces bonnes femmes ! » conclut Lucas.

LaChaise éclata de rire en voyant Martin, et le prit par le bras pour faire le tour de l'appartement en traînant les pieds. Martin se laissa faire, comme s'il dédoublait sa personnalité morose.

« Tu n'as pas l'air si vieux que ça, dit Sandy. Tu as l'air vieux, mais tu bouges comme quelqu'un de jeune.

— Il faut qu'on s'entraîne », reconnut LaChaise. Puis, une lueur dans les yeux, il proposa : « Allons nous promener dans ce grand centre commercial. Comment ça s'appelle, déjà ? Le Mall of America ? »

Cette perspective horrifia Sandy : « Dick, tu es complètement fou ! »

Son sourire s'évanouit instantanément : « Ne t'avise jamais de répéter ça. »

Elle se tut et pensa : *Il est en train de disjoncter*. Jouons son jeu, cherchons une ouverture. Essayons surtout de rester à l'écart quand la fusillade commencera.

Martin prit la camionnette et Sandy suivit avec LaChaise dans la Continental. Martin abandonna la camionnette dans un faubourg au nord de l'aéroport. Il lui donna une petite tape, comme à un cheval, lui lança un dernier regard et monta dans la Continental.

« On en pleurerait presque, dit LaChaise.

— C'était une sacrément bonne caisse, dit Martin en regardant en arrière, alors qu'ils s'éloignaient. Impec sur le plan mécanique : moteur neuf, radio neuve, tout était neuf, ou à peu près. Je pouvais aller partout, elle n'attirait l'œil de personne. Ça compte, quand on vend des armes.

— On va où ? demanda Sandy, qui conduisait.

— Centre commercial, répondit LaChaise.

— On devrait régler deux ou trois trucs d'abord, dit Martin.

— Ah bon ! Et quoi ? »

Martin avait une carte du centre-ville. « Je veux jeter un coup d'œil à l'hôpital où ils emmènent les blessés… Hennepin General. Après, je veux voir l'autre, celui où travaille la copine de Davenport. Juste un petit tour de reconnaissance.

— D'accord. De toute façon, je suis content de me balader. »

Il s'avéra que le premier hôpital n'était qu'à quelques rues de l'appartement de Harp. Des voitures de police étaient garées devant l'entrée.

« Ça ne va pas être facile, dit Martin.

— Mais on peut y arriver à pied, s'il le faut, suggéra LaChaise. Si ce gros orage éclate… »

L'autre était beaucoup plus loin, mais d'accès aisé : il suffisait de poursuivre tout droit sur la 11e jusqu'à Washington Avenue, prendre à droite et tourner deux fois, traverser la rivière, monter la colline, dépasser un immeuble qui semblait construit avec des boîtes de bière, et on y était.

Pas de voitures de police.

« Celui-ci sera plus simple, dit Martin.

— Mais c'est grand. Ça va être dur de la trouver – même s'assurer qu'elle est bien là risque de poser un problème.

— On doit pouvoir y arriver. »

Sandy écoutait en conduisant. La froideur de leur ton la choquait.

Ils avaient déjà fait des hold-up, elle en était sûre. Candy et Georgie n'avaient pas commencé toutes seules. Cependant, l'appréciation froide et objective de leurs cibles l'impressionnait, même si elle s'en défendait.

« Maintenant, on va au centre commercial », ordonna LaChaise. Il s'allongea sur la banquette arrière en ménageant le côté de sa blessure, qui le lançait. « J'ai l'impression d'être attaché avec des cordes de banjo », grogna-t-il. Mais il se redressa quand ils arrivèrent à hauteur du centre.

« On dirait la tirelire de l'oncle Scrooge.

— Tu n'es pas loin du compte. »

Sandy trouva une place sur la rampe du parking et ils entrèrent. La galerie marchande était bourrée de monde, mais personne ne leur accorda la moindre attention. LaChaise était fasciné.

« J'ai jamais vu un truc pareil ! » s'exclama-t-il quand ils s'arrêtèrent devant le parc de loisirs Camp Snoopy. Un voyou qui rôdait passa près d'eux, les dévisagea des pieds à la tête – deux vieux barbus vêtus de longs manteaux. Ils avaient l'air de sortir d'un dessin animé. Il s'esquiva, poursuivit son chemin.

LaChaise leur fit faire le tour de la galerie marchande, s'attardant dans les boutiques, reluquant les femmes, traînant Sandy derrière lui.

« Il ne faut pas rester là, dit-elle après le premier tour.

— On vient à peine d'arriver, protesta LaChaise qui s'amusait bien.

— Dick, s'il te plaît…

— Tu sais quoi, on va se payer une toile.

— On peut très bien regarder un film dans l'appartement, il a un magnétoscope. S'il te plaît…

— Alors, prenons une pizza ou quelque chose. Seigneur, c'est bien des roulés à la cannelle que je sens ? »

Le voyou repassa à proximité, arrivant par l'autre côté cette fois – il avait, comme eux, bouclé le circuit au second niveau. Mais là, il fit volte-face après les avoir croisés et leur emboîta le pas.

Il y a un truc qui cloche, se dit-il. Les deux vieux étaient décidément étranges et la blonde paraissait nerveuse. Sa nervosité rendait le trio vulnérable, en quelque sorte. Et cette vulnérabilité l'attirait comme la chair fraîche attire un moustique. Des victimes…

Il devait y avoir dix mille personnes dans cet endroit, et pourtant certaines zones étaient vides. L'une d'elles se trouvait près d'un distributeur automatique de billets. Le type regarda le trio s'acheter des roulés à la cannelle et des Coca et s'asseoir sur un banc près du distributeur.

Personne à proximité. Il afficha un large sourire et s'approcha d'un pas nonchalant, plongea la main dans sa poche et sortit la lame de son couteau à cran d'arrêt.

« Alors, ça boume, les gars ? » demanda-t-il à LaChaise. Celui-ci baissa la tête sans lever les yeux, mais le gars entrevit son sourire. En général, les victimes commençaient par sourire, faisant mine de croire qu'il s'agissait d'une rencontre amicale. « Pourquoi résister ? Donnez-moi juste quelques billets. »

LaChaise le regarda et riposta sans hausser le ton : « Tu te casses ou je te pique ton couteau et je te les coupe, pigé ? »

Le type recula d'un pas. « Je devrais...

— Fais pas chier avec ce que tu devrais. Si t'as un truc à faire, fais-le, mon chou. » Le type dévisagea Martin, dont les yeux pâles le fixèrent comme un cancrelat.

« Allez vous faire foutre, dit-il en s'éloignant.

— Dick, il faut absolument partir, supplia Sandy.

— Je me sens vraiment bien, dit LaChaise à Martin, qui opina du chef. Allons, venez, on va au ciné.

— Dick, je t'en prie... »

LaChaise la serra de près. « Tu vas la boucler, oui ? Arrête de couiner. Ça fait des années que je ne me suis pas baladé, j'ai envie de m'amuser un après-midi. Juste un putain d'après-midi, et tu es avec moi. Alors, ferme-la ! »

LaChaise n'arrivait pas à suivre le film : des immeubles explosaient, des voitures étaient pulvérisées dans des collisions et les flics semblaient avoir des missiles antichars. Que des conneries. Martin dormit presque tout le temps, mais, à la fin, il était réveillé.

« On se tire », grogna LaChaise.

En sortant, ils passèrent devant un magasin où une rangée de téléviseurs allumés étaient alignés le long d'un mur. Au même moment, le chef de la police apparut à l'écran : ils la reconnurent pour l'avoir vue aux informations. « Attendez un instant », demanda Martin. Ils regardèrent à travers la vitrine. Soudain, le visage de Martin apparut également.

« Merde, ils ont ma photo !

— Ça veut dire qu'ils ont trouvé la camionnette, dit LaChaise.

— On s'y attendait. »

LaChaise le regarda, regarda l'écran : « Franchement, il n'y a pas une personne qui pourrait te reconnaître. Pas une. »

Martin se tourna vers Sandy, qui les regarda alternativement, la télé et lui, et acquiesça à contrecœur.

Martin fixa l'écran jusqu'à ce que son visage disparaisse et lança sèchement : « Allons boire une bière. »

LaChaise hocha la tête : « On peut faire mieux que ça. Allons dans un bar. » Se tournant vers Sandy, il ajouta : « Toi, tu la boucles. »

Ils trouvèrent un endroit de l'autre côté de l'aéroport, un chalet de rondins jaunes construit tout en longueur, avec une pancarte Lite Beer en vitrine et un palmier en néon. La pancarte regardait un tas de neige sale : on venait de dégager le parking. Au-dessus de la porte, une enseigne électrique délabrée annonçait Leonard's, ou Leopard's, pas moyen de savoir parce que les ampoules de la quatrième lettre avaient rendu l'âme, de même que les tubes de néon sur un des côtés. Sept ou huit voitures et quelques pick-up, de bons vieux gros modèles américains, attendaient, le capot dirigé vers la porte d'entrée. À l'intérieur, ils trouvèrent un juke-box avec de la musique country, des tabourets hauts, deux tables de billard et un barman peu amène.

Le type essuyait des verres quand ils firent leur entrée. Une vingtaine de clients occupaient les lieux, la plupart en groupe, quelques-uns solitaires. Deux hommes tournaient autour d'un des billards, cigarette accrochée aux lèvres. Ils accordèrent à LaChaise et Martin un regard appuyé avant de reprendre leur partie.

LaChaise déclara : « Eh, bon Dieu, mettons des sous dans le juke-box, on se croirait dans une tombe, ici. » Il leva les bras et ondula des hanches. « Un truc qui chauffe.

— Tu es un vieux, chuchota Martin.

— Ouais. Bon, prenons une bière. »

LaChaise sélectionna Waylon Jennings pendant que Sandy occupait un box. Puis il alla se glisser à côté d'elle et Martin prit place en face d'eux. Une serveuse se présenta, LaChaise commanda trois Bud et deux paquets de Marlboro, et lui donna un billet de vingt dollars.

Quand la bière fut là, LaChaise poussa une bouteille devant Sandy : « Bois ça. »

Elle n'aimait pas la bière, mais elle la prit quand même tout en regardant autour d'elle : en général, il y avait un téléphone près des toilettes pour dames. Après deux bières, elle aurait envie d'y aller, et là, elle pourrait appeler…

Sandy y réfléchissait quand la serveuse revint. LaChaise commanda une autre tournée. Elle essaya d'intégrer la conversation : LaChaise et Martin parlaient d'un Noir, en prison, qui avait passé toute sa vie à soulever de la fonte.

« Ils ont cru que quelque chose avait claqué dans son cerveau, parce qu'ils l'ont retrouvé étendu sur son matelas… En fait, tout semblait aller bien sinon qu'il était mort, racontait LaChaise. Quelqu'un a dit qu'il y avait un contrat sur lui et qu'on lui avait planté un pic à glace dans l'oreille.

— Pour moi, c'est des conneries, dit Martin.

— Je trouve aussi. Comment tu peux planter un pic à glace dans l'oreille d'un mec capable de soulever quatre cents livres de fonte ? Je veux dire, sans faire un vilain gâchis ? »

Martin réfléchit. « Eh bien, tu pourrais le guetter, genre. Tu restes tout près pendant qu'il fait ses tractions, et quand il a fini et qu'il se redresse, tu es prêt…

— D'accord, admit LaChaise en opinant. Tu lui fous dans l'oreille, mais comment ça se fait qu'il y ait pas de sang ? C'est ça, le problème… »

Sandy ferma les yeux. Elle était assise dans un box avec deux types qui cherchaient la manière d'en tuer un troisième prêt à leur dévisser la tête si leur tentative échouait – et se demandaient comment s'y prendre pour introduire une arme dans la salle de gym.

Martin tapait sur la table avec sa bouteille de Bud. « Le truc vraiment bizarre, c'est qu'on l'a retrouvé seul. Combien de fois t'as vu la salle de gym complètement vide ?

— Ben… »

Quand elle rouvrit les yeux, elle se surprit en train de dévisager un type aux allures de cow-boy, qui occupait avec trois copains un box de l'autre côté de la salle. Il avait à peu près le même âge qu'elle. Elle détourna les yeux, mais ne put s'empêcher de les relever quelques secondes plus tard. Leurs regards se croisèrent deux ou trois fois, et elle le vit dire un mot à un des types, qui la regarda et fit un commentaire. Puis ils éclatèrent de rire tous les deux, un rire sympa, enfin, pas dégueulasse. Sandy se détourna et pensa à Elmore. Mort, quelque part : elle aurait dû être en train de préparer les obsèques.

191

En principe, Sandy ne pleurait jamais. Mais une larme glissa le long de sa joue, et elle tourna la tête pour l'essuyer.

« Si je devais absolument me débarrasser d'un de ces mecs, je crois que j'essaierais de me procurer un morceau de câble d'acier, comme celui qu'il y avait dans l'atelier de soudure... »

Elle croisa encore une fois le regard du cow-boy. Il lui fit un clin d'œil. Elle rougit et se retourna vers Martin qui poursuivait : « ... des pointes Federal de treize grammes. Ça lui a perforé l'épaule en emportant un bout de poumon... »

Ils parlaient chasse, maintenant.

Nouvelle tournée de bière. LaChaise parlait de plus en plus fort tandis que Martin se réfugiait dans un sourire permanent et silencieux.

« Dansons », dit brusquement LaChaise en la poussant du coude. Elle avait bu trois bières, et les gars six chacun, sinon plus.

Elle eut un geste de recul. « Dick, je ne pense pas... »

LaChaise se tourna vers Martin : « Tu le sais bien, nom de Dieu, que c'est ce qui me manquait, quand j'étais coincé là-bas. Ça me manquait d'aller dans des bars de cow-boys. »

LaChaise s'interrompit et leva les yeux. Le type à l'allure de cow-boy le regardait, une Pabst à la main, appuyé au dossier de Martin. « Ça vous ennuie si je fais un tour de piste avec Madame ? »

LaChaise le considéra pendant quelques secondes et baissa les yeux vers la bouteille de bière posée devant lui.

« Pas question. »

Sandy sourit au cow-boy et expliqua : « On a une petite discussion...

— C'est pas ça, coupa LaChaise. J'veux pas qu'il danse avec toi, c'est tout.

— Aucun problème », fit le cow-boy en se redressant. Sandy vit alors qu'il était aussi ivre que LaChaise, avec ses yeux bleus perdus dans le vague et ses longs cheveux filasse qui lui balayaient le front. « J'cherchais pas des ennuis, juste à danser.

— Eh bien, cherchez ailleurs, grogna LaChaise.

— D'accord, j'y vais. Mais ça serait vachement plus sympa si vous étiez un peu plus poli. »

LaChaise leva les yeux et sourit : « J'ai pas envie d'être poli avec de la merde. »

Les conversations cessèrent brusquement. Martin bougea, à peine d'un millimètre ou deux, et Sandy se figea, comprenant qu'il venait de libérer sa main pour pouvoir saisir son pistolet. Le cow-boy recula d'un pas, laissant à LaChaise la place de sortir du box. « Viens donc voir ici et répète-moi ça, espèce de vieux con. »

Le barman éleva la voix : « Hé ! pas de ça ici. Pas de ça chez moi. »

LaChaise s'adressa à Martin à voix basse, en tournant imperceptiblement la tête. « Le patron.

— D'accord. »

Puis LaChaise se glissa hors du box et se déplia en restant à distance du cow-boy. « Dick, bon sang ! » supplia Sandy. Il se retourna vers elle, la menaça du doigt. Elle se tut.

« Eh bien, papy, montre-moi ce que tu sais faire, lança le cow-boy.

— Pas de bagarre ici ! hurla le barman, sinon, j'appelle les flics.

— Va te faire foutre, pauvre tante, avec tes bottes de pédé ! » cracha LaChaise au cow-boy.

Celui-ci attaqua. Il replia le bras, recula l'épaule, déplia le bras. LaChaise eut l'impression que le coup mettait un siècle à partir. Il l'écarta du dos de la main gauche, fit un pas en avant, et frappa l'homme sous le nez avec le talon de la paume droite. Le cow-boy alla au tapis et roula, puis tenta de se mettre à quatre pattes.

« Dick, arrête ! cria Sandy.

— Ça suffit, maintenant, j'appelle les flics ! » hurla le patron du bar.

Martin sortit du box et se dirigea vers lui pendant que LaChaise obliquait à droite et s'acharnait à coups de pied sur les côtes du cow-boy, le soulevant quasiment du sol. Celui-ci retomba en gémissant et du sang apparut sur son visage. Les autres clients s'étaient tous levés. Un homme d'un certain âge cria : « Hé, vous ! ça suffit. »

Sandy était également sortie du box. « Dick… », geignit-elle.

LaChaise regarda le vieux et lui dit : « Je t'emmerde. » Le cow-boy rampait maintenant, un peu comme à l'armée, en laissant dans son sillage une traînée de sang, tel un escargot. LaChaise avança et le cueillit à la tempe. Le cow-boy cessa de ramper.

« Bon Dieu, vous allez finir par le tuer ! » s'écria le vieil homme, et quelques clients renchérirent.

Le patron décrocha le téléphone, et dans la seconde Martin brandit son arme : « Pas touche au cadran ! »

LaChaise contourna le cow-boy et le vieux insista : « Laissez-le tranquille, pour l'amour du ciel. » LaChaise le menaça du doigt : « Toi, si tu la fermes pas, je te casse la gueule. » Et s'approchant du cow-boy, il lui flanqua un violent coup de pied dans l'entrejambe.

Sandy l'attrapa par la manche : « Dick, arrête, je t'en supplie. S'il te plaît, partons, il est blessé…

— Fous-moi la paix, bordel », gronda LaChaise.

Martin, qui ne brandissait plus son arme, intervint : « Elle a raison, mon pote. Vaudrait mieux se tirer. »

Le cow-boy ne bougeait plus. Il gisait une main sous la poitrine, l'autre écartée du corps. LaChaise dit « Bon, d'accord », et écrasa du talon la main tendue de l'homme. Le craquement des os résonna dans la salle silencieuse. « Allons-y. »

En passant devant le comptoir, il sortit un billet de dix dollars de sa poche : « Quatre Buds pour la route. Décapsulées. »

Martin éleva la voix : « Personne ne court derrière nous pour relever notre numéro, compris ? Sinon, je vous tire dessus. Vous restez à l'intérieur et vous téléphonez, comme ça, pas de grabuge. »

Quand ils sortirent du bar, LaChaise tenant les quatre bouteilles de bière, le vieil homme cria dans leur dos : « Bande de malades ! »

Sandy se recroquevilla dans le fond de la voiture pendant qu'ils remontaient vers le centre-ville par la I-494, puis la I-35W. LaChaise riait ouvertement et Martin, quoique plus sérieux, avait l'air plutôt content : « Ce sont les cheveux qui l'ont mis dedans, répétait-il. Il t'a pris pour un vieux con, et il t'a balancé un coup au rabais… »

Ils se sentaient bien, constata Sandy. Ils étaient dans leur élément.

« Tu sais ce qu'on aurait dû faire, pour la camionnette ? On aurait dû la conduire jusque chez Davenport, et fracasser son entrée. Lui faire monter le porche, enfoncer la porte et la laisser là.

— Il y a sans doute un paquet de flics qui traînent dans le coin, remarqua Martin, un peu dégrisé. Et ils auraient pu nous intercepter en route…

— Ouais… merde. Enfin, on devrait faire quelque chose.

— Exact, dit Sandy. Vous devriez prendre cette voiture et filer droit devant vous. En faisant gaffe, vous pourriez être au Mexique après-demain.

— Tu sais quoi ? demanda LaChaise. Je parie que si on retournait tout l'appartement, on trouverait du fric. Il a forcément planqué une réserve quelque part. Tous les dealers doivent le faire.

— Dans la voiture, peut-être… », suggéra Martin, et ils se mirent à parler d'argent. Sandy se rencogna sur son siège. Au moins, ils ne parlaient plus de Davenport.

Quelques instants plus tard, LaChaise dit : « Je crois que je saigne sur le côté.

— Quoi ?

— Ça me grattait, alors j'ai voulu bouger le pansement et j'ai touché un peu de sang.

— Tu as dû perdre une agrafe dans la bagarre.

— Bon, on rentre pour regarder ça de près », dit LaChaise, nettement moins excité. Démoralisé, il regarda par la fenêtre : « Quel pays de merde ! »

15

Ils avaient passé tout le monde au crible, interrogeant tous les drogués, dealers, motards et fanas d'armes à feu qui se trouvaient sur le marché.

« S'ils se planquent quelque part, ils ont forcément une télévision », expliqua Lucas à son groupe. Il était assis derrière son bureau, les pieds reposant sur le tiroir supérieur, et les autres s'étaient casés comme ils pouvaient dans le minuscule bureau. « C'est la première chose que le roi des cons se procure, une télévision. On pourrait s'en servir pour parler à Sandy Darling.

— Qu'est-ce qu'on lui dit ? demanda Del. On ne peut pas se pointer comme ça à l'écran en lui conseillant de fuir. Ils la tueraient.

— On fait un appel public à la délation, en soulignant que toute personne coopérant avec LaChaise risque de se retrouver à l'ombre pour un bout de temps. On annonce simplement : "Appelez le 911, personne ne le saura." Mais elle, elle saura que c'est à elle que nous nous adressons.

— On pourrait mettre les psys dans le coup », proposa Sloan, assis à califourchon sur une chaise retournée, le menton appuyé sur ses bras croisés. « Il faut se mettre dans la tête qu'elle est avec eux, pas complètement de son plein gré, mais un peu tout de même. Ou en tout cas, c'était ainsi au début. Elle se trouvait au funérarium quand LaChaise s'est échappé…

— Et je ne pense pas qu'ils l'auraient emmenée s'ils avaient cru devoir la surveiller à chaque instant », confirma Sherrill, affalée au fond d'un fauteuil pivotant. Les parents de son mari s'occupaient des

196

formalités des obsèques, et elle était déchirée entre la traque et la famille.

Lucas soupira. « Écoutez-moi, nom d'un chien. Nous avons besoin de creuser dans une autre direction.

— Quelle direction ? demanda Franklin. Vous me la montrez, et je creuse. »

Lucas posa les pieds par terre. « On doit trouver le flic. Si on arrive à le débusquer, on les tient.

— Donc..., dit Sherrill.

— Donc, on recommence à harceler les gens de questions, mais cette fois, ce qu'on veut savoir, c'est qui vend de la drogue parmi les gars de chez nous. »

Les autres s'entre-regardèrent. « C'est dangereux », estima Del. Lucas opina. « Oui, mais tôt ou tard, il va falloir le faire. Et, pour l'instant, c'est un angle que personne n'a exploité.

— Eh bien ! allons-y, dit Franklin.

— Faites bien gaffe à vous, autant que vous êtes, et sortez couverts. C'est une sale histoire. »

Lucas raconta tout à Lester, qui précisa : « Les affaires internes vérifient deux ou trois trucs, mais ils ne descendent pas dans la rue. Tes gars doivent faire très attention.

— Del et moi allons retourner chez Daymon Harp. Cette fois, on va le bousculer sérieusement. Ça fait longtemps qu'il est dans le métier.

— Tu veux quelqu'un des Stups ?

— On peut s'en tirer tout seuls, dit Lucas en haussant les épaules. D'ailleurs, tu n'as pas tellement de monde.

— Vous pouvez emmener Stadic, proposa Lester. Il ne peut pas porter d'arme tant que la commission n'aura pas donné le feu vert.

— D'accord. Il doit être au courant pour Harp, de toutes façons.

— Passez le prendre. Il est en train de jouer les portiers à l'hôtel... »

Voyant Lucas et Del s'approcher de l'entrée, Stadic analysa la façon dont ils le regardaient et se dit : *Ça y est, ils me tiennent.* Il recula de quelques pas et constata qu'il ne pouvait pas s'échapper.

Arrivé à sa hauteur, Lucas demanda : « Comment ça va ?

— C'est calme. Ça me convient. Votre amie est revenue, ajouta-t-il à l'intention de Lucas.

— Ah bon…

— Vous connaissez un dealer du nom de Daymon Harp ? » questionna Del.

Nous y voilà, pensa Stadic. « Ouais, je le vois par-ci, par-là. On l'a emballé il y a trois ou quatre ans. Il a fait deux ans. Puis on l'a recoincé l'an dernier, mais on s'est plantés. Il n'avait rien sur lui, ni fric, ni dope. Mauvais tuyau.

— Bien, dit Lucas. Nous avons besoin de quelqu'un qui le connaisse, ainsi que ses proches. On va aller le voir et le brusquer un peu.

— Vous voulez que je vienne ? demanda Stadic en haussant les sourcils.

— Ça serait bien.

— Laissez-moi quinze secondes pour me débarrasser de cette putain de livrée. Vous me donnez vraiment l'occasion dont je rêvais. »

Ils roulaient dans une voiture banalisée grise, dont le chauffage était poussé au max sans remplir entièrement sa fonction. Sur Nicollet, ils virent un accrochage, juste de la tôle froissée, et s'arrêtèrent au feu rouge une rue plus loin. « Saloperie de Minnesota, grommela Del. Je vais m'installer dans cette saloperie de Floride.

— Je lisais le livre d'un type qui habite en Floride, dit Stadic. Selon lui, la Floride est une putain de saloperie.

— Ce con-là essaie probablement de m'empêcher de venir.

— Vous allez la fermer, tous les deux, intervint Lucas. Vous me donnez une putain de migraine. »

Del changea de sujet : « Vous savez ce qui est arrivé aux voitures banalisées, à Saint Paul ?

— Non.

— Elles ont toutes ces autocollants jaunes sur le pare-chocs, qui disent : "Attachez votre ceinture, c'est la Loi."

— Ouais, j'ai vu ça, dit Stadic.

— Eh bien, les petits malins de là-bas ont décollé la partie supérieure des étiquettes, ils les ont coupées en deux avec des rasoirs, et maintenant, on lit…

— C'est la Loi, compléta Lucas en riant.

— Comme ça, on sait que personne n'oserait conduire une voiture aussi merdique que celle-ci à moins d'être flic, dit Del. De quelle couleur est-elle, à ton avis ? »

Lucas réfléchit une seconde.

« Putain de gris… ? »

Ils éclatèrent de rire.

Les points de suture posés par Sandy avaient tenu, mais les bords de la plaie étaient un peu roses et ça saignait d'un côté. « Je vais refaire le pansement, mais le mieux, ça serait que tu restes tranquille un moment », conseilla Sandy.

Pendant qu'elle s'affairait, Martin cloua un morceau de contre-plaqué sur le trou qu'ils avaient fait dans le mur du couloir, près de l'entrée. « Tous les junkies du coin vont rappliquer, si on bouche pas ça. »

Ayant terminé, il rentra dans l'appartement, empila les cartons devant la porte et la referma.

Une seconde plus tard, de la fenêtre, il vit une voiture s'arrêter devant la laverie automatique.

« Les flics », dit-il.

Sandy se leva, la main sur la bouche. LaChaise fonça vers la fenêtre, mais Martin l'écarta d'un geste : « Ne touche pas le store. Ils risquent de regarder en haut. »

LaChaise se calma et s'approcha précautionneusement d'un interstice entre deux lattes. Il vit les trois hommes sortir de la voiture, ou, plutôt, il n'aperçut que des manteaux et des chapeaux. Mais la voiture grise, ordinaire, donnait le ton : c'étaient des flics, aucun doute. Ils traversèrent en bavardant. Le plus mince riait.

« Ils rient. Ils viennent peut-être, mais ils ne savent pas qu'on est là », dit LaChaise. Il alla éteindre la télévision en hâte : « On descend par-derrière. On peut sortir par le garage.

— Non, dit Martin en secouant la tête. On ne peut pas voir ce qui nous attend derrière tant qu'on n'a pas ouvert la porte. S'il y a des flics, ils nous cueilleront comme des fleurs. » Il jeta un coup d'œil par la fenêtre. « Merde, peut-être qu'ils savent pas qu'on est là, mais je ne pense pas qu'on puisse prendre le risque d'en sortir.

— Dans ce cas, on les attend et on se les fait. Retournons à l'escalier. Comme ça, au moins, on aura une chance d'en sortir. »

Ils longèrent à pas de loup le grand couloir central en poussant

Sandy devant eux. Elle descendit l'escalier et alla dans le garage pendant que LaChaise et Martin se postaient au-dessous des premières marches du palier, en haut. Martin s'accroupit, LaChaise resta debout une marche plus bas. Il avait son Bulldog, et Martin tenait un 45 dans chaque main.

« S'ils savent qu'on est là, ils vont lancer un groupe d'intervention pour forcer la porte du garage », chuchota LaChaise. La prise électrique qui alimentait le mécanisme d'ouverture du garage se trouvait à hauteur de tête. LaChaise la désigna du bout de son arme et dit à Sandy : « Débranche. » Sandy débrancha. « On les laisse avancer de quelques pas, dit Martin. S'ils savent pas qu'on est là, il faut tous les descendre... »

Del fit le tour par-derrière pour surveiller la sortie du garage. De son côté, Lucas prit l'escalier de devant, précédant Stadic.

« Il y a un tas de cartons en haut, dit Lucas. C'est censé servir de barrière, pour empêcher qu'on enfonce la porte.

— J'ai déjà vu ça dans deux ou trois endroits. Pour ce que ça change... »

Arrivés sur le palier, ils déplacèrent les cartons. À droite de la porte, un morceau de contreplaqué était grossièrement fixé au mur.

« À votre avis, à quoi ça sert ? demanda Lucas en examinant la plaque.

— Ça doit être une barrière de plus pour empêcher les gens de percer le mur. Ce type ne prend aucun risque. »

Lucas frappa à la porte. « Harp, ouvrez ! »

Pas de réponse.

« C'est drôlement calme », dit Stadic.

Lucas recommença. « Oh, oh... Je me demande s'il n'a pas fichu le camp.

— À première vue... »

Lucas frappa une troisième fois. Ils attendirent quelques secondes de plus, puis Lucas regarda la serrure, dit : « Pas moyen », et ils redescendirent.

À l'intérieur du garage, Sandy se tenait accroupie derrière la voiture de Harp, les mains sur les oreilles. Après la troisième série de coups frappés à la porte, ils entendirent ce qui ressemblait fort à des pas dans l'escalier. « Je crois qu'ils s'en vont, chuchota Martin.

— Putain, je peux pas le croire, répondit LaChaise sur le même ton. Faut que j'aille voir. »

Martin le retint par le bras.

« Vaut mieux pas. Parfois, les gens sentent que quelqu'un bouge. »

LaChaise opina et ils s'assirent sur les marches, l'oreille tendue.

De retour dans la rue, Lucas et Stadic contournèrent la maison et appelèrent Del. Il était adossé au mur de brique du garage, près de la porte. Les entendant, il avança vers eux d'un pas traînant. « Alors, rien ? »

Lucas secoua la tête et ils traversèrent la rue pour reprendre leur voiture.

Stadic monta derrière et vit Sell-More Green qui s'avançait vers eux. Sell-More travaillait pour Harp, mais il ne connaissait pas Stadic. Celui-ci fit un rapide calcul et, au moment où Lucas allait démarrer, il lui tapa sur l'épaule. « Là ! » dit-il, le doigt tendu.

Lucas et Del regardèrent dans la direction indiquée. Un Noir, maigre, vieille parka et tennis foncées, se rapprochait sans leur prêter la moindre attention. « C'est Sell-More Green, expliqua Stadic. Un des revendeurs de Harp. Du moins, il l'était.

— Eh bien, demandons-lui où est Harp. »

Ils attendirent que Sell-More les ait dépassés et sortirent à l'unisson, trois portes ouvertes simultanément. Sell-More se retourna, envisagea de prendre ses jambes à son cou, mais s'arrêta, mains dans les poches. « Qu'est-ce qu'il y a ? demanda-t-il.

— Comment ça va ? commença Stadic.

— J'ai faim. Ça fait deux jours que j'ai pas mangé. »

Lucas plongea la main dans sa poche, en sortit une pince à billets, détacha dix dollars : « Où est le patron ? »

Sell-More s'humecta la lèvre inférieure. « Qui ça ?

— Daymon, évidemment, dit Lucas.

— Ah, Daymon. » Sell-More leva les yeux vers l'appartement. « Il a dit que les flics ne le lâchaient plus à cause des Blancs qui tuent leurs collègues. Alors il est parti en voyage. Avec Jasmine.

— Tu sais où ?

— Il a dit, peut-être au Mexique. Un coin chaud. Ça vous va, pour dix dollars ?

— Tu mens ? demanda Lucas.

— Risque pas, dit Sell-More en frissonnant. Si le patron était là, j'aurais de quoi manger. »

Lucas lui donna le billet et se tourna vers Del : « Au Mexique. » Celui-ci regarda la neige : « Je serais bien parti avec lui. »

Stadic approuva, content de la tournure que ça prenait : si Davenport croyait que Harp était dans le coup, il ne manquerait pas de revenir. Or il ne voulait pas que Davenport fouine dans les affaires de Harp. Pas tout de suite.

Ils s'étaient éloignés de quelques pas lorsque Lucas s'arrêta, pivota et demanda : « Tu veux continuer pour cent dollars ? »

— Quoi ? s'exclama Sell-More.

— On recherche des flics qui pourraient... dealer. Si tu te renseignes autour de toi et que tu me rapportes un nom ou deux, ça vaudra de l'argent. »

Stadic se raidit. Il n'avait pas compté là-dessus. « Je touche le blé maintenant ? demanda Sell-More, plein d'espoir.

— Non, bien sûr. Quand j'aurai les noms, et ils ont intérêt à être bons.

— C'est drôlement dangereux, ce que vous voulez, dit Sell-More.

— Ouais, mais les dix dollars ne vont pas faire long feu. » Lucas sortit une carte de sa poche et la remit à Sell-More. « Si tu as encore faim, trouve-moi un nom et appelle ce numéro. Personne n'a besoin d'être au courant. »

Sell-More roula des yeux, puis il regarda successivement Lucas, Del et Stadic avant de leur confier : « Je pourrais bien connaître quelqu'un. »

LaChaise annonça : « Ils sont partis.

— Bon, dit Martin.

— Je n'arrive pas à le croire. » Il baissa les yeux vers Sandy : « On est les meilleurs. »

Elle acquiesça sans broncher, mais son cœur battait la chamade. Les flics avaient débarqué dans la maison de Frogtown le lendemain des premières fusillades. Elle ignorait comment ils s'y étaient pris, mais ils avaient abattu Butters. S'ils s'étaient trouvés là, ils les auraient tous tués, probablement. Et voilà qu'ils frappaient à la porte de leur dernier refuge. Tout était en train de s'effondrer, exactement comme Elmore l'avait prédit. Elmore n'avait jamais été un génie mais, maintenant, il faisait figure de prophète.

De tout ça, elle ne dit rien. Mais elle pensa : *Le téléphone.*

16

Lucas vérifia que son équipe tournait bien : Sloan et Sherrill sondaient les bandes de motards du coin pour voir s'il n'y aurait pas une source de leur côté. Del et Franklin opéraient en solo, ils s'occupaient des drogués. Anderson, qui travaillait normalement pour Lester, faisait circuler des listes de noms chez les gens du personnel en demandant qui était assez calé pour accéder à leurs ordinateurs malgré les codes. Puis il s'arrêta à son bureau : « Du nouveau ?

— Ton nom revient sans arrêt, dit Anderson.

— Je crois qu'on peut l'éliminer », suggéra Lucas. Anderson bâilla. « Bon, ça nous en laisse une soixantaine, y compris tous les membres de ton équipe, et encore, je n'ai pas écumé la totalité des gens qui émargent ici.

— Passe-moi une liste dès que tu en as une. »

Lucas obtint aussi une copie de la bande enregistrée par Buster Brown. Il la rapporta dans son bureau pour la réécouter.

> « … faut que je sache où est cette Weather, et essayez de me trouver le numéro de chambre de la femme Capslock. On veut savoir où travaille Davenport, ainsi que Capslock, Sherrill, Sloan, Franklin et Kupicek. Vous connaissez la liste. »

Un long silence.

> « Ça m'a l'air d'un bobard. Vous avez intérêt à me dire la vérité, ou votre nom va se retrouver sur la liste avec les autres, enfoiré… Hé, vous écoutez ce que je vous dis ? Non, pas vous. Vous avez trouvé quelque chose pour Elmore ? »

Un autre silence.

> « *C'est ce qu'on pensait. On s'occupera d'eux quand on aura terminé ici… Maintenant, écoutez-moi bien, on a besoin de ce matos, et on en a besoin maintenant. On vous rappelle dans… deux heures. Deux heures, pigé ?* »

Silence.

> « *Je ne sais pas. Et ne vous inquiétez pas pour nous, on vous rappellera. Vous pourriez être en train de faire une connerie. Si ça vous traverse l'esprit, réfléchissez-y à deux fois… »*

Silence.

> « *Ouais, ouais, dans deux heures.* »

Il revint en arrière et réécouta, guettant les bruits de fond : il avait vu un film où l'on découvrait quelque chose grâce à un bruit de train… mais là, il n'y avait rien. Buster croyait avoir entendu une télévision, mais Lucas n'arrivait pas à la distinguer à cause du frottement de la bande. Soudain, il pensa : qu'est-ce que c'est que cette histoire d'Elmore ?

> *LaChaise :* « *Vous avez trouvé quelque chose pour Elmore ?…
> … … C'est ce qu'on pensait. On s'occupera d'eux quand on aura terminé ici… »*

Tiens, à l'entendre, ils n'avaient pas tué Elmore Darling. On avait l'impression qu'ils connaissaient le coupable, ainsi que le flic qui leur parlait. Lucas rassembla les morceaux du puzzle : le flic leur racontait qu'Elmore avait été tué par d'autres flics, probablement ceux de la prison du Michigan, pour venger le meurtre de Sand. C'était absurde, mais le genre de truc qu'un détenu pouvait gober. Par conséquent, puisque les flics du Michigan n'avaient pas tué Elmore, et que ce n'était pas LaChaise non plus…

Lucas s'extirpa de son fauteuil et contourna vivement sa table. Donc, c'était le flic, forcément. Mais comment était-il au courant, pour Elmore ? Comment pouvait-il savoir qu'Elmore avait quelque chose à voir dans tout ça ? Le flic était-il si proche de LaChaise qu'il était informé de tout ? Avait-il trempé dans l'évasion ?

Ça ne semblait pas très plausible : les voix, au téléphone, paraissaient hostiles.

Alors, comment savait-il ? Ils possédaient assez d'éléments du tableau pour qu'il puisse le reconstituer... et ensuite, le flic, pourquoi pas...

Stadic essayait frénétiquement de retrouver Sell-More. Le junkie avait dit qu'il connaissait peut-être quelqu'un. Et, comme il dealait pour Harp, c'était fort possible. Harp et Stadic prenaient toutes les précautions pour se rencontrer, toujours en dehors de la ville. Mais il fallait faire circuler l'argent, vérifier les informations, montrer les photos. Et, avec les drogués, on ne savait jamais : ils pouvaient aussi bien se réveiller à Chicago ou à Miami que chez eux, et, d'une certaine manière, il n'était pas impossible que quelqu'un l'ait vu avec Harp et en ait tiré les conséquences.

Stadic se rendit dans tous les points de vente répertoriés et, simple couverture, interrogea les dealers à propos des flics. Davenport allait se mettre en rogne s'il découvrait que Stadic quadrillait le même terrain que ses propres hommes, mais c'était inévitable.

Peu après la tombée de la nuit, il parla à un employé d'épicerie qui venait juste de vendre un doughnut à Sell-More. Celui-ci était à pied, précisa le vendeur. Stadic passa les petites rues au crible et, quelques minutes plus tard, repéra sa cible sur le trottoir, mains dans les poches, regard vitreux. Stadic arrêta la voiture, baissa la vitre : « Monte. »

Sell-More le regarda et répondit très lentement, une vague lueur de compréhension dans les yeux : « J'ai pas grand-chose.

— On veut te parler, de toute manière. Monte. »

Sell-More fit le tour de la voiture en traînant les pieds, monta côté passager, s'affala sur le siège et se pencha en avant pour se frotter les mains devant la sortie d'air chaud.

« Putain, j'ai faim.

— T'as claqué le fric en dope ?

— Je suis un drogué. Qu'est-ce que vous me voulez, au fait ?

— Où sont tes gants ?

— J'en ai pas. Où on va ?

— On va tourner une minute ou deux avec le chauffage. Bon, alors, qu'est-ce que t'as trouvé ? »

Sell-More haussa les épaules. « Mon mec m'a dit que Daymon Harp est en cheville avec un flic, parce que, chaque fois que quelqu'un essaie d'embêter Daymon, il est arrêté le lendemain. Il dit que tout le monde est au courant.

— C'est tout ?

— Et que le mec doit travailler aux Stups. »

Stadic roulait toujours, et pourtant il ferma les yeux quelques secondes. Il sentait le monde échapper à son contrôle, comme dans ces cauchemars où quelque chose se met soudain à aller de travers et qu'on ne peut rien empêcher. Si ce moins-que-rien de Sell-More savait tout ça, les autres aussi. Il n'avait pas été trahi par son nom, mais par recoupement. Si quelqu'un examinait un peu longuement la liste des arrestations, il finirait par trouver le nom de Stadic.

« Hé ! mec… » Le ton de Sell-More le rappela à la réalité. Ouvrant les yeux, il constata qu'il fonçait droit sur une Pontiac à l'arrêt. Il redressa le volant, évitant la Pontiac d'un cheveu.

« Vous vous sentez bien ? s'inquiéta Sell-More.

— Juste un peu fatigué. » Stadic se ressaisit. Une chose à la fois. Dès que Harp rentrerait, il lui ferait quitter la ville. Fallait-il le tuer ? Sans doute pas. Le problème, c'est que Harp avait peut-être noté le nom de Stadic quelque part, en guise d'assurance, comme il l'avait fait avec les photos… Merde.

Stadic glissa la main dans sa poche intérieure, sortit son portable. La masse froide de son pistolet était juste à côté. « Je voudrais que tu donnes un coup de fil… », dit-il.

Sherrill et Sloan venaient de rentrer, ils n'avaient pas encore enlevé leur parka.

« Froid ?

— Ouais. Ça ne s'arrange pas, dit Sherrill. Ils annoncent un radoucissement pour demain, mais ils parlent aussi d'une grosse tempête qui se prépare. On va se la prendre d'ici deux ou trois jours.

— Ça ne va pas arranger nos affaires, estima Lucas.

— Et il n'y a pas un chat dans les rues, précisa Sloan. Tu as des nouvelles de Sell-More ?

— Rien du tout. »

Le téléphone sonna. Lucas décrocha.

« Ici le type à qui vous avez donné dix dollars. »

Lucas sourit et montra le récepteur à Sloan.

« Oui ? Sell-More ?

— J'ai un nom pour vous.

— Qui ? demanda Lucas en s'adossant plus confortablement.

— Vous m'avez promis cent dollars.

— En échange d'un nom. »

Cinq secondes de silence.

« Palin.

— Où l'avez-vous eu ?

— Un pédé sur Franklin Avenue.

— Rappliquez ici, demandez Davenport. Si le nom est bon, vous touchez le fric. Et je veux celui du pédé. Il vaut cent dollars de plus.

— Attendez-moi, dit Sell-More. Je suis en route. »

Lucas raccrocha et regarda Sloan.

« Arne Palin ?

— Arne Palin ? répéta Sloan en roulant des yeux, feignant la stupeur. Impensable.

— Sell-More a dit Arne Palin.

— Arne est tellement convenable qu'il n'ose pas dire "enculé" devant les femmes », affirma Sherrill.

Lucas se gratta la tête. « Mais il a eu une période d'ivrognerie ravageuse. Tu te rappelles, Sloan ? Il a fait de drôles de conneries, il y a une quinzaine d'années.

— Ouais, des conneries de cow-boy. Mais ça, bon Dieu… » Sloan secoua la tête. « Si on me demandait de donner le nom de celui qui ne peut pas l'avoir fait, je citerais Palin. D'ailleurs, je pense qu'il n'est pas assez malin pour seulement penser à le faire.

— Ça doit être un tuyau crevé, reconnut Lucas. Mais je me demande où Sell-More l'a ramassé. » Il décrocha le téléphone et appela Anderson. « Est-ce qu'Arne Palin est sur ta liste ?

— Ouais. Il essaie de se faire muter au personnel. Ils l'ont eu avec eux pendant trois jours. Pourquoi, tu tiens quelque chose ?

— Peut-être. Vérifie où il était ces derniers temps. Quand il était de service, ce genre de trucs. Regarde s'il travaillait le jour où O'Donald a vu le flic à la laverie automatique.

— Approfondie jusqu'où, la vérification ? demanda Anderson, manifestement fatigué.

— Approfondie. Le nom nous a été refilé par quelqu'un de la rue.

— Arne ?

— Oui, je sais. Mais vérifie quand même, d'ac ? »

208

Stadic arrêta la voiture contre le trottoir. « Sors de là. Et ferme ta gueule, compris ? Tu la fermes jusqu'au retour de Harp, et tu n'auras plus besoin de t'inquiéter de rien, t'auras de quoi planer pour un bout de temps. Tu seras le roi.

— Le roi, répéta Sell-More, gobant le baratin de Stadic. Je serai le roi.

— Absolument. » Stadic jeta un coup d'œil dans le rétroviseur : personne en vue. Il avait choisi ce qu'il y avait de plus sombre comme bout de rue à trottoir verglacé. « Tu peux y aller, maintenant. »

Sell-More entrouvrit la portière et pivota pour descendre de voiture.

« Et achète-toi des gants, sinon tu vas te geler les mains, ajouta Stadic tout en cherchant la crosse de son vieux 38 sous son chandail.

— Je vais le faire. »

Il était déjà dehors, prêt à claquer la portière, quand Stadic le héla : « Oh ! attends une minute. »

Sell-More se pencha en avant pour dire : « Hein ? » mais n'en eut pas l'occasion car Stadic l'ajusta en plein visage. Un coup de feu rapide, une détonation, un éclair et Sell-More s'effondra d'un bloc. Sa tête heurta l'arête du trottoir quand il tomba, un son à la fois mouillé et percutant.

« Merde. » Stadic s'aplatit sur le siège, appuya le canon de l'arme contre la nuque de Sell-More et tira une deuxième fois. La tête de Sell-More tressauta. « Si t'as pas ton compte avec ça, va te faire foutre. » Et il tendit la main pour refermer la portière.

Il était maintenant dans sa propre voiture avec l'arme du crime. Son cœur battait la chamade : il fallait qu'il s'en débarrasse. S'il s'éloignait d'un bloc d'immeubles, aucun jury ne pourrait le déclarer coupable, sauf s'il détenait encore l'arme. Mais il ne pouvait pas non plus la jeter trop vite, car ils allaient fouiller à fond à proximité du corps, vérifier tous les endroits où l'on pouvait jeter une arme.

Il écouta la radio de service : la routine, rien d'autre. Encore un bloc, juste un. Personne n'appelait ? Il dénicha une autre rue obscure, distingua le trou noir d'une bouche d'égout, s'arrêta tout près, entrouvrit la portière, jeta l'arme. Au moment de refermer la portière, il entendit un drôle de bruit, eut un moment d'hésitation.

Qu'était-ce donc ? Les coups de feu résonnaient encore dans ses oreilles, peut-êtrc était-ce cela qu'il entendait. Il baissa à peine la vitre, deux doigts, entendit le même bruit qui couvrait celui des roues. Arrivé au croisement, il regarda à droite. Une bande de gamins sur le trottoir, munis de bougies.

Qui chantaient des cantiques de Noël.

« Bon sang, grommela-t-il. Ces petits cons devraient être au lit. »
Et il continua d'avancer.

Sell-More ne s'était pas présenté. Del était venu et reparti – pour
l'hôpital, avait-il précisé. Sherril se rendait aux pompes funèbres pour
la veillée du corps. Lucas et Sloan promirent de passer.

« Ce n'est pas la peine de venir.

— Bien sûr que si, insista Lucas en lui tapotant l'épaule. On sera
là. »

Après son départ, Sloan dit : « Si on prenait un hamburger et une
bière avant d'y aller ? »

Lucas opina. « D'accord. » Il verrouillait sa porte quand ils entendirent quelqu'un courir dans le couloir. Anderson, blême, surgit,
balbutiant : « C'est bien Palin.

— Quoi ? » Lucas regarda Sloan, puis Anderson.

« J'ai demandé à Gina, au standard, de réécouter les bandes pour
déterminer où se trouvait Palin pendant ses heures de service. Avant-
hier soir, il a demandé l'identification d'une plaque minéralogique du
Wisconsin. Vous n'imaginerez jamais…

— Elmore Darling ! s'exclama Lucas en claquant les doigts. Voilà
comment il a retrouvé Darling ! Il a relevé le numéro quand il a parlé
à LaChaise, a retrouvé le nom du propriétaire, est allé là-bas et a tué
Elmore Darling.

— C'est ce que je pense, confirma Anderson, sa grosse pomme
d'Adam tressaillant sur son maigre cou. On ne l'aurait jamais attrapé
si on n'avait pas réécouté les vieilles bandes.

— Arne Palin, ça alors…, répéta Sloan en secouant la tête.

— On y va », dit Lucas.

17

Lucas eut une entrevue rapide avec Roux et Lester, qui mit en route l'unité d'intervention spéciale. Palin était chez lui. Son supérieur au commissariat l'appela pour lui demander de faire des heures supplémentaires d'urgence. Palin dit que ce serait avec plaisir et fut prié de rester à proximité de son téléphone en attendant les instructions.

« LaChaise n'est pas avec lui, il ne peut pas être allé aussi loin, dit Lucas à Roux et Lester sur le seuil de la porte.

— On ne peut pas prendre le risque, il n'est pas question qu'il y ait d'autres victimes. Demandons à l'UIS d'y aller, proposa Lester. Si LaChaise n'est pas sur les lieux, vous entrez et voyez si vous pouvez coincer Palin. On arrivera peut-être à retrouver LaChaise avant qu'il apprenne que nous tenons Palin.

— Sloan est ici. Il peut nous aider à l'interroger », dit Lucas. Ils tournèrent dans le couloir et virent Sloan qui attendait près de la porte, en conversation avec Franklin. Au même moment, Stadic entra dans l'immeuble et tapa des pieds pour faire tomber la neige de ses chaussures.

« Tu veux venir ? demanda Lucas à Franklin.

— Si vous avez besoin de renfort », répondit ce dernier en adressant un signe de tête à Stadic, qui lui répondit de même. « Je voulais rentrer à la maison prendre des affaires pour ma femme.

— Commence par ça », dit Lucas. Se tournant vers Stadic : « Et vous ? Vous avez l'air dans un drôle d'état.

— C'est vrai, confirma Stadic en secouant la tête.

— Bon. Allez dormir, dit Lucas en lui enfonçant l'index dans l'estomac.

— Qu'est-ce qui se passe ? demanda Stadic.

— On pense qu'un de nos gars renseigne LaChaise », dit Lester, effondré.

Stadic battit des paupières. « Pas possible... Qui ? »

Lucas, Sloan et Franklin avaient déjà poussé la porte.

« Arne Palin, répondit Roux, qui était restée à l'intérieur.

— Pas possible, répéta Stadic.

— Je crois qu'il a raison », dit Franklin tandis qu'ils avançaient dans la neige. Il regarda le ciel maussade, si bas qu'il avait l'impression de pouvoir le toucher. « Je n'arrive pas à croire que ce soit Arne Palin. »

Stadic descendit dans son bureau. Il n'y avait pas un chat, que des tables vides. Il conservait une demi-douzaine de comprimés d'amphétamines cruciformes dans une cavité au fond d'un de ses tiroirs, personne ne pouvait les voir même en le vidant. Il en avala un, histoire de se réveiller, sortit son portable de sa poche, s'apprêta à enfoncer la touche du numéro en mémoire, s'interrompit, fronça les sourcils, réfléchit et annula tout. Les téléphones portables sont comme des radios. Il ne fallait pas prendre le risque d'être capté.

Il lui vint alors à l'esprit que les appels de LaChaise sur son cellulaire pouvaient être retracés. Merde. S'ils mettaient la main sur son appareil et vérifiaient la facture, il était foutu. Stadic se mit à transpirer. Il fallait qu'il récupère ce téléphone, bon Dieu, il le fallait absolument.

Il réfléchit une minute, finit par décrocher un téléphone sur le bureau et composa le numéro de LaChaise. Ce faisant, les premiers effets des amphétamines se firent sentir et il eut l'impression d'avoir l'esprit un peu plus clair.

« Allô, répondit LaChaise.

— J'en ai un pour vous, annonça Stadic sans préambule.

— Lequel ?

— Franklin. Il vient de sortir d'ici avec Davenport et deux autres types, et ils vont arrêter un mec, rien à voir avec vous. Mais j'ai entendu Franklin dire qu'il allait passer chez lui après ça pour prendre des affaires de sa femme. Elle est toujours à l'hôtel.

— Quand est-ce qu'il sera chez lui ?

— Leur expédition ne va pas prendre longtemps. Ils vont atteindre leur but d'ici une vingtaine de minutes, et la maison de Franklin n'est pas très loin. Je dirais entre une demi-heure et une heure, selon la façon dont l'arrestation se déroule.

— Sa maison est surveillée ?

— Non.

— Donnez-moi l'adresse. »

Ayant raccroché, Stadic réfléchit rapidement, aidé par les amphètes : il allait attendre dans la neige, en face de chez Franklin. S'il voyait LaChaise et Martin arriver, tout irait bien. Sinon, il attendrait Franklin. Aussitôt, les deux autres se montreraient, et quand ils s'approcheraient pour tuer Franklin, il n'aurait qu'à surgir dans leur dos et les abattre.

Exactement le même plan que dans l'autre maison, mais avec un homme de moins pour lui compliquer la tâche. N'empêche, il fallait qu'il récupère le portable.

En ressortant de son bureau, comme il fermait la porte à clé, il entendit des voix au bout du couloir. Lester apparut en compagnie de Lew Harrin, un gars de la Crim. Il entendit Lester lui dire : « Tiens, voilà Stadic, emmenons-le. » Puis, haussant le ton : « Hé, Andy ! »

Stadic se retourna : « Oui ?

— On a un homicide sur la 33e, quelqu'un est tombé sur un type qui gisait par terre. Les agents ont vérifié, ils disent que le type était déjà mort, deux balles dans la tête. Allez donc voir ce qui se passe avec Lew.

— Écoutez, je suis complètement lessivé…

— Oui, oui, je sais. Nous sommes tous au bout du rouleau. On ne peut pas vous mettre en première ligne parce que vous n'êtes pas armé, mais ça, vous pouvez le faire. Il s'agit juste de poser quelques questions. D'ailleurs, il semblerait que le type soit un camé. Vous le connaissez peut-être.

— C'est que ma tête…

— Je ne veux pas en entendre parler. Allez, magnez-vous le train. »

LaChaise et Martin firent leurs préparatifs en hâte. Martin avait démonté un des 45. Il le remonta et le chargea tout en cherchant ses bottes dans l'appartement. LaChaise enfila sa parka et dit à Sandy : « Je me fais du souci à cause de toi. Tu serais capable de nous donner, comme tu l'as fait pour ton mec.

— Allons, Dick, ne me fais pas peur.

— Tu devrais avoir peur.

213

— Je meurs de peur. La police va tous nous tuer.

— Ouais, c'est probable », conclut-il avec un large sourire.

Martin tendit à LaChaise un automatique Colt 45 en acier bleui et une demi-douzaine de munitions. « Un petit peu plus de puissance de feu, dit-il. Je préférerais avoir quelque chose de beaucoup plus costaud. Notre fusil automatique AR valait de l'or. »

LaChaise cessa de regarder Sandy. « Ça va très bien marcher », dit-il en fourrant l'arme dans la poche de sa parka. Il se retourna vers elle : « J'ai bien pensé t'emmener, mais ce n'est vraiment pas possible. On va être obligés de…

— Quoi ? s'écria-t-elle, persuadée que maintenant, ça y était, ils allaient la tuer.

— De t'attacher un peu, conclut-il avec un vilain sourire.

— Allons, Dick. Je ne vais aller nulle part. Je ne peux pas…

— Nous en avons discuté avec Bill, et nous pensons que tu pourrais très bien. »

Elle regarda Martin, qui acquiesça. « Tu en es capable.

— On descend au garage, décréta LaChaise. »

Ils avaient déniché une douzaine de cadenas dans un tiroir de la cuisine, du genre que Harp utilisait comme sécurité pour les bacs à monnaie de ses machines à laver. Dans le garage, ils trouvèrent une chaîne. Martin apporta une chaise longue et une pile de magazines.

Ils l'attachèrent selon une technique simple, rapide et à peu près incontournable. Sandy se dit que LaChaise avait dû l'apprendre en prison. Une extrémité de la chaîne fut passée autour de sa taille et maintenue par un cadenas. L'autre extrémité fut enroulée autour d'une poutre du plafond, et fixée par un deuxième cadenas. Il restait juste assez de jeu pour qu'elle puisse s'asseoir.

« Tu peux toujours essayer de sortir, dit LaChaise. Mais ne te blesse pas, parce que ça risque de faire mal.

— Dick, supplia-t-elle, tu n'es pas obligé de faire ça. Je ne bougerai pas d'ici. »

Il la regarda d'un air mauvais : « Peut-être bien… peut-être bien qu'on s'amusera un peu au retour, tous les deux.

— Quoi ?

— Allons, Bill, c'est l'heure. »

Cinq minutes après l'arrestation d'Arne Palin, Lucas savait qu'ils avaient commis une erreur.

Ils s'étaient arrêtés à quelques rues, avaient passé leurs flanelles, prêts au pire. L'unité spéciale se présenta à la porte, frappa, et quand Palin ouvrit le repoussa brutalement à l'intérieur. Une autre équipe entra au même moment par l'arrière en brisant la serrure. Palin, qui bafouillait, et sa femme qui hurlait regardèrent l'équipe spéciale envahir la maison de la cave aux chambres. Lucas, Sloan et Franklin pénétrèrent dans les lieux immédiatement après l'équipe spéciale. Palin avait été jeté sur le canapé avec sa femme. Il se mit à bredouiller, furieux pour commencer, puis abasourdi.

« Il n'y a rien ici, dit Franklin. Je peux me tirer ?

— Vas-y, fit Lucas. Tu repasses au bureau ?

— Dès que j'ai porté ses affaires à ma femme. » Il adressa un signe de tête à Palin : « Arne », dit-il, et il disparut.

« Mais qu'est-ce qui se passe ? demanda Palin à Lucas.

— Hier soir, vous avez demandé qu'on vous trouve le propriétaire d'un pick-up immatriculé dans le Wisconsin. Il appartenait à Elmore et Sandy Darling. Pourquoi avez-vous fait ça ? »

La femme de Palin le regarda. Il ouvrit la bouche et la referma, puis il tourna la tête, réfléchit un instant, leva les yeux vers Lucas et déclara : « Je n'ai jamais fait ça.

— On vous a enregistré, Arne.

— Jamais, répéta Palin.

— Elmore Darling a été abattu hier soir et sa femme Sandy a disparu, en cavale avec LaChaise et les autres cinglés, si ça se trouve. Nous savons que vous avez demandé une recherche à partir de la plaque d'immatriculation…

— Vous allez m'écouter, nom de Dieu ? » hurla Palin en essayant de se relever. Lucas lui posa la main sur la poitrine. Il se rassit et cria : « Je n'ai pas demandé de recherche sur une plaque du Wisconsin et vous ne pouvez pas m'avoir enregistré parce que je ne l'ai jamais fait. »

Sloan dit alors, conciliant : « Arne, tu voudrais peut-être un avocat…

— Je n'ai pas besoin d'un putain d'avocat ! explosa Palin en bondissant sur le canapé. Apportez-moi ces putains de bandes, apportez-les ici. »

Lucas le regarda longuement, puis il regarda sa femme qui pleurait.

215

« D'accord. Mettez votre manteau. Allons écouter les bandes au commissariat, on essaiera de comprendre ce qui s'est passé.

— Je veux venir avec vous, demanda la femme.

— Bien sûr, pas de problème », acquiesça Lucas. Il allait justement lui demander de s'habiller aussi : il n'était pas question que quelqu'un reste après leur départ, si c'était eux qui renseignaient LaChaise.

Stadic regarda le cadavre de Sell-More. La tête était inclinée vers le trottoir, dessinant un angle improbable à droite, et, apparemment, ses jambes avaient été broyées par la voiture qui l'avait renversé. Il n'y avait aucune trace de sang.

« Merde, dit-il à Harrin, le flic de la Crim. Je lui ai parlé il y a à peine quelques heures. Davenport va flipper. C'est un coup de LaChaise. Je me demande ce qui se trame... »

Lucas prit l'appel de Stadic en retournant au bureau : Sell-More ? Pourquoi diable est-ce que quelqu'un irait tuer Sell-More ? Parce qu'il posait des questions ?

Franklin habitait le nord de Minneapolis, dans une vieille baraque d'un étage au milieu de maisons d'époques et de styles variés. De l'autre côté de la rue, un cube de brique lui faisait face, tandis que sur la gauche une bicoque en bardeaux blancs, construite sur plusieurs niveaux, encombrait son allée. Franklin roula lentement jusque chez lui. Il était fatigué, le poids de la journée commençait à se faire sentir. Quelques flocons flottaient encore, vestiges des violentes chutes de neige de la nuit.

Il se dit qu'il devrait peut-être sortir la souffleuse pour dégager son allée avant que la couche de neige ne devienne trop épaisse, ou trop sale à cause des passages du livreur de journaux. Il gardait un survêtement imperméabilisé dans le placard de l'entrée, ainsi que des bottes. Nettoyer l'allée serait l'affaire de quelques minutes. Oui, mais avait-il remis de l'essence dans la souffleuse ?

LaChaise et Martin étaient passés au ralenti devant la maison de Franklin, puis ils avaient quadrillé les rues latérales.

« S'il y a quelqu'un, ils doivent être à l'intérieur, dit Martin. On n'y voit que dalle par ici.

— J'y pensais justement, dit LaChaise. C'est pas la peine qu'on y aille tous les deux. Dépose-moi au coin de la rue, j'y retournerai à pied. Et puis, trouve un endroit où te garer. Tu vois ce réverbère ? »

Il désigna un réverbère à un croisement, deux maisons plus loin. « Ouais ?

— Gare-toi à un endroit d'où tu puisses voir cette lumière. Si tu la vois, c'est que tu verras ses phares quand il se pointera. Dès que tu l'as repéré, tu rappliques. Je le choperai quand il descendra de voiture.

— Et qu'est-ce qui se passe s'il rentre dans le garage et referme la porte sans descendre de voiture ?

— Je fonce à hauteur de sa fenêtre et je tire à travers la vitre. C'est encore ce qui serait le plus facile.

— Ah, si on avait ce putain d'AR.

— Le Bulldog fera l'affaire, avec le Colt.

— Tu vas te les geler, dehors.

— Fait pas si froid que ça. On attendra une heure. Je peux tenir une heure », dit LaChaise.

Ils attendaient depuis vingt minutes quand Franklin apparut. Martin était dans la rue, un bloc et demi plus bas, et LaChaise derrière un sapin, juste en face de l'allée de Franklin.

Quatre voitures passèrent pendant ce laps de temps, plus une femme à pied, en parka et pantalon de ski, qui portait un sac à provisions en plastique. Elle passa à moins de deux mètres de LaChaise sans soupçonner sa présence. À ce moment précis, LaChaise visa l'arrière de son crâne avec le Bulldog et se dit : *Paf !*

Il avait six balles dans le Bulldog. Ça le fit réfléchir une minute. Martin lui avait donné un des 45 qu'il avait achetés à Dave. Il le sortit de sa poche, actionna la culasse pour charger et armer, et releva le cran de sécurité.

Lorsque Franklin tourna au coin de la rue, LaChaise se pencha en avant, les nerfs tendus. La voiture avançait au ralenti et il avait un pressentiment... oui. Il remit la sécurité du 45.

La porte du garage commença à monter, une lumière s'alluma à l'intérieur, et Franklin vira sèchement à gauche dans l'allée. La porte montait assez vite pour lui permettre de rentrer sans devoir s'arrêter. LaChaise se redressa derrière le sapin, trébucha, car il avait des crampes dans les jambes pour être resté trop longtemps agenouillé, reprit son équilibre, se mit à courir derrière la voiture, trébucha de nouveau, se rattrapa et vit la portière de la voiture s'ouvrir. Mais ses faux pas l'avaient ralenti...

Franklin était un gros gabarit, mais agile. Il posa les pieds par terre et se mit debout tout en pensant au souffleur, et, au même moment, vit LaChaise qui remontait l'allée en courant. Il sut immédiatement qui c'était et dit : « Merde ! »

LaChaise vit le grand costaud se tourner vers lui et porter la main à son côté, et il eut une vision éclair de Capslock faisant exactement le même geste rapide. Cette fois, cependant, il était prêt. Il dégaina et tira à vingt pas un premier coup de feu avec le Bulldog, en plein dans la poitrine de Franklin. Celui-ci recula en titubant. Il se rapprocha, tira une deuxième fois à quinze pas, et encore une troisième, bang-bang-bang d'affilée, puis la main de Franklin se leva et LaChaise tira un quatrième coup, sachant qu'il était parti trop loin sur la droite.

Franklin braquait son arme, maintenant. LaChaise vit le canon cracher un éclair et tira une fois avec le 45, de l'autre main. Raté, se dit-il. Franklin tira à son tour et LaChaise eut l'impression que la balle lui avait effleuré la barbe. Il riposta, et Franklin tomba, mais continua à tirer. Alors LaChaise fit volte-face et se mit à courir.

Martin s'arrêta devant, ouvrit la portière. LaChaise se jeta dans l'ouverture et Martin redémarra en trombe. L'arrière de la voiture chassa violemment une, deux fois, avant de se redresser. LaChaise attrapa la portière et la ferma d'un coup sec. En regardant derrière eux, il vit Franklin sur le sol du garage...

« Tu l'as eu, dit Martin.

— Je ne sais pas. Il était vraiment immense, j'ai tiré sans arrêt et à chaque fois il sursautait mais il restait debout.

— Si tu touches un type au cœur et qu'il est quasi mort, il peut encore appuyer sur la détente pendant trente secondes ou une minute. C'est ce qui est arrivé aux agents du FBI à Miami. Les copains étaient à peu près morts, mais ils ont continué à tirer et ils ont entraîné les gars du FBI dans la mort avec eux.

— Je ne sais pas... », répéta LaChaise. Il se retourna sur son siège, mais le garage de Franklin s'était perdu dans la nuit.

Quand la première balle le toucha, Franklin eut l'impression que quelqu'un l'avait frappé en plein sternum avec une batte de base-ball. Même chose pour la deuxième et la troisième. Il avait alors son arme en main, mais la quatrième l'avait touché au bras, et ça mordait comme si quelqu'un l'avait cinglé avec un fouet ou une matraque de caoutchouc, le déséquilibrant. Il se dit : *Ne craque pas*, et il ouvrit le feu tout en sachant qu'il n'arriverait à rien de bon avec son bras gauche irradiant cette douleur. C'est alors qu'une dernière balle le frappa en pleine poitrine et qu'il s'écroula, glissant sur la neige qui était tombée de sa voiture. Il ne savait pas combien de fois il avait tiré, il n'avait pas compté les coups de feu de son agresseur, mais une balle lui déchira la jambe et il roula sur lui-même, et maintenant c'était vraiment douloureux, ce qui ne l'empêcha pas de garder son arme braquée vers la porte et de continuer à appuyer sur la détente…

Soudain, cela cessa et le silence l'entoura. Il vit LaChaise sauter dans une voiture qui l'attendait dans la rue.

Il s'exclama « Quoi ? » puis ça lui revint : Seigneur, le type devait être à court de munitions. Instinctivement, il voulut prendre son deuxième chargeur de sa main gauche et une douleur déchirante traversa son bras et son épaule.

« Ahhh… » Il se hissa debout et sa jambe gauche le fit horriblement souffrir. Baissant les yeux, il vit le sang qui formait une flaque par terre. Prenant appui sur sa jambe droite, il parvint à se vautrer sur le siège du conducteur et à saisir la radio de sa main valide.

« À l'aide », gémit-il.

Lester intercepta Lucas au moment où il entrait dans son bureau.

« Franklin a été touché. Il y a deux minutes. Ils l'ont eu chez lui ! cria-t-il du bout du couloir de marbre. On l'emmène à Hennepin.

— J'y vais, répondit Lucas sur le même ton. Les gars ramènent Palin. Parlez-lui… »

Lucas courut dans la neige jusqu'à l'hôpital, dévala la rue où se trouvait l'entrée des urgences. Pas de policiers en vue. Un médecin se tenait à l'entrée, des infirmières se débattaient avec une civière.

« Je suis de la police, dit Lucas. Vous avez un…

— Oui, vous êtes Davenport, je vous ai vu à la télé. Il est en route, l'interrompit le médecin. Les ambulanciers s'occupent déjà de lui.

— C'est grave ?

— Il a été touché à un bras et une jambe. Ça a l'air assez grave, mais pas critique. Ils disent qu'il a stoppé quatre balles avec son gilet. »

Lucas eut une vision de la rue où ils s'étaient arrêtés pour enfiler leurs flanelles avant de monter à l'assaut de ce pauvre vieux Arne Palin. Mais comment diable LaChaise, car ce devait être LaChaise, avait-il appris où il devait attendre Franklin ? Il entendit alors les sirènes et cessa d'y penser, allant à la rencontre de l'ambulance avec le médecin.

18

Lucas fendit la foule des journalistes rassemblés dans le hall, secoua la tête et dit : « Non, je suis désolé... le chef va arriver dans une minute. Je suis vraiment désolé mais je ne peux rien dire. »

Dehors, il accéléra le pas pour retourner au quartier général de la police, ce qui lui valut quelques glissades et dérapages involontaires. Son bureau n'était pas allumé. Il monta à la Crim où il retrouva Sloan, Del et Sherrill.

« Comment va Franklin ? » demanda aussitôt Sloan en se levant. Ils étaient tous un peu abattus.

« Il est au bloc, mais son état n'est pas critique. Quelqu'un a dit qu'il aurait peut-être des séquelles nerveuses périphériques dans le bras. Je ne suis pas sûr de ce que j'avance mais, à mon avis, cela signifie qu'ils vont sans doute lui greffer de la peau aux endroits où il ne sent rien.

— Ça aurait pu être pire, dit Del.

— Où est sa femme ? demanda Sherrill.

— À l'hôpital. Que s'est-il passé avec Palin ?

— On l'a gardé ici au cas où le chef ou toi voudriez lui parler. En tout cas, ce n'est pas lui, affirma Sloan.

— Raconte.

— Tu as entendu les bandes ?

— Non.

— Eh bien, si c'est lui, poursuivit Sloan, il déguise sa voix. Et pourquoi déguiserait-il sa voix puisqu'il donne son numéro de brigade ? Et même en admettant qu'il s'agisse d'une voix déguisée, ça n'est sûrement pas la sienne.

— Bon. Et que faisait-il plus tôt, d'après l'enregistrement ?

— C'est l'autre problème, intervint Sherrill. J'ai écouté les bandes enregistrées avant l'heure qui nous intéresse. Il était avec Dobie Martinez, ils ont terminé un rapport de cambriolage et dit qu'ils allaient s'arrêter pour boire un café. Ils ont coupé le contact. Dix minutes plus tard, il y a cette demande de recherche pour la voiture de Darling... et encore dix minutes après, les revoilà à l'antenne, prêts à reprendre le travail.

— Merde, dit Lucas. Vous avez interrogé Martinez ?

— Oui. Il se rappelle avoir terminé le cambriolage et s'être arrêté chez Barney. Il dit qu'ils y sont restés quinze à vingt minutes et qu'Arne a été tout le temps avec lui. Ensuite, ils sont ressortis et ont repris le travail. Il affirme qu'ils n'ont jamais demandé de recherche sur des plaques du Wisconsin. Donc, à moins qu'ils soient en cheville, cette dénonciation est bidon.

— Elle est bidon, confirma Lucas. Mais j'aimerais bien entendre les bandes.

— Je les ai copiées sur une cassette, dit Sherrill. Je vais la chercher. »

Elle s'éloigna et Lucas s'adressa à Del :

« Tu es au courant, pour Sell-More ?

— Non, je viens juste d'arriver.

— Stadic a appelé à peu près au moment où Franklin se faisait tirer dessus Il était sur une scène de crime dans le sud de la ville. Sell-More gisait sur le trottoir, deux balles dans la tête.

— Nom d'un chien ! s'exclama Del. Ils se sont servis de Sell-More pour monter le coup contre Palin.

— Oui, mais je ne comprends pas pourquoi, dit Lucas. C'est forcément un flic, et il doit savoir que ça ne pouvait pas prendre. »

Ils se regardèrent tous, et Sloan hasarda : « Il n'est peut-être pas très malin.

— Tu parles ! Il nous mène par le bout du nez depuis un moment, dit Lucas. Qui fait les premières constatations chez Franklin ?

— Des gars de Lester, je ne sais pas qui... Bon Dieu, il y en a dans tous les coins.

— Je veux leur parler, quels qu'ils soient. »

Lester entra. Ils se tournèrent vers lui. Une seconde plus tard, Rose Marie Roux entra à son tour. Elle regarda Lucas et dit : « Donnez-moi une idée.

— Je n'ai rien de plus que ce que nous faisons déjà. Il doit être planqué chez un copain.

— Nous avons secoué tous les motards de cette putain de ville, dit Lester. La question est : Qui peut bien être assez copain avec lui pour se mêler à un tel merdier ? Il se pourrait qu'il se planque chez… vous savez. »

Il ne le dit pas, mais c'était clair : le flic.

Lucas secoua la tête. « Mon esprit ne fonctionne pas correctement. Il faut que je m'allonge quelques minutes. » Puis, se tournant vers Roux : « Il y a autre chose. Nous devons absolument envoyer un message à Sandy Darling. Elle a fait tout un cirque pour avoir un avocat, elle croit qu'on est prêts à l'abattre avec les autres…

— Mais que lui dire sans la trahir ? »

Lucas se gratta le menton. « On pourrait raconter qu'on avait une source, qu'elle nous a rendu service mais qu'elle semble avoir peur, maintenant. Elle se cache. Nous lui demandons de sortir de sa cachette et lui promettons protection et immunité.

— Pour l'immunité, je ne suis pas si sûre, dit Roux. Que se passera-t-il si elle est à fond avec eux et qu'elle essaie simplement de s'en sortir ?

— D'accord, on promet seulement de la protéger. Vous comprenez, il n'y a que trois façons de les atteindre : soit on les trouve grâce à nos contacts de la rue, soit on identifie le flic qui nous manipule, soit on décide Darling à les donner. Nous faisons notre maximum dans la rue, mais, pour le flic, on n'a que dalle…

— D'accord, fit Roux en opinant. Je vais faire passer le message. Ils utilisent tout ce qu'on leur lâche, donc ça sera à l'antenne dans dix minutes. »

Sherrill réapparut avec un magnétophone : « Il y a autre chose. Ce que ces types sont en train de faire… ils ne vont pas revenir en arrière. Je pense que nous devrions poster une unité spéciale de combat partout où ils risquent de se pointer. Chez chacun de nous. L'hôtel est couvert. Mais on devrait peut-être protéger l'hôpital où se trouvent Franklin, Cheryl et Dieu sait qui. »

Sloan intervint : « Je crois aussi que personne ne devrait se promener sans surveillance. » Se tournant vers Lucas, il ajouta : « Weather et Jennifer. Quelqu'un raconte tout ce qui se passe à ces types.

— Lucas, ces femmes doivent rester sous notre contrôle, ordonna Roux. Vous pensez pouvoir y arriver ?

— Je vais leur parler. »

223

Sherrill mit le magnétophone en marche. Lucas écouta la bande, les yeux fermés. La voix ne collait pas : trop suave, trop haut perchée. Bidon. Celui qui parlait avait pu faire illusion sur les gens du standard parce qu'il avait donné le bon numéro de brigade et que c'était une requête banale.

Enfin, Lucas dit : « Je n'en jurerais pas, mais je crois que c'est le type qui m'a appelé pour m'avertir que Butters en avait après Jennifer et Sarah.

— Pourquoi ?

— Je vais te le dire. Parce que cette ordure de LaChaise le fait chanter, et il est persuadé que, si nous les prenons vivants, ils vont le donner. Ce qu'ils feront probablement. Il a donc intérêt à les voir morts. »

Lucas prit une voiture banalisée pour se rendre à TV3 et roula en écoutant la radio, son téléphone portable à portée de main. La situation ne ressemblait à aucune autre. C'était comparable à une guerre. Il n'y avait pas, comme d'habitude, d'intermèdes où il pouvait s'asseoir et réfléchir tranquillement aux schémas, à la façon dont ses adversaires fonctionnaient. Les morceaux du puzzle lui glissaient entre les doigts, il le sentait bien. Peut-être que quelques heures de sommeil...

Le hall de TV3 était bouclé. Quand il approcha des portes vitrées, quatre hommes alignés derrière deux bureaux d'accueil lui firent signe de partir. Il resta devant une porte, brandissant sa carte professionnelle. L'un des hommes, un costaud en costume sombre, traversa le hall. Lucas constata qu'il portait un gilet pare-balles et un pistolet à la hanche. L'homme vérifia ses papiers, le regarda et tourna le verrou.

« Je me disais bien que c'était vous, dit le type en regardant par-dessus l'épaule de Lucas pendant que celui-ci entrait.

— Qui êtes-vous ?

— Thomason Sécurité. On bloque toutes les portes.

— Parfait. » Thomason Sécurité était une société de surveillance solide, utilisée généralement pour transporter la recette des grands matchs et des concerts de rock, mais capable aussi de fournir des gardes du corps armés pour les célébrités. Lucas demanda Jennifer.

« On va appeler. » Lucas attendit, accoudé à un comptoir. Pendant que le gardien téléphonait, il remarqua que son collègue, dans cette partie du hall, avait une Winchester Defender de calibre 12 à ses pieds. Encore mieux.

Le premier gardien se tourna vers lui : « Vous pouvez monter. Vous connaissez le chemin ?

— Oui. »

Jennifer vint à sa rencontre devant les ascenseurs. « Que se passe-t-il ?

— Nous avons décidé de mettre tout le monde sous protection rapprochée. » Retour à l'hôtel. « Ces types sont complètement suicidaires. »

Jennifer secoua la tête : « Je sais, mais tu as vu notre sécurité. Ils ne peuvent absolument pas m'atteindre. Je suis aussi bien protégée ici qu'à l'hôtel, et il faut que je travaille. Je suis derrière la caméra quatre heures par jour. C'est le reportage le plus important de ma carrière.

— Mais écoute donc, bon Dieu ! On sait qu'ils allaient s'en prendre à vous…

— Oui, mais tout est réglé. Ils ne peuvent pas deviner où sont les enfants, puisque seuls toi, moi et Richard le savons. Et je suis parfaitement en sécurité ici. Je regrette… on a évalué les risques. Je reste ici. »

Il baissa les bras.

« D'accord, mais je veux parler à Small. Je veux être absolument certain qu'il y a une ligne directe entre ici et le quartier général, et que dans la seconde où quelque chose arrive… »

Avec Weather, ce fut pire.

Quand Lucas entra dans la suite, elle parlait à Sarah. Dès qu'il commença son discours, elle prit l'enfant dans ses bras et l'installa sur ses genoux.

« Écoute-moi, Weather… » Sarah faisait écran entre eux, une sorte de barrière psychologique. Il ne pouvait pas fonctionner normalement face à quelqu'un qui le regardait avec ses propres yeux. Il ne pouvait pas toucher Weather, or il avait besoin de la toucher pour la convaincre.

« Lucas, commença-t-elle d'un ton exaspéré lorsqu'il eut terminé. Personne ne peut me trouver à l'hôpital. Personne. Les gens qui travaillent là-bas ne le peuvent, à la rigueur, que s'ils connaissent mon emploi du temps. Et même dans ce cas, ils n'y arrivent généralement pas. J'ai des opérations programmées pour toute la semaine. Je ne peux tout simplement pas me défiler parce qu'il y a des cinglés qui se baladent dans les rues.

— Le seul problème, c'est que tu es un appât, expliqua Lucas. Tu pourrais causer un tas d'ennuis à ceux qui t'entourent. En plus, maintenant, nous sommes sûrs qu'ils sont renseignés par un flic.

— Bon, procédons ainsi : on va dire à tout le monde, y compris la police, que je suis à l'hôtel. Tu peux m'y ramener en douce la nuit, et je ferai tout un foin en me plaignant d'être incarcérée, comme ça ils auront la preuve que je suis bien là. Ensuite, je ressortirai pareillement au petit matin, et il n'y aura que toi et moi qui le saurons.

— Quelqu'un d'autre l'apprendra forcément.

— Deux ou trois personnes. Tu peux faire appel à des collègues dont tu es absolument sûr.

— Et si la télévision venait t'interviewer ce soir à l'hôtel ? Dans une dizaine de minutes, une demi-heure ? Tu expliquerais ce que c'est d'être enfermée à attendre ici. Et on te verrait à l'antenne.

— D'accord, si ça peut me permettre de continuer à travailler.

— Je vais appeler Jen pour qu'elle nous organise ça. »

Il fit un petit tour dans la pièce, revint devant elles, prit Sarah dans ses bras et la fit sauter en l'air : « Tu as envie de voir maman ?

— Elle est en train de préparer un reportage très important.

— Je crois qu'elle pourra s'absenter une minute pour voir sa fille. Allez, on va lui parler. »

19

LaChaise était aux anges : ils avaient tué le flic, répétait-il avec une expression illuminée, comme s'il s'attendait que Sandy ait préparé une petite fête pour célébrer la chose.

« Non, mais qu'est-ce que t'en dis ? Hein, qu'est-ce que t'en dis ? »

Sandy, animée d'une rage froide, détourna le visage pendant qu'il la détachait, puis elle monta l'escalier et se rendit dans la chambre du fond, celle qu'on lui avait attribuée, et lui claqua la porte au nez. Sans dire un seul mot. Elle s'était sentie comme un chien avec cette chaîne à la taille, et un chien maltraité de surcroît.

Elle resta allongée sur le matelas nu pendant une demi-heure, pensant à Elmore, aux chevaux, percevant une vague odeur de corps inconnus.

Les chevaux. Elle se leva brusquement et alla au salon. LaChaise et Martin regardaient la télévision en buvant. « Il faut que j'appelle un type pour m'assurer qu'il nourrit bien les bêtes. »

LaChaise haussa les épaules. « Prends le portable, il est dans la poche de mon manteau. Mais ne parle pas plus d'une ou deux minutes, des fois qu'ils auraient un moyen de repérer l'appel. Et fais ça ici, qu'on puisse entendre ce que tu dis. »

Elle opina, alla chercher le manteau, fouilla dans les poches. Au fond de l'une d'elles, elle trouva le paquet de photos, celles du flic. Il y en avait dix. Deux hommes assis à table, un Blanc et un Noir. Lequel était le flic ?

Tendant l'oreille, elle en subtilisa deux, celles où l'on voyait le mieux les visages, qu'elle glissa dans la poche de son jean. Elle remit les autres en place, trouva le téléphone, retourna dans le couloir où les hommes pouvaient l'entendre.

Jack White. Elle connaissait le numéro par cœur. C'est sa femme qui répondit.

« Sandy ! Où êtes-vous donc ? On n'arrive pas à croire…

— Ça ne se passe pas comme les gens le croient. Je ne peux pas parler longtemps, mais je voudrais que vous disiez à Jack de s'occuper des bêtes.

— Il s'en est chargé dès qu'il a su, pour Elmore.

— Dites-lui que je le paierai. C'est juré, dès que je me sortirai de là.

— Il le ferait sans ça.

— Faut que je vous quitte. Et merci. Je n'oublierai pas. »

Elle raccrocha. LaChaise lui demanda : « Tu crois encore que tu peux t'en sortir ?

— Je vais remettre le téléphone dans ta poche », répondit-elle froidement. Ce qu'elle fit, puis elle retourna dans la chambre et s'allongea sur le lit.

Là, elle essaya de réfléchir. Se releva quelques instants plus tard et regarda la pièce de plus près. C'était une chambre d'invités qui avait servi de débarras. LaChaise l'avait retournée en tous sens, espérant trouver de l'argent, mais il n'y avait rien d'intéressant. Elle s'approcha de la fenêtre, souleva le store et regarda dehors. La neige ne tombait plus. Quelques réverbères éloignés scintillaient dans l'air, qui avait retrouvé sa transparence. Il doit y avoir deux ou trois centimètres de neige, pensa-t-elle. Elle se pencha et examina le rebord.

Et elle se dit : *Par la fenêtre.*

Des draps… mais il n'y en avait pas. Le lit était replié et poussé contre le mur à leur arrivée. Elle pouvait prendre des draps, il y en avait dans un placard au bout du couloir, ça aurait l'air normal. Mais Martin allait sûrement faire le lien entre les draps et la fenêtre.

Sandy regarda dehors, puis à droite. L'échelle de secours se trouvait tout près, une fenêtre plus bas, au bout du long couloir. À trois mètres, pas plus. Le rebord de la fenêtre ne faisait que trente centimètres de large et il était couvert de neige. Elle se trouvait à six mètres du sol. De quoi faire une chute mortelle.

D'un autre côté… Elle pouvait dégager la neige.

La fenêtre était fermée par un loquet qu'elle tourna. Après une légère résistance, il céda. Elle essaya d'ouvrir la fenêtre. Rien à faire. Elle l'examina de près. Apparemment, elle n'était pas bloquée par de la peinture. Elle recommença, s'accroupissant pour pousser le cadre, les bras tendus. Il se souleva de quelques centimètres. Ça allait marcher.

Elle jeta un coup d'œil à la porte. Le moment n'était pas favorable, avec les deux hommes réveillés, en train de boire. À cet instant, LaChaise poussa un rugissement dans la pièce de devant : « Les enfoirés ! »

La police ?

Sandy referma la fenêtre, tourna le loquet, baissa le store et regagna la porte sur la pointe des pieds. Puis elle l'ouvrit et regarda dans le couloir.

« … J'y comprends rien, rugit LaChaise. Pourquoi est-ce qu'il avait un gilet pare-balles pour aller chez lui ? »

La télévision racontait que Franklin n'était pas mort, qu'il n'était même pas dans un état critique. Il avait été sauvé par son gilet pare-balles.

« Comment est-ce que je dois faire, alors ? cria LaChaise à Martin. Comment je fais, hein ?

— Tu t'en es très bien sorti, le rassura Martin. Tu l'as touché quatre fois en pleine poitrine, c'est ce qu'ils disent aux infos. »

Mais les efforts de Martin n'eurent d'autre effet que d'accroître la rage de LaChaise. Déjà plein de bière, il empoigna la bouteille de Johnny Walker de Harp et commença à boire au goulot. Puis il saisit un grand verre à eau rempli de glaçons, les recouvrit de whisky, avala la totalité comme si c'était du Coca-Cola. Il but sans s'arrêter de marcher de long en large, sans quitter le téléviseur des yeux.

Une présentatrice blonde de TV3 – « C'est celle qu'on veut descendre, dit Martin, la femme de Davenport » – annonça : « La police recherche une source qui leur a fourni des renseignements précieux en début de semaine, mais qui a disparu depuis. Ils lui demandent d'appeler le 911 directement, comme la dernière fois, ou n'importe quel numéro du quartier général de la police, et de demander le commissaire Lucas Davenport. La police promet de lui assurer une protection totale contre toute représaille de Richard LaChaise ou de ses complices.

— Hein ? Et comment vous comptez y arriver ? brailla LaChaise à l'intention de l'écran… Tiens, j'aimerais bien me la faire… Qui a bien pu leur parler ? On ne connaît personne. »

Sandy recula. Elle savait très bien qui.

« Ça doit être celui qui leur a cafté l'adresse de notre planque

229

d'avant, suggéra Martin. Ansel a dû faire le tour des camés, leur poser des questions. Quelqu'un a dû le dénoncer.

— Ouais. Ce pauvre vieil Ansel. Il me manque. »

Le visage de LaChaise se crispa, et Sandy pensa qu'il versait quelques larmes. Soudain, il pivota, alla dans la chambre où Harp gardait sa chaîne stéréo et se mit à arracher les 33 tours de leur pochette et à les piétiner, en écrasant trois ou quatre à la fois.

Martin regarda Sandy, mais n'exprima rien, ni approbation ni désapprobation. Il n'exprimait jamais rien, songea-t-elle.

Entendant le fracas des disques écrasés, elle retourna dans la chambre et ferma la porte. Martin était givré, mais il se contrôlait, tandis que l'alcool avait fait disjoncter LaChaise, et il régnait maintenant dans l'appartement une odeur et un goût de démence, l'impression que quelque chose d'insensé pouvait arriver n'importe quand.

Il fallait qu'elle sorte de là.

Un instant plus tard, elle entendit les flèches de Martin se ficher dans la cible, derrière sa porte. Martin avait installé la cible près de la fenêtre, au bout du grand couloir. S'il visait un peu trop à droite, pensa-t-elle, la flèche transpercerait le store et la vitre, passerait au-dessus de l'échelle de secours et atterrirait dans le toit de l'immeuble voisin.

Elle était assise sur le lit quand LaChaise arrêta de casser des disques. L'instant suivant, il s'engueulait avec Martin. Elle entendit le bruit sourd de corps qui se heurtaient lourdement dans le salon. Elle courut à la porte, traversa le couloir et vit Martin sur LaChaise, par terre, lui enserrant le cou de son gros bras. LaChaise était face au sol et tentait de se mettre à quatre pattes.

« Laisse-moi me relever, espèce de connard ! hurla-t-il.

— Je ne peux pas, je ne peux pas, répétait Martin, visiblement stressé. On a besoin de cette foutue télé… » Voyant Sandy, il ajouta : « Il a essayé de démolir le poste.

— Ces enfoirés ne racontent que des mensonges, dit LaChaise, qui semblait un peu calmé.

— On a besoin de savoir ce qu'ils disent, et où en sont les flics », insista Martin.

Il y eut quelques secondes de silence, puis LaChaise demanda : « Laisse-moi me relever. Je ne shooterai pas dedans.

— D'accord. »

Martin se releva, s'interposant entre LaChaise et le téléviseur.

LaChaise se mit debout en grognant, un sourire crispé aux lèvres :
« Tu m'as botté le cul.

— Tu es complètement bourré.

— Ça, c'est vrai. Mais t'es pas mal bourré toi-même. » Au moment
où Sandy allait s'éloigner, LaChaise se retourna et la vit : « Qu'est-ce
que tu regardes ?... Hé ! attends une minute. »

Sandy retourna en vitesse vers la chambre en cherchant un endroit
où se cacher, et entendit LaChaise : « Si je ne peux pas me payer la
téloche, autant que je tire un coup. »

Sandy fit le tour de la chambre et regarda s'il y avait une issue.
Rien. LaChaise apparut sur le seuil et s'approcha d'elle, menaçant.

« Non, Dick, pas ça.

— Fais pas chier.

— Je ne bougerai pas d'un poil, je resterai raide comme une bûche.
Et si j'ai l'occasion de te tuer, je le ferai. »

Il s'avança et elle craignit qu'il ne la batte. Mais il la fixa d'un
regard incertain, dit : « Va te faire foutre ! » et regagna le couloir en
titubant. Elle referma la porte. Il fallait sortir de là. Absolument.

Lucas et Sloan accompagnèrent Weather dans une salle au fond
de l'hôtel tandis que Sherrill et Del allaient chercher Jennifer et une
équipe de TV3. Weather se coiffa et fit quelques raccords de maquil-
lage, pendant que Jennifer, debout à côté de Lucas, lui glissait : « À ta
place, je ne laisserais pas Weather trop longtemps en présence de cette
Sherrill.

— Comment ?

— Ne fais pas l'idiot, Davenport. Tu n'as jamais été insensible aux
qualités de cette jeune femme.

— Il est vrai que je les apprécie », admit Lucas avec raideur. Puis,
se sentant parfaitement idiot, il se détendit et sourit : « Mais je ne
passerai pas à l'acte. »

Jennifer le regarda d'un air intéressé. « Peut-être as-tu vraiment
changé, après tout.

— Oui, enfin... »

Weather réapparut et ils se dirigèrent vers le hall pour l'inter-
view, un sujet de deux minutes, au ras des pâquerettes, pour raconter
comment les familles des policiers en avaient assez d'être enfermées
et l'impression que cela faisait d'être barricadé à l'intérieur. Puis

Jennifer interviewa brièvement la femme de Sloan, qui était très agitée, avant de ressortir par la porte du fond avec ses gardes du corps.

« Ça devrait faire l'affaire, estima Weather quand ils furent de retour dans sa chambre.

— Je l'espère. J'espère qu'ils regardent la télévision. Jen promet de repasser l'enregistrement chaque fois qu'ils feront un flash-info.

— Tu m'en veux encore ? demanda Weather, l'air abattue.

— Non. J'étais furieux, mais surtout sur les nerfs. »

Elle tapota le dessus-de-lit. « Tu as besoin de dormir un peu. Je vois la caféine suinter de tes yeux.

— Deux ou trois heures, peut-être », admit-il.

Sandy entendait LaChaise parler à Martin. Ils s'étaient remis à boire. Elle se leva au moins vingt fois pour aller examiner le rebord de la fenêtre. Ça faisait haut. Plus haut que le fenil, dans la grange. Elle s'allongeait, fermait les yeux, essayait de se reposer, mais rien ne l'apaisait.

Puis les bruits de voix cessèrent dans le salon et le son de la télévision fut coupé. Elle alla à la fenêtre, regarda de nouveau en contrebas. Puis il y eut un sifflement suivi d'un bruit sourd dans le couloir. Martin recommençait avec son arc. Il tira une vingtaine de flèches et s'arrêta.

L'appartement resta plongé dans le calme pendant une demi-heure, une heure, et elle voyait les aiguilles avancer comme des tortues sur son cadran. Elle alla à la porte, tendit l'oreille, entrouvrit le battant d'un centimètre, risqua un œil. Si elle arrivait à prendre des draps – si elle arrivait même à franchir le seuil… Les gars avaient vraiment beaucoup bu.

La lumière du couloir était allumée, ainsi qu'une lampe dans le salon. Une demi-douzaine de flèches jaillissaient du mur, au bout du corridor, à plus d'un mètre de la cible. Mais personne ne bougeait. Elle s'avança sur la pointe des pieds. La porte de la chambre principale était ouverte. Dans la pénombre, elle vit LaChaise, étalé de tout son long sur le lit double.

Martin était couché par terre devant la porte d'entrée, emmitouflé dans une couverture. Elle s'approcha de lui avec précaution et chuchota : « Bill ? »

Il tressaillit, mais sa respiration resta égale. Elle jeta un coup d'œil à l'autre extrémité du couloir, où se trouvait la porte de la cave. La voix de Martin s'éleva, lourde de sommeil : « La porte est fermée. La clé est dans mon pantalon. »

Sandy sursauta. C'était comme s'il avait intercepté sa pensée. « Je n'allais pas à la porte. Je voulais seulement m'assurer que Dick cuvait bien son alcool. »

Elle s'apprêtait à demander : « Tu te sens... *bien* ? » mais, avant qu'elle ait pu émettre un son, Martin avait roulé sur lui-même et braquait un pistolet sur sa tête. Elle recula d'un pas et implora : « Par pitié... »

Même fin soûl – il avait terminé la bouteille de Johnny Walker de LaChaise et continué avec une demi-douzaine de bières – sa main ne tremblait pas. « Tu vas appeler les flics, c'est ça ?

— Non, je te le jure devant Dieu... » Elle regarda la chambre derrière elle. La cible noir et blanc se détachait devant la porte, tout près de la fenêtre ouvrant sur l'échelle de secours.

« Tu vas coucher avec lui ? »

Nous y voici, pensa-t-elle, on aborde les questions de fond. Elle croisa les bras : « Pas si je peux y couper, dit-elle en fixant le canon de l'arme. Si Dick arrive à me baiser, c'est que je serai inconsciente ou morte. »

Le trou noir, à l'extrémité du canon, lui semblait aussi gros qu'un panier de basket pointé entre ses yeux. Il continua de viser et elle ferma les yeux.

« D'accord », dit-il. Elle ouvrit les yeux. L'arme était pointée vers le plafond. Il lui sourit, un sourire qu'elle trouva niais, abruti, méchant : « J'espère qu'à la laverie personne ne nous a entendus nous battre, Dick et moi. »

Mon Dieu, pensa-t-elle, il est couché là et il trouve le moyen de penser à ça. À voix haute, elle dit : « Si quelqu'un avait appelé les flics, ils seraient déjà là. » Son regard glissa sur le téléphone : décrocher, composer le 911, ne pas reposer l'écouteur sur la fourche, attendre une minute...

Impossible. Elle pouvait contrôler LaChaise, mais Martin... Martin était capable de tout voir.

Le pistolet se releva brusquement à hauteur de son front. Martin dit : « Bang ! », puis : « Retourne dans ta chambre. »

Lucas essayait de dormir, blotti contre Weather. Tout en ayant l'impression d'être éveillé depuis plusieurs jours, il sentait d'instinct qu'il était trop tôt. Et le lit clochait. Ce n'était pas le sien, l'oreiller était infect, son cou faisait un angle bizarre. Mais, surtout, il ne pouvait empêcher son esprit de vagabonder. Il n'était pas en train de reconstituer le puzzle, mais seulement de revivre toute la séquence d'événements sans en tirer le moindre enseignement.

Un peu après minuit, la voix de Weather retentit dans l'obscurité : « Tu vibres.

— Je suis désolé.

— Tu as vraiment besoin de dormir.

— Je sais. Mais j'ai le cerveau ensuqué. »

Elle roula sur le côté. Elle parlait d'une voix claire, ce qui lui donna à penser qu'elle non plus ne trouvait pas le sommeil. « Ça va prendre encore combien de temps, pour les attraper ?

— Ce sera fait demain, sauf s'ils restent planqués. Mais s'ils sortent, on les aura. Demain ou après-demain, à mon avis.

— Et s'ils ont pris la fuite ?

— Leur portrait a été diffusé sur toutes les chaînes du pays. Ils ne peuvent pas s'arrêter pour faire le plein. En fait, ils ne peuvent pas se promener à découvert. »

Après un silence prolongé, Weather demanda : « Tu crois que vous les prendrez vivants ?

— Non.

— Tes hommes vont juste les abattre ?

— Non, ce n'est pas ça. S'ils appelaient en disant qu'ils veulent se rendre et qu'ils arrivaient les mains sur la tête, on les arrêterait. Mais ça n'en prend pas la tournure. Le premier, Butters, se serait aussi bien suicidé. Ils se considèrent comme morts. Ils se sont déjà rayés de la carte. C'est ça le plus terrifiant.

— Ce sont sans doute leurs parents qui les ont rendus ainsi.

— C'est toujours le cas. J'ai vu plusieurs gamins passer du stade de psychopathe léger à celui de psychopathe dangereux, et ce sont toujours leurs parents qui les ont menés là.

— Si on pouvait intervenir avant qu'il ne soit trop tard...

— Ça ne marche jamais, dit Lucas en secouant la tête. Personne ne passe autant de temps avec des enfants que leurs parents, même si les parents n'y tiennent pas. Normalement, les gens se rendent compte que quelque chose cloche quand les gamins sont déjà pervertis. On pourrait envisager une armée d'assistantes sociales fascistes, qui visiteraient chaque foyer une fois par mois et examineraient les gamins, mais ce serait pire encore que ce que nous avons là. Pense à ce qui s'est produit avec ces histoires de viols collectifs d'enfants. Ce ne sont que des âneries, et les assistantes sociales sont responsables. »

Silence.

Puis Weather, à nouveau : « Je ne crois pas que davantage de violence soit la solution du problème. Je ne pense pas que tirer sur ces gens puisse résoudre quelque chose.

— Tu parles en médecin.

— Pardon ?

— Les médecins voient les choses sous l'angle de la maladie et de la guérison. Notre problème, c'est que lorsqu'un de ces types tombe malade, c'est quelqu'un d'autre qui est blessé. On se retrouve avec deux problèmes, pas un. Notre premier devoir est de protéger les innocents. Ensuite, seulement ensuite, nous devons faire ce qui est possible pour les criminels, les soigner ou autre chose. Mais, d'abord, il faut les empêcher de continuer.

— Apparemment, ce n'est pas ce que vous êtes en train de faire... » Et elle ajouta en hâte : « Du moins, on n'en a pas toujours l'impression.

— Oui, je sais. Il y a des fois où nous vivons un peu trop la chose comme un jeu. C'est une manière d'affronter la situation, mais ce n'est pas la réalité de la situation. Ce n'est pas une partie de football, même si la télévision semble le laisser croire. »

Ils parlèrent encore quelques instants, et Weather dit : « Il faut que je dorme, maintenant. Je travaille tôt ce matin. »

Lucas l'embrassa pour lui souhaiter bonne nuit, se rallongea sur le dos, observa la lumière extérieure qui dessinait des motifs de plume sur le plafond et finit par s'endormir.

Sandy souleva la fenêtre centimètre par centimètre, et l'air froid s'engouffra dans la pièce. Ça posait un problème. Une fois qu'elle serait décidée, elle pourrait difficilement renoncer. La chambre serait glacée et, si Martin entrait, ou LaChaise, ils comprendraient tout de suite...

Elle n'en souleva pas moins la fenêtre. Puis, se penchant, chassa la neige du rebord avec sa main. Il ne semblait pas trop glissant, mais il ne fallait pas s'y risquer chaussée. Elle s'assit sur le lit, enleva ses bottes et ses chaussettes, fourra les chaussettes dans les bottes et celles-ci dans les poches de sa parka avec les talons qui dépassaient. Pas question de les laisser tomber...

Elle regarda en contrebas. *Je vais me rompre le cou.*

Elle inspira à fond et sortit. Le choc du froid sur ses pieds faillit la faire basculer. Elle agrippa l'intérieur du cadre de la fenêtre et avança précautionneusement vers la droite. Le rebord était vraiment large, comme s'il avait été conçu pour la mener à l'échelle de secours. C'était probablement le cas, pensa-t-elle.

Elle avança, un pas, un autre, se retenant de baisser les yeux. Elle lâcha le cadre de la fenêtre et se retrouva avec pour seul appui ses pieds saisis par le froid, et le mur qui semblait la pousser dans le dos. Elle regarda droit devant elle, se sentant en meilleur équilibre ainsi. Deux pas. Encore deux.

Elle tendit la main droite, en espérant sentir le métal de l'échelle. Encore un pas. Seigneur, elle avait tellement peur de regarder à droite. Un dernier pas, la main tendue, tâtonnante... et elle le sentit. Tournant alors la tête, elle vit l'échelle, empoigna la rambarde et l'enjamba.

Elle s'arrêta pour observer la fenêtre au-dessus de l'issue de secours. Le store était baissé mais elle pouvait voir le couloir par un interstice, tout en bas. Dans la quasi-obscurité, Martin avait l'air d'un gigantesque cocon, emmitouflé par terre au bout du couloir.

Elle avança sur la passerelle qui menait à l'issue de secours, le souffle court : elle était à la fois excitée et terrifiée. Elle descendit deux degrés, se retrouva sur la plate-forme, sauta doucement sur place pour voir si elle allait céder. Rien ne bougea. Elle recommença plus fort. Rien. Vraiment fort, cette fois. Elle entendit un bruit métallique à gauche, mais la plate-forme resta coincée.

Ça n'était pas censé se passer ainsi mais, dans l'obscurité, elle ne voyait pas ce qui empêchait la plate-forme de s'abaisser. Quelque chose bloquait le mécanisme.

Elle envisagea de se suspendre et de se laisser tomber. Mais, même en comptant les deux marches de la plate-forme et ce qu'elle gagnerait en se suspendant par les bras, elle aurait à effectuer un saut de près de quatre mètres avec réception sur la surface incertaine de la ruelle...

Et elle se briserait une jambe.

Elle y réfléchit cependant, tandis que le froid lui mordait douloureusement les pieds.

C'est alors qu'elle perçut la vibration. D'abord, elle ne sut pas ce que c'était, mais, avançant sur les genoux jusqu'à la fenêtre, elle risqua un œil en dessous du store. Martin s'était levé et remontait le couloir en direction de sa chambre. Il s'arrêta devant celle de LaChaise, jeta un coup d'œil à l'intérieur et entra dans la salle de bains. Sandy expira, soulagée, mais, trois secondes plus tard, il ressortit et reprit son chemin vers sa chambre.

Il s'arrêta devant sa porte et elle baissa la tête, n'ayant pas le courage de continuer à regarder, craignant qu'il ne sente ses yeux. Elle attendit, puis se força à regarder de nouveau. Martin était toujours à sa porte, une main sur la poignée. Immobile, aux aguets.

Ses pieds la brûlaient. Elle aurait dû les bouger mais elle ne pouvait pas. Elle craignait qu'il ne perçoive le moindre geste.

Enfin, Martin s'écarta de la porte, descendit le couloir jusqu'à la fenêtre donnant sur l'issue de secours et arracha les flèches plantées dans la cible. Puis il fit volte-face, repartit dans l'autre sens, regarda autour de lui, posa les flèches sur une étagère et se replongea dans le sac de couchage.

Retenant toujours son souffle, Sandy baissa la tête, s'assit et prit ses pieds entre ses mains pour les réchauffer. Elle avait horriblement mal ; pendant quelques secondes, il n'y eut rien d'autre au monde que son cœur battant et ses pieds. Il fallait remuer. Elle risqua un coup d'œil par l'interstice du store. Martin était sur le sac de couchage mais éveillé, et il tressautait. Tressautait ? Elle regarda mieux : bon Dieu, il se masturbait.

Elle respirait maintenant comme une locomotive, de grands jets de vapeur qui s'élevaient dans l'air froid de la nuit. Ses pieds gelaient et la douleur était intolérable. Elle regarda la plate-forme, la corniche, et péniblement enjamba la rambarde en sens inverse et se retrouva sur la corniche.

Retour à la case départ. Elle progressait plus vite, fouettée par la douleur. Elle attrapa le rebord de la fenêtre et le franchit en rampant. Ses pieds lui donnaient la sensation de marcher sur des tessons de bouteilles, mais elle les ignora et se concentra sur la fermeture de la fenêtre. En douceur, sans un bruit.

Bon. Il faisait froid dans la chambre, mais elle n'y pouvait rien pour l'instant. Elle ne devait pas ouvrir la porte : Martin risquerait de sentir l'appel d'air frais. Elle enleva sa parka, sortit les bottes des poches, s'assit sur le matelas nu et essuya ses pieds avec la doublure des manches.

Quand ils furent secs, elle les effleura, en caressa la plante. Pas de sensation, pas de sang non plus. Elle enfila ses chaussettes et s'allongea. Si elle se tenait tranquille…

Attends. Elle se mit à quatre pattes, fit le tour de la pièce, découvrit une bouche de chaleur. Fermée, ouverte ? Rien n'en sortait. Elle regarda l'interrupteur, décida de tenter le coup. L'actionna une fraction de seconde, regarda la grille – fermée – et éteignit aussitôt. Et, dans l'obscurité, ouvrit le volet de la bouche d'air chaud aussi largement que possible. Toujours rien. La chaudière ne devait pas être allumée.

Quoi encore ? Le loquet de la fenêtre. Elle alla à la fenêtre, tourna le loquet, baissa le store. Le rebord et la corniche étaient marqués par ses empreintes mais elle n'y pouvait rien. Sinon espérer que le vent soufflerait.

Elle se jeta sur le lit, s'enveloppa dans sa parka et essaya de sentir ses pieds. Puis elle lutta contre la déception. Cinq mètres… Elle aurait peut-être dû essayer. Cinq mètres…

LaChaise se rendit dans le salon, entièrement nu excepté son bandage. Il jeta un coup d'œil au téléviseur, bâilla, se gratta et demanda : « Quoi de neuf ? »

Martin ne lui accorda pas un regard. « Cette Weather a été interviewée à l'hôtel. Ils n'ont pas précisé si elle était à l'intérieur, mais il y avait des flics partout, armés de fusils. Gilets pare-balles. Gaz incapacitants. Ils étaient dedans, dehors, sur les toits.

— Ils essaient de nous faire peur », dit LaChaise.

Martin eut un rire contraint : « Eh bien, ça marche. » Il ne regardait toujours pas du côté de LaChaise. Celui-ci s'approcha de la fenêtre et releva le store de quelques centimètres. Six heures du matin et toujours la nuit noire.

« Sandy dort ?

— Oui. Tu lui as vraiment fichu la trouille, hier soir.

— Ah bon ? » LaChaise s'en foutait.

« Il va falloir qu'on se procure des armes plus lourdes si on veut continuer, dit Martin, les yeux toujours rivés sur l'écran.

— Tu penses à quoi, au juste ?

— On ne peut pas accéder à l'hôtel, et ils piquent une crise si les gens de leur famille veulent rentrer chez eux. On ne peut pas rester à les attendre dans la rue parce qu'ils ont notre signalement…

— Pas avec la teinture, dit LaChaise en touchant ses cheveux et sa barbe gris.

238

— Oui, mais on ne tiendrait pas très longtemps, ils contrôlent tout le monde.

— Où aller, alors ?

— À l'hôpital où la femme de Capslock est soignée, avec l'autre flic, d'ailleurs, Franklin.

— Comment sais-tu qu'ils sont au même endroit ?

— Je l'ai vu à la télé.

— Bon Dieu. Je suis content de ne pas l'avoir bousillée.

— Sûr. Bref, il nous faut des armes.

— Tu sais où en trouver ?

— Je connais un type. Il pose un problème, mais on doit pouvoir s'en tirer. On aura besoin de Sandy. Et après, il faudra se casser.

— D'accord. » LaChaise se dirigea vers la salle de bains. Au milieu du couloir, il s'arrêta et vit la collection de disques de Harp : « Bordel, qu'est-ce qui est arrivé aux disques ?

— Tu t'es un peu énervé et tu as tout cassé.

— Eh ben, je devais être dans un drôle d'état. »

LaChaise se baissa pour ramasser *Sketches of Spain* par Miles Davis. « Bof, c'est de la musique de nègres. » Il bâilla, balança le morceau de disque au milieu de la pièce, par-dessus le reste, et se rendit à la salle de bains.

Sandy était tout habillée, enmmitouflée dans sa parka, quand LaChaise gratta à la porte.

« On y va.

— Où ça ?

— Il faut que tu fasses un truc pour nous. »

LaChaise conduisait en suivant les indications que Martin lui donnait de mémoire, prends cette rue, engage-toi sur cette route, tourne au marchand de bois avec une pancarte rouge. Ils étaient quelque part vers l'ouest de la ville, au bord d'un lac. Des dizaines de huttes étaient dispersées sur la surface du lac gelé, d'où les gens pêchaient à travers la glace, et quelques pick-up et autoneiges étaient garés à côté.

« Le problème, expliqua Martin, est que son commerce est à moitié illégal parce qu'il ne croit pas au contrôle des armes. Ce que je crois, moi, c'est qu'il nous abattrait comme des lapins s'il en avait l'occasion. S'il nous voyait approcher. » Il regarda Sandy. « C'est pour ça

239

que tu vas aller sonner à la porte d'entrée. Je serai tout près, à côté du porche.

— C'est... Je n'y arriverai jamais, geignit Sandy.

— Bien sûr que tu y arriveras », dit Martin. Et elle se souvint de la veille, quand il avait les yeux rivés sur la mire du pistolet.

La maison était une bicoque en meulière, dans une rue tranquille qui dessinait une courbe. Une fenêtre était allumée en façade, une autre à l'arrière. L'horloge de la voiture indiquait : *7.30.* Il faisait encore assez nuit.

« Verrous à droite sur la porte », désigna Martin. Ils dépassèrent la maison, firent demi-tour, déposèrent Martin et attendirent qu'il s'éloigne dans l'obscurité. Une minute ou deux plus tard, ils revinrent vers la maison. « Tu klaxonnes rapidement, toutes lumières allumées, et puis tu cours jusqu'à la porte en tenant le sac », expliqua LaChaise.

Ils avaient ramassé un journal dans une boîte à lettres et l'avaient fourré dans un sac d'épicerie vide trouvé sur le siège arrière. « Ne fous pas tout en l'air. »

Sandy prit sur elle : rien que ça, avaient-ils dit.

« Maintenant », ordonna LaChaise.

Ils roulèrent jusqu'à la maison, s'arrêtèrent au milieu de l'allée. Sandy donna un bref coup d'avertisseur et descendit de voiture en tenant le sac. Simultanément, Martin s'avança le long de la façade, courbé en deux, et alla se poster juste en dessous du porche, du côté droit de la porte où il y avait le verrou, en se collant au mur.

Pendant qu'elle se hâtait vers l'entrée, grelottant de froid, Sandy vit un homme à cheveux blancs apparaître derrière ce qui devait être la fenêtre de la cuisine. Une tasse de café à la main, il fronça les sourcils à sa vue. Elle monta rapidement les marches du porche et sonna à la porte. Le visage de Martin se trouvait juste à la hauteur de sa jambe droite. Il tenait son 45. La porte intérieure s'ouvrit, l'homme entrebâilla la porte-tempête et demanda : « Oui ? »

Sandy écarta un peu plus la porte et Martin se redressa et pointa son pistolet sur l'homme. « Pas un geste, Frank. N'envisage même pas de lever le petit doigt.

— Oh, merde », dit l'homme aux cheveux blancs. Sandy trouva qu'il avait une voix étonnamment douce et cultivée, pour un marchand d'armes. Il recula, les mains devant lui. LaChaise descendit de voiture.

240

Martin entra en poussant Frank à l'intérieur, suivi de Sandy, et LaChaise les rejoignit.

À l'intérieur, Martin dit : « Il a un 357 sous son chandail, derrière la hanche, Dick. Si tu veux le prendre… »

LaChaise palpa le chandail, trouva l'arme. Martin poursuivit : « Et il a peut-être autre chose à la cheville… »

LaChaise s'agenouilla et l'homme indiqua : « Cheville gauche. » LaChaise trouva un revolver sans chien.

« Si vous êtes équipé comme ça pour boire votre café, qu'est-ce que ça doit être quand vous vous préparez à affronter des ennuis », dit LaChaise en souriant à l'homme.

L'autre le regarda fixement une seconde, puis se tourna vers Martin : « Qu'est-ce que vous voulez ?

— Deux fusils d'assaut Kalachnikov, ceux qui sont dans le coffre du sous-sol. Et des gilets pare-balles.

— Vous êtes morts, les gars, vous savez ça ? »

Martin opina. « Exact. Raison de plus pour ne pas essayer de nous résister. Ça ne servirait à rien, vu qu'on n'a plus rien à perdre, maintenant. »

L'homme acquiesça : « Suivez-moi en bas. »

Frank gardait dans son sous-sol trois coffres remplis d'armes. Ils étaient alignés le long du mur, ainsi qu'un établi et un comptoir pour recharger. Il tendit la main vers le cadran du coffre du milieu, mais Martin l'arrêta, lui demanda la combinaison et chargea Sandy d'ouvrir. Il appuya son pistolet contre la nuque de l'homme : « S'il se passe quoi que ce soit, un bruit, une sirène, une sonnerie de téléphone, t'es mort.

— Il ne se passera rien. »

Martin s'adressa à LaChaise : « Il doit avoir un flingue caché quelque part ici, facile d'accès. Garde ton arme pointée sur lui. » Puis, à Frank : « Je suis désolé de faire ça, mais tu connais notre problème. »

Sandy manipula le cadran, saisit la poignée, détourna la tête et tira la porte qui céda facilement. « Parfait », dit Martin, mais elle l'entendit à peine car elle venait de repérer le vieux téléphone noir sur l'établi.

« Tu l'as bien à l'œil ? » demanda Martin à LaChaise.

LaChaise fit un pas de côté pour se rapprocher de Frank et lui appliqua le canon de son arme contre l'oreille. Martin passa devant Sandy, plongea la main dans le coffre et en sortit un fusil automatique AR-15. « Excellent », dit-il en mettant le doigt sur le sélecteur. Rapidement, il le démonta, n'y trouva rien à redire, le remonta aussi sec. Dans le coffre, il y avait trois pistolets et deux douzaines de boîtes de munitions. Martin embarqua le tout, remplit ses poches avec le maximum de boîtes et tendit le reste à Sandy.

« Et les gilets ? demanda Martin.

— Dans le placard du coin », répondit Frank.

Martin traversa la pièce, fit coulisser la porte du placard et vit une série de gilets Kevlar sous des housses en plastique. Il en prit deux, puis, ayant jeté un coup d'œil à Sandy, en attrapa un troisième.

« Je suis vraiment désolé pour tout ça », dit Martin. Il passa les gilets à Sandy, posa son arme sur Frank et le poussa vers l'escalier. LaChaise les précéda pour ne pas perdre l'homme de vue dans les tournants.

Sandy lâcha une des boîtes de munitions, puis une autre. Quand elles touchèrent le sol, des cartouches se répandirent par terre. « Oh, merde ! dit-elle.

— Bon sang, grogna Martin, dépêche-toi. »

Sandy se pencha pour ramasser les cartouches et les fourra dans ses poches, pendant que les hommes commençaient à monter l'escalier.

Quand ils furent en haut et déjà engagés dans le couloir, elle se précipita sur le téléphone et composa le 911. La standardiste répondit en une seconde et elle chuchota : « C'est Sandy Darling pour le commissaire Davenport. On est ici, en train d'acheter des armes. Ils vont attaquer quelque part. Je vais laisser le téléphone décroché et essayer de les retenir un peu... »

Elle reposa le récepteur en biais sur la fourche et fonça dans l'escalier pour rejoindre LaChaise et Martin.

20

Lucas et Del prenaient leur petit déjeuner, chausson aux pommes rassis et cappuccino soluble dans un gobelet en plastique, quand le standard sonna.

« Une femme vous a appelé, se présentant comme Sandy Darling, lâcha sans préambule la standardiste, qui dissimulait mal son excitation. Elle dit qu'ils sont en train d'acheter des armes et qu'ils vont attaquer quelque part, sans préciser quoi ni quand. Elle a laissé le téléphone décroché. On a demandé aux gars de Minnetonka de partir dans cette direction, mais ils n'ont presque personne sous la main. Ça va prendre quelques minutes.

— Nom de Dieu ! » Lucas se leva d'un bond et saisit son manteau tout en continuant à parler : « L'appel date de quand ?

— Trente-cinq secondes.

— Prévenez Minnetonka pour les armes. Ne laissez personne jouer au héros, contentez-vous de bloquer les rues autour de l'adresse en question et faites venir une équipe, enfin, ce qu'il y aura de disponible... S'ils ont besoin d'un coup de main, appelez Lester et voyez si on peut expédier des gars de nos unités d'intervention, ou peut-être quelqu'un de Hennepin County.

— Marie s'occupe déjà de tout ça, ou presque. Vous y allez ?

— Ouais. Passez-moi l'adresse. »

Il la nota et dit : « Dirigez-nous. On aura la radio branchée d'ici une minute. »

Il raccrocha vivement. Del demanda : « Qu'est-ce qu'il y a ?

— Darling a téléphoné. Elle a dit qu'ils viennent d'acheter des armes. Elle a laissé l'appareil décroché. »

Ils étaient déjà en train de courir dans le couloir.

LaChaise et Martin avaient caché les fusils sous leurs manteaux. Quand Sandy surgit du sous-sol, Martin demanda : « Tu as tout récupéré ?

— Presque », dit-elle en faisant tinter les cartouches dans sa poche. Puis elle se mit à rougir, pensant : oh ! mon Dieu, Martin aura tout compris. « Tu sais qu'il y a encore plein de munitions en bas, ajouta-t-elle. Je crois qu'on a raté le plus intéressant.

— Laisse tomber ! » Il se tourna vers Frank et lui tendit une liasse de billets : « Tiens.

— Ce n'est pas exactement une vente, rétorqua Frank avec raideur.

— Prends ce fric, bordel ! s'impatienta Martin. Je me sens déjà assez mal comme ça. C'est de la fraîche qui vient d'un dealer du centre-ville, nickel, pas moyen de retracer son origine. Ça couvrira largement la valeur du matériel.

— N'empêche, ce n'est pas réglo, insista Frank, mais il prit l'argent.

— Je sais, dit Martin avec une certaine douceur. Mais on n'y peut rien. Maintenant, sois gentil, accompagne-nous jusqu'à la voiture, tu agiteras la main pour nous dire au revoir. »

Ils démarrèrent, et Frank rentra chez lui les mains dans les poches. Ils tournèrent au coin, prirent une petite rue latérale et s'engagèrent sur la grand-route. Comme ils attendaient le feu vert à un carrefour, une berline foncée brûla le feu sous leurs yeux et s'engagea à toute allure dans le labyrinthe de rues qu'ils venaient de quitter.

« Connard », grogna LaChaise.

Sandy ferma les yeux.

Lucas poussa à fond l'Explorer sur la I-394, pied au plancher. La voiture craquait et grinçait sous l'effort, et Del, recroquevillé à côté de lui, jurait à chaque cahot. Le standard leur apprit que l'abonné du numéro en question était un dénommé Frank Winter, pas de casier, enregistré officiellement comme marchand d'armes.

« Donc, elle n'a pas raconté n'importe quoi », en conclut Del.

Dix minutes après avoir quitté l'hôtel de ville, ils tombèrent sur toute une phalange de voitures de la ville de Minnetonka et de Hennepin County qui bloquaient l'accès au quartier. Lucas brandit son insigne par la fenêtre, et un flic lui désigna un groupe de policiers, certains en tenue, d'autres en civil. Lucas gara l'Explorer et s'avança vers eux, Del à ses côtés.

Les officiers responsables de l'opération levèrent les yeux et l'un d'eux, en civil, dit : « Lucas... » Lucas acquiesça : « Gene, qu'est-ce qui se passe ?

— On a envoyé deux gars dans la maison d'en face. C'est allumé chez notre homme, mais il n'y a pas de voiture garée devant. On a relevé des traces de pneus montant l'allée, et d'autres en sens inverse. Récentes. La neige est tombée par intermittence, et nos gars disent que les traces sont fraîches.

— Ils ont dû venir et repartir, dit un flic en tenue.

— La question qui se pose est : on le prévient d'abord ou on investit tout bonnement l'endroit ? »

Lucas haussa les épaules et lui sourit : « C'est vous le boss.

— Très juste », dit le flic en civil d'un ton aigre. Puis : « Et merde. C'est un marchand d'armes, il doit avoir plein de matériel, là-dedans. Si on entre en force, il risque d'y avoir du grabuge. Et si on fait un appel, que peuvent-ils faire ? Ils ne vont pas sortir... »

Il pensait à voix haute. L'un des flics de Hennepin hasarda : « Il ne peut pas jeter les preuves dans les chiottes.

— Hum. Exact. Allez, on l'appelle. »

Frank Winter sortit de la maison les mains sur la tête et resta dans cette posture au milieu de l'allée, puis un flic armé jusqu'aux dents l'accompagna vers une des voitures qui bloquaient la chaussée. Winter avait dit au téléphone que LaChaise, Martin et Darling étaient passés et venaient de repartir un quart d'heure plus tôt, et que, maintenant, il n'y avait plus personne dans la maison. Quand il arriva devant la voiture, où Lucas l'attendait avec un groupe d'hommes, l'un des flics en tenue le fit pivoter et le palpa.

« Il porte un gilet pare-balles.

— Pourquoi ça ? demanda Del.

— Des fois qu'un de vos agents me tirerait dessus, répondit tranquillement Winter. La femme vous a téléphoné, c'est ça ?

— Quelle femme ?

— Celle qui était avec Martin et son copain. À votre avis, j'ai besoin d'un avocat ?

— On ferait bien de lui lire ses droits », déclara Lucas. L'un des flics récita l'article. « Vous en voulez un ?

— Oui, je crois que ça vaut mieux. J'étais en train de me demander si j'allais vous appeler quand vous avez téléphoné.

— Pourquoi ne l'avez-vous pas fait ?

— Parce que je pensais que Martin allait me tuer, ou LaChaise.

— Qu'est-ce qu'ils vous ont pris ?

— Deux ou trois pistolets, un fusil 7 mm magnum Model 70, une boîte de chargeurs et une provision de munitions d'AR-15. Martin est un dingue des Armalite. Il les modifie toujours... À votre place, je ferais gaffe. Je parierais qu'ils ont des fusils bricolés.

— Ce Model 70, il a une lunette ?

— Oui. Une Leupold Vari-X III en 3,5 × 10.

— C'est un fusil de sniper.

— Un fusil pour petit gibier, corrigea Winter.

— Ouais, si on considère l'élan comme du petit gibier », rétorqua Lucas.

Une équipe d'intervention se déploya dans la maison. Le sous-sol était un arsenal, mais, comme le déclara un des flics avec bonhomie : « Ça n'a rien d'illégal. »

Lucas examina un fusil à verrou Model 70, un Winchester de calibre 300 magnum à crosse synthétique grise, équipé d'une lunette Pentax. Il mit le viseur en position deux et promena l'arme de droite à gauche en regardant le sous-sol à travers le réticule. Winter avait ouvert tous ses coffres pour qu'ils puissent faire l'inventaire. Ils avaient trouvé cinquante armes de poing, deux douzaines de fusils à canon rayé et autant de fusils de chasse. Del jouait avec un Derringer, tirant à vide sur une cible murale, et Lucas examinait la crosse du Model 70 quand un agent en civil apparut au milieu de l'escalier : « On envoie Winter au commissariat central. Vous avez autre chose à lui demander ?

— Non. J'ai l'impression qu'il dit la vérité.

— Moi aussi, mais n'empêche qu'il aurait dû nous appeler. » Le flic sourit et ajouta : « Maintenant, il prétend avoir essayé, mais son appareil était soi-disant en panne et il avait peur de sortir... À l'entendre, il ignorait que le téléphone d'en bas était décroché, il a juste pensé qu'il ne marchait pas.

— Pas mauvais, comme défense, s'il s'en tient à ça.

— Des gars à nous sont en train d'écumer le quartier, ils essayent de retrouver la voiture. »

Winter avait dit que LaChaise, Martin et Darling étaient partis dans une grosse voiture marron, mais il n'avait pas repéré la marque, ça ne lui était pas venu à l'esprit. Une Lincoln, peut-être, ou bien une Buick. Le flic ajouta : « Les médias débarquent en force.

— Bon Dieu, ça n'a pas traîné, remarqua Del.

— Ils vérifient tout…

— Ils ne doivent pas apprendre qu'on a été rencardés, dit Lucas. Si LaChaise découvre d'où c'est venu, il tuera la femme.

— Qu'est-ce que je leur dis ? Ils voudront savoir. »

Lucas se gratta la tête, élaborant son mensonge.

« Dites-leur que Winter nous a appelés. Précisez que nous avons eu recours à une équipe spéciale d'intervention parce que nous craignions une embuscade, nous savions que Winter était un marchand qui possédait des armes lourdes. Faites courir le bruit le plus vite possible, que personne n'ait le temps de penser qu'on a pu être renseignés… Je vais demander au chef de nous soutenir sur ce point, et on va prévenir l'avocat de Winter pour qu'il lui dise de fermer sa gueule.

— Très bien. » Le flic acquiesça et remonta dare-dare.

Lucas se tourna vers Del : « Viens voir un peu. »

Del s'approcha, Lucas s'agenouilla devant l'armoire blindée : « Tu vois la poussière ? »

Il y avait une imperceptible pellicule de poussière sur le sol de l'armoire du milieu, celle qui, d'après Winter, abritait les armes volées.

« Eh bien ?

— Trois fusils ont été pris dans ce coffre. Tu vois ? On distingue leur contour… », dit-il en dessinant les traces de l'index, mais sans rien toucher.

« Et alors ?

— Regarde-moi ça… » Il rangea le Model 70 sur le râtelier, à l'autre bout de l'armoire, puis il le reprit : le contour de la crosse se dessinait, presque invisible, dans la poussière.

« Ça n'a pas l'air pareil, commenta Del. Celle-ci est plus grosse.

— Winter a dit un Model 70, et voilà un Model 70. » Il se tourna vers le flic de Minnetonka qui dressait l'inventaire. « Passez-moi un de ces AR, voulez-vous ? »

Le flic lui passa un fusil AR réglementaire, non modifié, que Lucas posa dans la poussière à côté de la trace laissée par le Model 70. Les deux empreintes étaient nettement différentes, mais, en revanche, celle de l'AR collait parfaitement avec celles des trois fusils volés.

« Ils ont pris leurs fusils automatiques ici, dit Del.

— Et ils étaient déjà modifiés. C'est pour ça qu'il nous a raconté que Martin bricolait ses fusils. Il voulait nous signaler qu'ils se promenaient avec des fusils automatiques, mais il ne voulait pas qu'on sache que ça venait de lui.

— Je commence à en avoir vraiment ras le bol de ces conneries de fusils automatiques ! tonna Del.

— On va demander à un photographe de prendre des clichés de tout ça, dit Lucas en tapotant le rebord du coffre. Je ne sais pas si nous pourrons coincer Winter, il est drôlement malin. Mais on va peut-être pouvoir l'embêter un peu.

— Pourquoi sont-ils venus chercher d'autres fusils ? Ils en avaient déjà.

— À cause de Franklin. S'ils avaient tiré sur Franklin avec un AR, il aurait été troué comme du gruyère. »

Lucas fit tranquillement le tour du sous-sol en levant les yeux. Le plafond était propre, comme le reste de l'endroit. Chez lui, il y avait plein de toiles d'araignée au plafond, et il avait bien l'intention de les y laisser.

« Donc, ils ont pris trois AR à Winter. Et il a précisé qu'ils avaient emporté trois gilets pare-balles. Moi, je dis qu'ils vont s'offrir une opération kamikaze.

— Où ça ? À l'hôtel ?

— Peut-être, dit Lucas, secouant aussitôt la tête. Non, franchement, je crois qu'ils ont une autre idée. Ils doivent se dire qu'aucun de nous ne va rentrer chez lui, pas après ce qui est arrivé à Franklin. Et ils ne peuvent pas entrer dans l'hôtel, on l'a assez fait savoir.

— Alors, c'est qu'ils visent l'hôpital ! s'exclama Del en blêmissant. Ils vont retourner s'occuper de Cheryl et de Franklin, et de la femme de Franklin qui y est aussi... Merde ! où est le téléphone ? »

Aussitôt informé de l'expédition à Minnetonka, Stadic appela LaChaise, alors que celui-ci roulait vers le centre avec Martin et Sandy.

« Ils sont là-bas à l'heure qu'il est, dit-il avec une certaine satisfaction. Ils sont arrivés cinq minutes après vous.

— Qu'est-il arrivé à Winter ? demanda LaChaise, poussé par Martin.

— Ils lui parlent. À ce que j'ai compris, il coopère.

— Cette ordure a dû les appeler dès qu'on a eu le dos tourné. Ils ont le signalement de notre voiture ?

— Ça, je ne sais pas.

— On ferait mieux de dégager.

— Ouais. Et autre chose. Je suis censé foncer avec une demi-douzaine de gars vers Hennepin General. Ils pensent que ça pourrait bien être votre objectif.

— Quoi ? Mais pourquoi ?

— Je l'ignore, mais on y va. Ils ont interrogé Winter, il a dû lâcher quelque chose.

— Il faut que je réfléchisse, dit LaChaise. Il y a un truc bizarre. »

Stadic était assis à un bureau dans la salle des urgences, un fusil à ses pieds, tandis que Lester et un dénommé Davis parlaient des façons possibles de bloquer l'allée sans que ça se remarque trop. Lucas et Del se pointèrent, transis, trempés, pressés.

« Tu as fait circuler les nouveaux portraits-robots dans la rue ? demanda Lucas à Lester.

— Oui, et on a le signalement de la voiture. » Tout en bavardant, ils s'éloignèrent légèrement de Stadic. « Une grosse bagnole marron. Bordel, qu'est-ce que ça veut dire ? Il nous reste une seule chose à faire, trouver leur planque.

— Tant qu'on ne le saura pas… »

Davenport continua à parler, mais Stadic perdit le fil. Il n'avait qu'une chose en tête : une grosse voiture marron. Alors, il se dit : *Merde, ils sont chez Harp.*

À midi, on vint le relever. Il s'arrêta au bureau juste le temps de ramasser des jumelles de marine et roula jusque chez Harp. Il s'arrêta à un bloc et demi et dirigea les jumelles vers les fenêtres du premier étage. Il exerçait sa surveillance depuis tout au plus cinq minutes lorsque les stores frémirent au-dessus de la laverie automatique. Quelqu'un regardait dans la rue.

Très bien, il les tenait de nouveau. Même plan ? Il pouvait rester là et attendre qu'ils sortent, mais ils seraient en voiture, ça posait un problème. Il pouvait aussi se garer en face : quand il verrait la porte du garage se relever, il n'aurait qu'à se précipiter vers la portière gauche, la faire sauter de près : appuyer le canon de son arme contre la vitre et presser la détente. Ça éliminerait le conducteur. Ensuite, l'autre… Il allait avoir besoin d'un gilet.

Il se mordit nerveusement le pouce. Beaucoup de choses pouvaient foirer. Et puis, on allait poser des questions, après ça. Il pouvait les neutraliser. Il dirait qu'il n'avait pas arrêté de penser à la mort de Sell-More, en avait déduit que Harp était dans le coup. Il avait cherché le nom de Harp dans l'ordinateur, vu qu'il possédait une Lincoln. Mais pourquoi ne l'aurait-il pas raconté à tout le monde, dans ce cas ?

Pourquoi y serait-il allé seul ?

Il essaya de trouver une solution, mais son esprit ne suivait pas : trop de fatigue. Il dépassa la maison et s'arrêta dans un débit de boissons qui avait une cabine téléphonique. Il rappela LaChaise.

« On est à la recherche d'une grosse voiture marron, une Lincoln ou une Buick.

— C'est tout ? Pas de numéro d'immatriculation ?

— Non. Mais ils ont sorti de nouveaux portraits-robots de vous – ça ne passera au journal télévisé que dans la soirée. Ils veulent voir si vous allez attaquer l'hôpital. Ils disent que vous avez des cheveux gris, une barbe grise, et que vous avez l'air de vieux.

— Quel connard, ce Winter. Bon, c'est comment, à l'hôpital ? La sécurité ?

— On ne peut pas y glisser une épingle.

— Bon sang…

— À votre place, je ferais ma valise et je filerais. Votre temps est compté. »

Il y eut un silence, puis LaChaise dit : « Peut-être. »

Stadic entendait sa respiration dans l'appareil. Cinq, dix secondes s'écoulèrent. Stadic reprit : « Vraiment ?

— On est en train d'y penser. Le Mexique. »

21

La journée se traînait, interminable. Tous les flics de la division étaient dans la rue. Le bruit courait que les gangs du coin prenaient d'assaut les cars à destination de Chicago, rien que pour échapper à la pression.

Lucas ne savait plus que faire. Il passa la moitié de la journée à l'hôpital, et ses espérances diminuèrent au fur et à mesure que le temps passait.

La nuit arriva. Toujours pas de LaChaise...

L'hôpital était silencieux, plongé dans l'obscurité. Les infirmières trottaient de droite et de gauche en chaussures de tennis, répondant aux appels des chambres individuelles, administrant des comprimés. Lucas, Del et un agent des Stups nommé McKinney montaient la garde dans un bureau adjacent au hall principal. On ne pouvait savoir par où LaChaise et Martin essaieraient d'entrer – si jamais ils essayaient – mais, de leur poste d'observation, ils pouvaient atteindre rapidement les deux ailes du bâtiment.

« À moins qu'ils n'arrivent en parachute, suggéra McKinney.

— Ça serait génial, dit Del. Vous avez vu le film ?

— Ouais. En fait, il y en a eu plusieurs. Celui où le type saute de l'avion sans parachute, vous l'avez vu ? Quand il rattrape le mec en plein ciel ?

— Il y avait ce jeune acteur qui jouait dedans, je ne me rappelle plus son nom, celui d'*Excellent Adventure*, vous savez..., dit Lucas.

— Ouais, je l'ai vu, fit McKinney. C'est pour ça que j'ai appris à sauter…

— Quoi, vous faites du parachute ? Je n'aurais pas… »

Ils épuisèrent le sujet, puis Lucas sortit dans le couloir et alla s'allonger sur un lit vide. Del tint compagnie à McKinney et, aux premières lueurs du jour, rengaina son arme et alla rejoindre Cheryl, pour attendre son réveil.

« Tu veux que je prenne le volant ? demanda Martin à Sandy.

— Non, ça va.

— Fais pas d'excès de vitesse, pas question d'attirer l'attention des flics.

— On aurait peut-être dû s'arrêter à Des Moines, dit LaChaise. La route est vachement longue. »

Il était resté sur la banquette arrière pendant tout le chemin. Chaque fois qu'ils apercevaient un gars de la police de l'autoroute – il y en avait eu trois –, il s'aplatissait sur le siège.

« C'est vrai, mais on y est presque. Tu vois la lueur, là-bas ? Plus loin, juste devant nous ? C'est Kansas City. »

LaChaise et Martin avaient pris leur décision en fin d'après-midi.

Juste après la tombée du jour, LaChaise débarqua dans la chambre de Sandy : « Prépare tes affaires.

— On va où ?

— Au Mexique.

— Au Mexique ? Dick, tu parles sérieusement ? » L'espoir la traversa une fraction de seconde. S'ils sortaient de la ville, ça leur donnerait du champ. Il y aurait bien un endroit, quelque part sur la route, où ils feraient moins attention à elle, et elle pourrait s'échapper. Un petit resto crasseux dans une bourgade sur la route du désert… elle attendrait qu'ils commencent à manger, elle leur dirait qu'elle devait aller aux toilettes, et elle sortirait. Elle laisserait un message sur le siège de la voiture et elle se cacherait jusqu'à leur départ…

Sandy avait son plan bien en tête : quand ils seraient partis, vraiment partis, elle irait se livrer à la police. Ça pouvait marcher.

Une possibilité.

Mais voilà que Dick se plaignait qu'ils étaient allés trop loin. Qu'est-ce que ça signifiait ?

Elle réfléchit, sentit que quelque chose clochait et demanda :

« Pourquoi est-ce que Kansas City est trop loin, Dick ? » Il ne répondit pas. Elle insista : « Dick ?

— Parce que nous ne voulons pas rouler de jour, répondit Martin en consultant sa montre. D'ici une heure, le soleil va se lever. Il faut trouver un motel. »

Dans la banlieue de la ville, il repéra un supermarché ouvert la nuit et dit à Sandy de sortir de l'autoroute. LaChaise attendit avec elle dans la voiture que Martin revienne, muni de deux paquets de pain tranché, d'un kilo de viande pour faire des sandwiches et de deux gros morceaux de savon vert foncé.

« C'est pour quoi faire, le savon ? demanda Sandy en découvrant le contenu du sac.

— De la sculpture », répondit Martin en souriant.

LaChaise prit une chambre dans un motel de la chaîne Red Roof Inn. C'est lui qui s'en chargea, parce qu'il s'était rasé juste avant de quitter les Villes jumelles et que Sandy lui avait coupé les cheveux. Vêtu d'un des costumes de Harp qu'agrémentait une cravate de soie, il avait l'air d'un député républicain. Il régla la chambre en espèces, deux jours annonça-t-il, en précisant qu'il était seul et en demandant que la femme de ménage ne le réveille pas.

« J'ai roulé toute la nuit.

— Pas de problème », répondit la bonne femme de la réception.

La chambre se trouvait à l'arrière du motel. Il y avait deux lits doubles et un téléviseur. Ils dormirent d'un sommeil agité jusqu'à deux heures de l'après-midi, puis Martin sortit pour commander une pizza, du Coca-Cola et du café à la pizzeria du coin. On les livra, aucune question ne fut posée, et ils mangèrent en silence. Vers quatre heures, comme le soleil s'effaçait à l'ouest, ils retournèrent dans la voiture.

« Je vais conduire, décréta Martin.

— Mais ça va très bien, je…

— Monte derrière et ferme ta gueule ! aboya LaChaise.

— Qu'est-ce qu'il y a ? » insista Sandy. LaChaise l'empoigna par le col de sa veste et l'attira vers lui, le visage à quelques centimètres du sien. Sandy sentit l'odeur d'oignons et de fromage de la pizza.

« On a changé de plan. Monte dans cette putain de voiture. » Elle obtempéra. « Dick, qu'est-ce que vous allez faire ? Dick… ?

— On va braquer une banque, voilà ce qu'on va faire. »

Lucas restait à l'hôpital parce qu'il n'avait pas de meilleur endroit où attendre. Cela faisait maintenant trente-six heures qu'ils étaient sans nouvelles de LaChaise. Del, Sloan, Sherrill vinrent, repartirent, revinrent. Ils ne savaient plus de quoi parler, assis dans des pièces obscures, à attendre à l'abri des regards...

Lester appela : « Lucas ! Martin, LaChaise et Darling viennent de faire un hold-up dans une banque de Kansas City. Il y a moins d'une heure, à seize heures quarante-cinq.

— Kansas City ? » Il reçut la nouvelle comme un coup de poing dans l'estomac, cela le déstabilisa.

« On est sûrs ?

— Oui, ils disent qu'il n'y a aucun doute possible. La bande vidéo va nous parvenir par TV3. Les flics de Kansas City la passent à tout le monde.

— Dans combien de temps pourra-t-on la voir ?

— Dix ou quinze minutes, à mon avis. TV3 va la diffuser dès qu'ils la recevront. Nous allons l'enregistrer. »

Lucas raccrocha et se tourna vers Sloan et Sherrill : « Vous ne le croirez jamais. »

Le braquage s'effectua en douceur, très pro. Martin entra le premier avec un AR-15. Il hurla en franchissant le seuil et pointa le fusil automatique sur les gens.

LaChaise fit irruption sur ses talons, en poussant Sandy Darling devant lui, et sauta sur le comptoir. Il n'y avait que deux clients dans l'agence, et trois employées derrière le comptoir. LaChaise fit main basse sur le contenu de la caisse, dit quelque chose à la plus jeune des femmes, lui donna une petite tape sur les fesses et se dirigea vers le portillon. La caméra de sécurité, qui couvrait l'ensemble de la salle, montrait Sandy Darling collée au mur, se couvrant les oreilles.

« Ce ne sont pas des débutants », dit Del. Ils étaient à la section des homicides, quinze hommes et quatre femmes debout autour d'un petit téléviseur.

« Tu as déjà vu ça vingt fois, dit Lucas. C'est exactement le même putain de braquage que celui de la dernière fois.

— À la grenade près », approuva Sherrill.

En reculant vers la sortie, Martin prononça un petit discours. « On veut que tout le monde aille dans le bureau du directeur, par terre, derrière la table. On va faire rouler une grenade ici... Je ne veux pas vous affoler, ça n'a rien à voir avec ce qu'on voit dans les films. Il y aura une toute petite explosion. Si vous restez sagement derrière la table, il ne vous arrivera rien... »

Martin brandit quelque chose qui ressemblait à une grenade. Le personnel et les clients s'engouffrèrent dans le bureau du directeur, hors de vue. Martin cria « On y va », fit rouler la grenade dans la salle et disparut. La grenade se révéla être un bloc de savon vert grossièrement taillé à la main, qui ne ressemblait pas beaucoup à une grenade, vu de près.

« Pas de plaques d'immatriculation, grogna Lucas en regardant la scène. Ils voulaient empêcher que quelqu'un sorte derrière eux en courant et relève leur numéro.

— Darling n'avait pas l'air très contente de se trouver là. Elle était sans arme, l'air terrifiée, ils ont dû la pousser pour la faire entrer et ressortir, dit Sloan.

— Ils ont piqué huit bâtons, dit un autre.

— Donc, il a dit à cette poule, commença Lester, puis, se reprenant : à cette femme, la caissière, il lui a dit : "Tu devrais faire un tour à Acapulco un de ces jours, mon chou."

— À mon avis, il raconte des craques, avança Del.

— Je ne suis pas sûr, dit Lester. Il est le genre de type à sortir des trucs comme ça. » Et, regardant autour de lui : « J'aurais bien aimé qu'on le ramène ici, nom de Dieu. »

Plus tard dans la soirée, Sandy était assise sur la banquette du fond, immobile, parfaitement éveillée, n'arrivant pas à y croire. Les lumières de Des Moines s'évanouissaient dans la lunette arrière. Ils retournaient vers Minneapolis, devançant ce que tous les programmes nocturnes de radio annonçaient comme un énorme orage en provenance du sud-ouest. Dans le Nebraska, le blizzard était déjà là. Ils atteindraient les Villes jumelles à l'aube, retourneraient à l'appartement. Toute l'opération n'avait été qu'une mascarade pour brouiller les pistes.

« Un putain d'éclair de génie, dit LaChaise en tapant dans le dos de Martin. C'est vraiment dommage qu'on ne puisse aller claquer le fric nulle part. »

22

Lucas était assis dans l'obscurité et réfléchissait à tout ça. Si Martin et LaChaise étaient partis pour une opération kamikaze – et c'en avait tout l'air au départ –, pourquoi avaient-ils changé d'avis ? Ils ne pouvaient pas imaginer qu'ils s'en sortiraient facilement en filant au Mexique. Aussitôt découverts, ils seraient renvoyés aux États-Unis – ou tués – par les Mexicains.

L'explication était peut-être plus simple qu'il ne le croyait : sans doute avaient-ils craqué.

Il se leva, mains dans les poches, et regarda par la fenêtre sa pelouse recouverte de neige. À distance, de l'autre côté du Mississippi, il voyait des éclairages de Noël, vert, rouge et blanc, le long d'un toit. La nuit était calme.

Lucas ne tenait pas en place. Il s'était opposé à ce que Weather rentre à la maison – encore une nuit à l'hôtel, avait-il demandé, juste le temps de retrouver leur piste, mais elle avait insisté pour dormir dans son lit. Ce qu'elle faisait en ce moment même, et à poings fermés. Lucas montait la garde avec un pistolet et un fusil à pompe Wingmaster de calibre 12. Il regarda l'horloge : quatre heures du matin.

Il ramassa la télécommande, la dirigea vers un petit téléviseur posé dans un coin de la pièce et appela le service météo de l'armée de l'air. Les prévisions de la journée écoulée avaient parlé d'une énorme dépression qui arrivait en spirale du sud des montagnes Rocheuses. La neige avait submergé toutes les régions du sud-ouest et du centre-sud de l'État, et le radar la suivait en ce moment même, alors qu'elle faisait son entrée dans la zone métropolitaine.

S'ils revenaient en ville, songea-t-il – à supposer que toute cette opération n'ait été qu'un simple leurre –, et s'ils étaient en deçà de la tempête de neige, ils allaient se retrouver coincés toute la journée. Mais, s'ils la précédaient, ils devaient arriver en ville en ce moment même.

Personne ne croyait à leur retour. Les journalistes des chaînes de télévision quittaient la ville après avoir bouclé leurs valises en hâte, dès qu'ils trouvaient une place sur le moindre avion en partance. Personne ne voulait rester coincé ici quelques jours avant Noël, alors qu'une énorme tempête s'annonçait.

Il en allait de même pour les policiers : ils retournaient dans leurs foyers, faisaient valoir leurs équivalences d'heures supplémentaires. Lucas appelait régulièrement ses collègues de Kansas City, ainsi que les patrouilles autoroutières du Missouri et du Kansas, en quête de la plus infime trace du passage de LaChaise. Personne ne pouvait rien lui dire : ils s'étaient volatilisés.

Exactement comme s'ils avaient emprunté des routes de campagne allant vers l'est et le nord, au lieu du sud et de l'ouest, où se concentraient les recherches, se dit-il. Il regarda de nouveau par la fenêtre et alla consciencieusement fermer les stores en bois.

Ayant éteint la télévision, il déambula dans la maison obscure, se déplaçant à tâtons, tendant l'oreille, sans lâcher le fusil. Il vérifia le système de sécurité, but un verre d'eau et retourna dans le salon où il s'allongea sur un canapé. Quelques minutes plus tard, il s'assoupit, le 45 dans un étui à sa ceinture, le fusil sur la table basse.

Ils précédaient la tempête de neige.

Ils traversèrent le sud de l'Iowa dans un froid qui fissurait toutes choses, sous des millions d'étoiles sans lune, suivant les lumières rouges et jaunes des camions de transport routier jusqu'à Des Moines, et après, jusqu'à Minneapolis-Saint Paul. Ils s'arrêtèrent une fois dans une station-service où LaChaise, le visage rasé, la tête recouverte de sa capuche de parka et le cou enveloppé d'un foulard, fit le plein et paya un préposé mal réveillé.

« Fait un froid de gueux, dit le préposé en jetant un coup d'œil au thermomètre près de la fenêtre. Presque moins quinze. Vous voulez un peu d'antigel ?

— Ouais, ça serait bien. » Dans un coin, un petit téléviseur était branché sur CNN. Pendant que le préposé appelait le magasin, un film vidéo pris par une caméra de sécurité apparut sur l'écran : le braquage de la banque de Kansas City.

« Qu'est-ce que c'est que cette connerie ? » demanda LaChaise. Le type regarda vaguement l'écran. « Ah ! ce sont les cinglés qui tuaient des mecs dans les Villes jumelles. Ils sont en route pour le Mexique, maintenant.

— Tant mieux, dit LaChaise.

— J'aimerais bien être avec eux », avoua l'autre en lui rendant sa monnaie.

En roulant sur la I-35, ils entendirent des chants de Noël sur plusieurs stations de radio qui émettaient toute la nuit. Des nuages commencèrent à s'amonceler au-dessus de leurs têtes, pareils à de sombres flèches. Les étoiles clignotèrent et disparurent.

« C'est Noël dans quatre jours, dit Sandy, non sans tristesse.

— Je m'en tape complètement, déclara LaChaise. Mon vieux dépensait tout le fric de Noël au bistrot.

— Tu as bien dû avoir deux ou trois Noëls, tout de même ? »

LaChaise garda le silence un moment. « Ouais, un ou deux. » Il pensait à sa sœur et à sa grenouillère.

Martin intervint : « Nous, on en a eu quelques-uns de chouettes, quand le vieux vivait encore. Une fois, il m'a acheté une voiture de pompiers.

— Qu'est-ce qui lui est arrivé ? demanda Sandy.

— Il est mort. Cancer de la gorge.

— Merde, c'est horrible. Je suis désolée.

— C'est pas une façon marrante de mourir. Et, après, on est restés seuls, maman et moi, et y a plus eu de Noëls. »

LaChaise n'appréciait pas la conversation. Il tripota le sélecteur et tomba sur *Sainte Nuit*.

« Je connais cette chanson, mon vieux la chantait souvent », dit Martin.

Et il l'entonna d'une voix de baryton fort acceptable.

> *Ô sainte nuit, les étoiles brillent dans les cieux, Notre Seigneur est né cette nuit...*

Stupéfaits, Sandy et LaChaise se dévisagèrent. Puis Sandy regarda les légers flocons de neige s'éloigner derrière la vitre, et eut le sentiment qu'elle était vraiment loin de tout.

Ils roulèrent longtemps en silence, et Sandy dormit par intermittence. Quand elle se réveilla pour de bon, ce fut avec l'impression qu'il était beaucoup plus tard. Elle se redressa et regarda dehors. Ils avaient ralenti : la neige se jetait maintenant contre l'avant de la voiture comme un tourbillon, mais ils traversaient un pont de lumière.

« Où sommes-nous ? demanda-t-elle.

— Juste au sud des Villes, dit Martin. On touchera le centre d'ici vingt minutes.

— Il y a beaucoup de neige.

— Ça tombe vraiment fort depuis une dizaine de minutes. »

Martin regarda LaChaise : « Qu'est-ce que t'en penses ?

— On le fait. On rentre, on dépose Sandy et on y va. » Il regarda dehors. « Cette tempête de neige est idéale. On n'aura jamais de meilleure occasion.

— Pour faire quoi ? demanda Sandy.

— On va se payer l'hôpital », expliqua LaChaise en se retournant vers elle.

LaChaise lui apparut en rêve. Sur le canapé, Lucas luttait pour se réveiller mais n'y arrivait pas. Il était trop fatigué et, chaque fois qu'il tentait d'ouvrir les yeux, il replongeait aussitôt dans un profond sommeil dont il s'efforçait alors vainement de sortir. Il fallait absolument qu'il se réveille car LaChaise et Martin étaient en train de se faufiler dans le garage, ils franchissaient la porte de la cuisine, l'arme au poing, en riant, pendant que Lucas luttait…

« Lucas, Lucas… »

Il se dressa en sursaut et Weather recula vivement.

« Oh ! dit-il. Pardon.

— Ça ne fait rien. Tu voulais que je te réveille…

— C'est l'heure d'y aller ? »

Elle avait revêtu un pantalon et une blouse à manches longues, des vêtements pour travailler, et mis dans un sac un ensemble noir tout simple de Donna Karan. Pour les réunions des chefs de service.

« Dans pas longtemps. Je vais préparer un peu de café. Il tombe des paquets de neige dehors. »

Martin rassembla ses souvenirs de leur expédition de repérage pour dessiner l'accès à l'hôpital général de Hennepin County par la 8e Rue.

« Deux entrées : celle de la salle des urgences est bouclée. On pourrait faire semblant d'être blessés, ils nous admettraient sûrement mais, ensuite, il y aurait un monde fou à l'intérieur... » Il tapota la deuxième porte. « Celle-ci ramène vers le hall principal, juste après la salle des urgences – la salle des urgences est sur la gauche, au bout de ce couloir. Il y a un poste de garde derrière. Si on était blessés, le gardien nous admettrait, j'ai déjà vu des blessés entrer par là. Mais après, il faudra se débarrasser de lui...

— Aucun problème.

— ... Ensuite, on suit le couloir, et les ascenseurs sont au bout à gauche. On vise le service de chirurgie du deuxième étage... »

Ils peaufinèrent leur plan : obtenir les numéros de chambre au bureau d'accueil, monter, frapper, ressortir.

Martin dit : « C'est environ à six pâtés de maisons d'ici. Si on avait un vrai pépin, on pourrait rentrer en courant, ça prendrait cinq minutes. Et la neige va nous avantager, on n'y voit rien avec ça, on ne verra rien avant l'aube. Ça nous laisse deux heures.

— Allons-y. »

Sandy ne voulait pas en entendre parler. Enfermée dans la chambre, elle faisait les cent pas en regardant les murs, mais son esprit ne tournait pas à vide. Il déversait un torrent de suppositions et de possibilités. Elle regarda la fenêtre et pensa : *J'aurais dû sauter.*

Dans le séjour, Martin et LaChaise préparaient leur matériel, chacun s'équipant de deux pistolets, d'un AR-15 et d'un gilet pare-balles.

« J'aimerais bien pouvoir prendre l'arc, dit Martin.

— Ça n'a pas de sens, grogna LaChaise.

— Qu'est-ce qu'on fait pour Sandy ? demanda Martin en baissant le ton. On lui remet les chaînes ?

— Sinon, elle foutra le camp.

— Ça ne serait pas une catastrophe, du moment qu'elle ne rencarde pas les flics.

— Oui, mais elle le fera. Elle n'a pas arrêté de penser au moyen de se tirer, de sauver sa peau. »

Martin opina. « C'est vrai. Eh bien ! on pourrait la liquider.

— Très juste, on pourrait.

— On ne peut pas l'emmener avec nous. »

LaChaise enfila son long manteau d'hiver, dégagea son bras droit de la manche et dissimula l'AR-15 en dessous.

« J'ai l'air comment ?

— Impec, du moment que tu gardes tes distances. »

Il tourna l'arme entre ses mains, regarda du côté de la chambre et dit : « Si tu veux la tuer, tu peux. Ou alors, on l'enchaîne comme la dernière fois. »

Martin réfléchit. « Si on réussit notre coup, si on les liquide, on reviendra peut-être. Et là, on pourrait avoir besoin d'elle.

— Bon, alors, on l'enchaîne, dit LaChaise.

— Sauf si tu tiens à la tuer. »

LaChaise entra dans la chambre : « On va t'enchaîner encore une fois.

— Oh, Dick, par pitié…

— Ferme-la et écoute-moi. On peut pas risquer que t'ailles trouver les flics. On sait que tu le ferais. Donc, on t'enchaîne. C'est ça, ou bien…

— … vous me tirez dessus.

— On te tirerait sans doute pas dessus. »

La façon dont il le dit la fit frissonner. Ils ne lui tireraient sans doute pas dessus, ils la tueraient plutôt avec un couteau. Martin aimait bien les couteaux.

« Bon, enfile ton manteau. »

Ce qu'elle fit, muette de peur. Sa vie ne tenait qu'à un fil. Elle précéda LaChaise dans l'escalier, en bas duquel Martin attendait tel un bourreau, la chaîne à la main.

« Je suis désolé de te faire ça », dit-il, mais il n'avait pas du tout l'air désolé.

Ils avaient replacé la chaise près du pilier. Ils l'enchaînèrent de la même façon et bouclèrent les cadenas.

« Tu vas être très bien, promit LaChaise.

— Mais si vous ne revenez pas ? gémit-elle.

— T'as intérêt à ce qu'on revienne, parce que sinon, il faudra que tu perdes pas mal de kilos pour sortir de là. » Son propre humour le fit sourire. Il ajouta : « On va laisser les clés en haut des marches. »

Il les posa effectivement hors de portée, puis ils montèrent dans la voiture, actionnèrent le mécanisme de la porte, sortirent en marche arrière et firent redescendre la porte qui effaça la vision de Sandy.

« On a bien fait de ne pas la tuer, dit LaChaise.

— Ah bon ?

— Ouais, quand ce sera le moment de la liquider, je me la taperai avant. Elle m'a toujours traité comme si je n'étais pas assez bien pour elle. »

Lucas suivit Weather jusqu'à un parking qui se trouvait à un bloc de l'hôpital universitaire, un parcours glissant à travers la neige épaisse. En chemin, il appela Del, qui passait la nuit à l'hôpital, pour voir s'il était réveillé.

« Tout juste, répondit Del. J'envisageais d'aller me brosser les dents.

— Cheryl dort encore ?

— Comme un nouveau-né.

— Je vais au bureau. Je passerai tout à l'heure.

— Il y a de la neige ?

— Regarde par la fenêtre. Ça va être un vrai cauchemar. »

Lucas suivit Weather sur la rampe d'accès au parking, attendit qu'elle trouve une place, l'emmena ensuite dans sa voiture jusqu'à l'entrée de l'hôpital et l'accompagna au bureau d'accueil.

« Ça me paraît un peu ridicule, dit-elle.

— Je trouverai ça drôle quand je serai sûr que LaChaise est mort. »

Dans le hall, il insista : « Appelle-moi avant de repartir. » Elle agita la main en se dirigeant vers les ascenseurs, tourna dans le couloir et disparut.

Lucas regagna sa voiture. Il dissimula par terre, au pied de la banquette arrière, le fusil qui était posé entre les deux sièges avant. Il dut brancher l'essuie-glace pour dégager le pare-brise, puis il arracha l'Explorer de l'allée en demi-lune et prit le chemin de son bureau.

23

LaChaise regarda Martin : « C'est parti, mon vieux.

— Possible, répondit Martin en hochant la tête.

— On pourrait monter au nord vers le Canada, quitter la neige, filer vers l'ouest...

— Les Canadiens ont des ordinateurs à la frontière. On les ferait décoller comme des fusées. »

LaChaise resta une minute sans rien dire. « De toute manière, on ne pourra sans doute pas échapper à la neige. » Ils ralentirent à un croisement où ils virent un chasse-neige orange, lame relevée au-dessus de la chaussée, qui avançait en cahotant. « Regarde-moi ce connard qui ne fout rien. Doit se faire payer des heures sup... Tu as les jetons ? »

Martin semblait pensif.

« Non.

— Tendu ?

— Je... réfléchissais.

— Il faut bien que quelqu'un s'en charge, plaisanta LaChaise.

— On doit se préparer à abandonner la tire. Je ne crois pas qu'on puisse entrer et ressortir sans tomber sur des gens. On peut se les faire si on est assez rapides, ça ne sera pas trop difficile, mais au bout de deux ou trois minutes les flics vont rappliquer de l'extérieur pour nous cueillir. S'ils nous collent trop aux fesses, tu prends à gauche et moi à droite. Mais n'oublie pas, ils peuvent nous suivre à la trace. Reste sur la chaussée tant que c'est possible. Ça les ralentira...

— Ouais, au cas où ça tournerait mal...

— C'est ça. »

Lucas traversa le Mississippi par le pont de Washington Avenue, dépassa deux carrefours dans Cedar-Riverside et engagea l'Explorer sur le périphérique. Il arrivait à faire du quarante-cinq à l'heure mais, même avec une traction 4 × 4, les roues du véhicule patinaient sérieusement. L'essuie-glace côté conducteur, qui n'avait jamais fonctionné convenablement, déposait une zébrure gelée à hauteur de ses yeux. Il avait laissé la radio allumée, et le présentateur des infos de la première heure annonçait trente centimètres de neige au sol quand la tempête s'arrêterait.

« Les écoles sont fermées dans le sud-ouest et le centre-est du Minnesota, et l'on attend d'ici dix minutes une déclaration des rectorats de Minneapolis et Saint Paul. Le gouverneur va probablement fermer les établissements de service public, comme il le fait chaque fois que quelqu'un a aperçu un flocon de neige... mais je ne vais pas commencer à m'embarquer dans ce genre de considérations... »

Une voiture de police quittait l'allée de l'hôpital quand LaChaise et Martin arrivèrent. Ils roulèrent au ralenti le long du trottoir et attendirent deux minutes afin d'être sûrs que la voiture s'éloignait pour de bon, puis Martin dit : « C'est toi le blessé. Baisse ton chapeau sur tes yeux.

— Ça va, fit LaChaise en recommençant à inspirer par la bouche. J'ai l'impression que mon cœur va exploser d'une minute à l'autre. »

Martin engagea la voiture dans l'allée des urgences.

« Tu ne sentiras plus rien quand on sera à l'intérieur.

— C'est la guerre, mec, la putain de guerre. Comme au Vietnam.

— Surtout la neige. »

Martin se gara devant la première des deux portes et laissa le moteur tourner. S'ils ressortaient, ça irait plus vite, et s'ils ne ressortaient pas, qui se souciait de la caisse ?

LaChaise descendit de voiture et boitilla vers la porte d'entrée. Martin contourna le capot et vint le soutenir, lui passant un bras autour des épaules. La porte était ouverte, comme prévu, et, comme l'avait annoncé Martin, un gardien les attendait de l'autre côté, dans un cagibi aussi grand qu'une cabine téléphonique.

« On a besoin d'aide, grogna Martin. Il est blessé. »

Le gardien n'hésita pas une seconde. Il sortit par la petite porte donnant sur le hall et s'approcha d'eux : « Qu'est-ce que... » C'est alors qu'il vit les armes.

« Tourne-toi, ordonna tranquillement Martin en dirigeant le canon de l'AR-15 vers la poitrine du gardien. On ne veut pas te faire de mal.

— Ah, merde !

— Oui, merde ! dit LaChaise. Tourne-toi. »

L'homme chancela et cracha : « Non. Allez vous faire foutre.

— Me faire foutre ? » D'un geste d'une rapidité inouïe, Martin le frappa en plein visage avec la crosse du fusil, un coup horizontal qui lui heurta le front avec la puissance d'une luge en pleine course. L'homme fut projeté contre le mur et s'affala au sol.

« Allons-y », dit Martin alors que LaChaise s'élançait déjà dans le couloir en direction du hall.

Les visites n'étant autorisées qu'en fin de matinée, sept personnes seulement se retournèrent pour les regarder quand ils débouchèrent dans le hall : une femme et deux enfants, deux hommes jeunes assis côte à côte, une adolescente pelotonnée dans un fauteuil et plongée dans un roman à l'eau de rose, et une femme, derrière le bureau de l'accueil, qui s'exclama : « Seigneur tout-puissant ! »

Ils procédèrent comme pour un braquage de banque : LaChaise se planta devant les gens qui attendaient dans les fauteuils et débita son texte habituel : « Ne faites pas un geste... »

Martin se concentra sur la femme de l'accueil : « On veut les numéros de chambre de Capslock et de Franklin, service Chirurgie. Si vous ne les donnez pas tout de suite, on vous descend.

— Bien, monsieur. » Elle tapa les noms sur son ordinateur et lut à voix haute les numéros de chambre. LaChaise vérifia sur l'écran par-dessus son épaule.

« Où est-ce, en sortant de l'ascenseur ?

— Vous tournez à droite dans le couloir... » De l'index, elle dessina une ligne sur la surface du comptoir. Martin opina.

« Très bien. Sortez de là et allez vous asseoir avec les autres. Mettez vos mains en évidence. »

Ils étaient à l'intérieur depuis à peine plus d'une minute.

LaChaise appuya sur le bouton d'appel de l'ascenseur, pendant que la femme quittait son poste. Martin lui désigna un siège et, au moment où elle passait devant lui, la frappa avec la crosse de son fusil, comme il l'avait fait pour le gardien. Le coup l'atteignit sur le nez, qui craqua, et elle s'effondra en poussant un cri étranglé. L'adolescente ouvrit la bouche au même instant, mais étouffa son cri, la main sur la bouche. Les deux jeunes types regardèrent la scène d'un œil impassible. Ce n'était sans doute pas la première fois qu'ils voyaient des armes.

« Si l'un de vous appelle les flics, on redescend et on lui troue la peau ! aboya LaChaise. Vous pouvez compter dessus. »

La cabine d'ascenseur arriva. LaChaise et Martin y entrèrent à reculons. Au moment où la porte se refermait, ils entendirent des gens courir.

Les deux jeunes types se précipitèrent sur la porte, pendant que la femme prenait ses enfants sous son aile et s'élançait en criant « Au secours ! Au secours ! ».

L'adolescente s'approcha d'un poste d'alarme d'incendie accroché au mur et tira sur la poignée.

À l'intérieur de la cabine, l'alarme retentit comme une bombe. LaChaise flippa : « Oh, merde… » et donna des coups de pied dans la porte.

« Calme-toi, on arrive dans une seconde », lui dit Martin. Mais cela prit plus longtemps, huit ou dix secondes, pendant lesquelles la sonnerie d'alarme continua de hurler.

Del se brossait les dents dans les toilettes quand l'alarme se déclencha. Il cracha, saisit son pistolet dans sa main droite, la radio dans sa gauche, et fonça vers la porte, de la mousse blanche dégoulinant sur son menton, en appelant : « Lucas ? Lucas ? »

Celui-ci répondit immédiatement : « Oui ? »

Del courait déjà dans le couloir, vers la chambre de sa femme. « Il est arrivé quelque chose. Un genre de sonnerie d'alarme.

— J'arrive d'ici une minute, dit Lucas. Je suis sur Washington.

— Envoie du renfort. »

Franklin dormait quand l'alarme se déclencha. Ça le réveilla aussitôt. Il s'assit, tendit la main vers la table de nuit et prit son pistolet. Il entendait des gens dans le couloir, probablement les infirmières de nuit. Mais l'alarme signifiait une seule chose pour lui. Ils étaient là, exactement comme l'avait prévu Davenport, et il n'y avait pas un seul flic entre lui et la porte. Il allait devoir s'en tirer tout seul...

Del cria alors : « Franklin ? Je suis dans la chambre de Cheryl, tu m'entends ? »

Il répondit : « Oui, je suis réveillé.

— Tu peux atteindre la porte ?

— Ouais. »

Franklin arracha de son bras l'aiguille de la perf et tomba plus ou moins du lit, mais de son côté valide, et grimaçant sous le choc, plié en deux, il alla à la porte. Deux infirmières se tenaient dans le couloir, regardant à chaque bout. Il leur cria : « Dégagez, planquez-vous ! »

Elles virent l'arme dans sa main, se figèrent une seconde et se précipitèrent dans la première chambre venue. Depuis l'embrasure, Del inspecta le couloir, deux portes plus loin. « Ce n'est peut-être pas... »

Au moment même où il prononçait ces mots, LaChaise apparut au bout du couloir, de son côté. Il était rasé de près, mais son visage était reconnaissable entre tous, ainsi que la forme noire de son fusil. Del tira un coup de feu et le manqua, tandis que Franklin tirait de son côté, pensant aussitôt qu'il avait dû toucher le plafond. LaChaise disparut une seconde et, la seconde suivante, le canon de son fusil surgit à l'angle du couloir, crachant une salve féroce qui décrocha une pluie de plâtre des murs tandis que des balles 223 sifflaient dans tous les sens comme des abeilles, accompagnées d'un bruit de verre brisé, auquel succéda la détonation caverneuse de l'automatique de Del.

Sous l'averse de fragments de plâtre, Franklin risqua un coup d'œil dans le couloir, vit quelque chose bouger et tira trois coups rapides. Quelqu'un cria : « Non ! » – le jappement d'un homme blessé. Puis le fusil automatique entra de nouveau en action, provoquant une deuxième averse de plâtre, et la porte, au-dessus de lui, explosa en un bouquet d'échardes de plastique et de contreplaqué.

De l'autre côté du couloir, Del entendit l'homme hurler « Non ! » et pensa que Franklin avait blessé l'un d'eux. Franklin tira encore trois fois et Del appuya trois fois sur la détente, à espaces réguliers : Franklin tirait avec un revolver, il allait avoir besoin d'un répit pour le recharger. Il y avait tellement de poussière dans le couloir que Del en distinguait à peine l'extrémité. Puis quelque chose bougea, il rejeta vivement sa tête en arrière, les murs éclatèrent de nouveau et un projectile lui déchira la gorge. Il y porta la main, sentit que quelque chose dépassait. Un os ? un morceau de sa mâchoire ? Sous le choc, il se retourna et regarda Cheryl qu'il avait allongée par terre. Elle le fixait des yeux. Soudain, elle se mit à hurler et à ramper vers lui.

Il était blessé, mais il ne sentait rien : il jaillit de la porte et tira une demi-douzaine de fois dans le couloir, puis son arme resta muette : chargeur vide.

Franklin répondit par deux coups de feu. Del tâtonna pour prendre un chargeur, éjecta l'autre de la poignée, enclencha le nouveau et monta une balle dans la chambre. Cheryl essayait de le retenir, et il essayait de la repousser pour pouvoir atteindre la porte.

De son côté, Franklin hurlait. Il entendit vaguement : « Attends, attends ! Je crois qu'ils sont partis. »

Del regarda dans le couloir et ne vit rien. Les yeux horrifiés, Cheryl cria quelque chose qu'il ne comprit pas et le saisit à la gorge.

Martin était touché. La balle, pur hasard, était entrée par la face interne de sa cuisse, juste en dessous des testicules, arrachant surtout de la chair. Il y avait une artère importante dans cette région, il le savait, aussi déchira-t-il la jambe de son pantalon. Il vit une plaie béante, sans geyser de sang. Il saignait, pour sûr, mais il n'allait pas saigner à mort – du moins, pas pendant les deux ou trois minutes à venir. LaChaise lui cria : « Tu es blessé ? Tu es blessé ? » tandis qu'il calait un autre magasin dans l'AR.

« Ouais, je suis touché. C'est pas beau, mec. »

LaChaise jaillit dans le couloir, totalement exposé comme dans les films de cow-boys, et vida son magasin entier autour de lui, trente coups en arrosant. Martin était parti vers l'ascenseur. Il appuya sur le bouton « descente » et les portes s'ouvrirent en coulissant : « Allons-y !

— Encore un ! » cria LaChaise en arrosant une dernière fois le couloir. Puis il détala droit devant lui, atterrit en dérapage contrôlé dans la cabine, les portes se refermèrent et la descente commença.

« Quelqu'un nous attend peut-être en bas », dit-il en plaçant son dernier chargeur dans le fusil automatique. Ses orbites étaient blanches, ses narines grandes ouvertes, il respirait difficilement. « C'est très grave ?

— Assez, mais je n'en mourrai pas, grogna Martin.

— Gaffe aux portes. » Ils pointèrent leurs armes vers les portes de la cabine qui commençaient à s'ouvrir. Personne.

Le hall était désert. Ils s'engouffrèrent dans le couloir, au bout duquel se trouvait leur voiture.

Ils étaient restés en haut à peine plus d'une minute.

Lucas se gara en catastrophe dans le parking situé de l'autre côté du bâtiment par rapport à l'entrée des urgences. La femme de Del hurlait dans la radio : « Del est blessé, Del est blessé… Ils s'en vont, mais Del est blessé… »

Lucas avait rameuté toutes les forces de police qui se trouvaient dans la rue et le standard annonçait du renfort. Ils seraient là dans une minute, dans trente secondes… Lucas passa brutalement au point mort, tout en attrapant le fusil et se précipita vers les portes du hall. Il vit alors celles de l'ascenseur coulisser et LaChaise et Martin qui sortaient, Martin avançant avec peine.

Ils tournèrent dans l'autre direction sans le voir et s'engagèrent dans un couloir menant à la porte des urgences. Lucas arrivait dans leur dos, à deux ou trois mètres d'eux, du mauvais côté du bâtiment. Il tira brusquement sur la porte et faillit tomber en arrière : fermée à clé.

Sans réfléchir davantage, il recula d'un pas, visa le dos de LaChaise à travers la vitre et tira. Le verre explosa. Il actionna la pompe, tira à travers le trou, actionna la pompe de nouveau et perçut un cri : aussitôt les vitres volèrent en éclats à trois mètres sur sa gauche et il vit l'éclair d'un fusil automatique cracher vers lui. Il se baissa en rentrant instinctivement la tête dans les épaules et des bouts de verre ripèrent sur son manteau et son pantalon.

Après la rafale, il se redressa à moitié et tira deux autres coups aussi vite que possible. Ne constatant aucune riposte, il se mit debout.

Devant, le couloir était complètement vide. Le silence se fit soudain autour de lui, comme s'il était devenu sourd. Puis les hurlements des sirènes lui parvinrent, il s'introduisit par la vitre fracassée et traversa le hall en courant.

Il s'accroupit derrière le comptoir d'accueil et vit une femme par terre, le visage en sang, qui le regardait du coin où elle s'était réfugiée en rampant. Il attendit, écouta, puis s'élança dans le couloir, prêt à cueillir quelqu'un au premier tournant.

Il trouva un autre corps, celui du gardien, qui respirait encore, mais en crachant des bulles de sang. Il repéra une double traînée sanglante qui sortait du bâtiment. L'une s'arrêtait à cinq pas du trottoir, l'autre continuait au-delà. Ils avaient une voiture, et ils étaient partis.

Une voiture de police s'arrêta dans le parking. Lucas sortit, les mains en l'air, fit un signe, prit sa radio et dit : « Ils sont dans les rues… Cherchez la voiture marron, une grosse voiture marron. Ils sont partis il y a moins de quinze secondes. Ils ont des fusils d'assaut et ils sont blessés… »

Un médecin arriva en courant dans le couloir. Il jeta un coup d'œil à Lucas, se pencha au-dessus du vigile et hurla à l'intention de la salle des urgences : « Un chariot, vite, on a besoin d'un putain de chariot !

— Il y en a une autre près du bureau d'accueil, intervint Lucas.

— Deux chariots ! rectifia le toubib. Il nous faut deux chariots. »

Comme les flics sortaient en trombe de la voiture, Lucas fit volte-face et courut vers le hall. Les portes de l'ascenseur étaient ouvertes, une flaque de sang écarlate recouvrait le sol. Une seule flaque, remarqua-t-il, avec deux empreintes de pied au milieu. Le deuxième homme n'était pas encore blessé en sortant de là, c'était donc lui qui l'avait touché avec son fusil.

Il appuya sur le deux, et arrivé en haut cria : « C'est Davenport ! » quand les portes commencèrent à s'ouvrir.

Il entendit des cris de femme et se précipita dans le couloir qui menait à la chambre de Del, qu'il trouva allongé par terre. Franklin et Cheryl, tous les deux en chemise de nuit d'hôpital, étaient penchés au-dessus de lui. Une infirmière poussait rapidement un brancard dans le couloir.

« C'est grave ? demanda Lucas.

— Il sera peut-être un peu moins joli garçon qu'avant », répondit Franklin avec un sourire crispé.

Lucas s'agenouilla à côté de Cheryl, Del leva les yeux vers lui : une écharde de Formica, fine comme une lame de couteau et longue comme un crayon, était fichée dans son cou, juste en dessous de la mâchoire. Il regarda Lucas et secoua la tête, les yeux exorbités.

Cheryl se tourna vers les infirmières et cria : « Dépêchez-vous », mais c'est d'une voix plus calme qu'elle expliqua à Lucas : « Elle a tout traversé jusqu'à la voûte du palais.

— Seigneur, il faut le transporter… »

Les infirmières arrivèrent, et Lucas souleva Del pour le déposer sur le chariot. « Droit aux urgences », dit l'une d'elles. L'autre désigna Cheryl : « Recouchez-vous immédiatement, vous n'avez pas le droit de vous lever… » Même chose pour Franklin : « Allez, vous aussi… » Elle poussa Cheryl vers son lit pendant qu'ils lui tournaient le dos.

« Tu les as eus ? demanda Franklin.

— Ils ont filé, mais nos gars sont partout, maintenant.

— Merde.

— J'en ai blessé un, et vous deux, vous avez touché l'autre. Il y a une traînée de sang qui entre dans la cabine de l'ascenseur et en ressort en bas, plus une autre qui démarre dans le hall. »

Lucas se mit à trembler, afflux d'adrénaline.

« Bon », dit Franklin, se mettant à trembler à son tour. Il regarda le couloir dévasté et ajouta : « Tu sais à quoi ça ressemblait ici, tout à l'heure ?

— À quoi ?

— À cette scène de *La Guerre des étoiles*, quand les Storm Troopers tirent un million de coups de feu sur les gentils et ne touchent personne. Remarque, il y a eu plus de dégâts dans le couloir... »

Lucas regarda son collègue couvert de poussière de plâtre et suggéra : « Tu sais, tu devrais peut-être t'asseoir une minute... »

Franklin se frotta la poitrine et regarda Cheryl, allongée sur son lit, pâle comme une morte. « Ouais, peut-être que je devrais... »

24

Martin trottinait en chancelant, amorçait le tournant du couloir qui allait le porter au-delà de la salle des urgences, et du corps allongé par terre, suivi à la trace par LaChaise, quand le monde explosa de nouveau et une volée de verre et de métal leur siffla aux oreilles.

LaChaise poussa un cri mais Martin sentit qu'il suivait derrière lui, puis une autre détonation retentit et LaChaise se retourna, ouvrant le feu avec son fusil automatique, pendant que Martin franchissait la porte et gagnait le trottoir, s'attendant plus ou moins à y mourir.

Mais la voiture les attendait là, ronronnant gentiment. À un demi-bloc, une femme marchait dans leur direction, un sac à la main. Elle s'arrêta brusquement en les voyant. Martin avait déjà fait le tour de la voiture. Il lança le fusil sur la banquette arrière et monta. LaChaise se jeta sur le siège du passager et ils quittèrent le parking en vitesse, la portière de droite s'ouvrant brusquement puis se refermant avec un bruit sec au premier virage, alors qu'ils prenaient la direction du sud.

« Bordel, ça fait mal, gémit LaChaise. Mes putains de jambes…

— L'alarme d'incendie, dit Martin qui sentait le sang s'insinuer entre ses doigts agrippés à sa blessure. Ces salauds ont déclenché l'alarme.

— C'est grave, ce que tu as ? » LaChaise laissa échapper un gémissement quand la voiture monta sur le trottoir pour bifurquer. Les rues étaient désertes.

« Je saigne beaucoup. Bon Dieu… Cramponne-toi. »

Martin voulait tourner dans la petite rue qui menait au garage, mais il roulait trop vite et ne conduisait que d'une main. Ils se payèrent une autre bordure de trottoir, puis un petit arbre dénudé, rebondirent sur une aire de stationnement et se retrouvèrent sur la chaussée. Sans cesse de gémir de douleur, LaChaise tendit la main au-dessus de la tête de Martin, à côté du pare-soleil, et appuya sur le bouton qui commandait la porte du garage. De l'autre côté de la rue, la porte se souleva et Martin rentra la voiture en vitesse.

Sandy Darling, toujours enchaînée près du pilier métallique, ouvrit des yeux ronds. Martin leva la main, appuya de nouveau sur le bouton, et la porte amorça la descente.

Ils ne s'étaient pas absentés plus de dix minutes, et cela faisait au mieux une minute et demie qu'ils avaient quitté l'hôpital. Martin poussa la portière et s'extirpa du siège en laissant le fusil à l'intérieur, essayant de contenir le flot de sang qui s'échappait de sa cuisse.

Sortant de son côté, LaChaise récupéra les clés des cadenas. « On est blessés. Va chercher ta connerie de trousse d'urgence... On est blessés.

— Qu'est-ce qui s'est passé ? demanda Sandy, pendant que LaChaise libérait le cadenas à sa taille.

— Ça a foiré, expliqua-t-il. Ils nous attendaient.

— Ils vont venir ici ?

— J'en sais rien. Viens, on monte. »

Les deux hommes enlevèrent leur manteau dans le séjour. À voir la jambe de Martin, on aurait dit que, à l'aide d'un couteau de chasse émoussé, quelqu'un lui avait taillé dans la cuisse un morceau gros comme une balle de golf. La plaie était circulaire, en lambeaux, encombrée de sang séché et de chairs hachées, avec des fibres textiles prises dans le tout. Sandy lui tendit un énorme pansement de gaze stérile : « Appuie ça très fort sur le trou... En attendant, je jette un coup d'œil sur Dick. »

Les plaies de LaChaise étaient concentrées sur l'arrière des jambes, des bras et de la tête, des coupures superficielles pour la plupart. Quand il enleva son pantalon et sa chemise, la première impression fut qu'il avait été lacéré de coups de couteau. En fait, seule une des plaies saignait véritablement ; Sandy, ayant fini de tamponner toutes les coupures, lui dit : « Tu n'es pas en si mauvais état que ça. Si tu vas à l'hôpital, tu t'en tireras.

— Mon cul, grogna LaChaise. Essuie tout ça, fais quelque chose.

— D'un autre côté, ajouta-t-elle en examinant la blessure qui saignait, ton bras a été transpercé par une balle. » Elle lui tourna le bras et découvrit une bosse sous-cutanée. « Et à mon avis, voici la balle.

— T'as qu'à l'extraire, dit LaChaise.

— Elle est loin.

— Je m'en fous. Extrais-la.

— Dick, je vais te faire souffrir encore plus.

— D'accord, d'accord. »

Martin s'allongea par terre et resta immobile, sans rien dire, pendant qu'elle versait de l'eau sur la plaie, la palpait, et déclarait en secouant la tête : « Tout ce que je peux faire, c'est rajouter des pansements et attacher le tout. Tu as besoin de voir un médecin. Ça va s'infecter. »

L'estomac de Martin se souleva. Elle comprit qu'il riait. Complètement hystérique, se dit-elle. Il rit encore. Trouvait peut-être ça drôle. « L'infection ne se propagera pas avant deux jours. Il nous faut moins de temps que ça. Allez, mon vieux, il faut se magner, lança-t-il en regardant LaChaise.

— Mais j'ai vachement mal, mec.

— Écoute, ils vont se demander où on a bien pu passer. Tôt ou tard, ils vont se pointer ici. Si on veut faire encore quelques dégâts, il faut qu'on y aille tout de suite. Avant qu'il fasse jour », ajouta-t-il en regardant la fenêtre.

LaChaise gémit, tout en se relevant à croupetons, et regarda Sandy en coin : « Mets-moi des bandages là où tu peux.

— Je n'ai plus beaucoup de bandes.

— Eh bien, récupère les vieilles. » Puis, s'adressant à Martin : « Ce putain de fusil. Il y en avait un avec un fusil, il aurait pu me tuer mais le premier coup m'a manqué. Ces éclats de verre, on aurait dit un cyclone. La deuxième fois, il a touché mon gilet.

— Bon, je vais chercher une serviette », déclara Sandy.

Pendant qu'elle filait à la salle de bains, LaChaise se traîna par terre jusqu'au gilet pare-balles qu'il avait enlevé. Un motif en dents de scie perforé par du gros plomb apparaissait sur le dos en nylon. « Il a dû prendre du triple zéro. Seigneur, s'il avait visé un peu plus haut, je n'aurais plus de tête. »

Martin était en train de composer un numéro de téléphone.

« La chirurgie, s'il vous plaît… Merci… Allô, ici Davenport, est-ce

274

que ma femme Weather est encore là ? » LaChaise le regarda écouter, puis répondre : « Non, ça ne fait rien. Dites-lui de m'appeler quand elle aura fini, d'accord ?

— Ce n'est pas sa femme, bordel, dit LaChaise quand Martin raccrocha. Elle était là ?

— En train de se récurer les mains avant d'entrer au bloc.

— Bon, c'est là qu'on va, alors. Cette enflure de Davenport avait tendu le piège. Ça ne m'étonnerait pas que ce soit lui qui m'ait chopé dans le hall. Nom de Dieu, c'était quelque chose... »

En sortant de la salle de bains, Sandy surprit la fin de la conversation. « Où allez-vous ?

— À l'hôpital où bosse la nana de Davenport.

— Vous allez me laisser partir ?

— En quelque sorte », dit LaChaise avec un drôle de sourire. Elle sentit son cœur flancher : ils voulaient la tuer.

« Tourne-toi », dit-elle. Elle lui essuya le dos avec la serviette humide, nettoyant du mieux qu'elle pouvait, désinfectant les plus grosses coupures, extirpant quelques éclats de verre de son dos et de ses jambes. « Je ne peux rien pour les blessures à la tête.

— Occupe-toi des autres. »

Martin s'était approché de son sac de voyage dont il avait sorti un pantalon de treillis. Assis par terre, il l'enfila. « On attend une heure et après, on sort. On va tout droit, on traverse Washington Avenue...

— On prend le virage, puis la bretelle, on franchit le pont et l'hôpital est en face, conclut LaChaise, se rappelant leur expédition de reconnaissance.

— C'est à cinq minutes d'ici. » Martin enfila ses bottes et demanda à Sandy : « Tu en as fini avec lui ?

— Je l'ai arrangé de mon mieux.

— Un peu de café et des œufs ne feraient pas de mal. » Martin saisit la télécommande et cliqua. Un présentateur aboyait quelque chose à l'écran, mais il mit une minute à trouver la touche « volume ». *« ... il y a quelques minutes à peine. Ils ont été parfaitement identifiés... »*

« Je vais chercher les fusils, des fois qu'ils se pointeraient, annonça LaChaise. Il se releva avec précaution, poussa un grognement et avança dans le couloir. « Du café et des œufs ! lança-t-il à Sandy. Avec des toasts. »

Elle le suivit dans le couloir et s'arrêta devant la cuisine. LaChaise continua. Elle jeta un coup d'œil à Martin : il avait pris son arc, mais il continuait à regarder la télévision. Elle entra dans la cuisine. Jusqu'alors, elle n'avait rien fait parce qu'elle craignait que les flics ne tirent sur quiconque accompagnait LaChaise. Maintenant, elle n'avait plus le choix. Elle décrocha le récepteur, appuya sur les touches 9, 1, 1, et quand on répondit articula doucement : « Sandy Darling. Ils sont ici. »

Elle reposa le récepteur à côté de la fourche, laissant la ligne sonner occupée, et se mit en quête d'une poêle à frire en faisant claquer les portes des placards. Une minute plus tard, LaChaise arriva à hauteur de la porte, un AR sous le bras, approvisionnant un magasin tout en marchant, et continua jusqu'au salon. « Où as-tu mis ton fusil, Martin ?

— Ah, merde ! J'ai dû le laisser au pied de la banquette arrière. Je l'avais lancé... »

Il s'interrompit brusquement : un bruit de verre cassé en bas de l'escalier, des pas lourds qui montaient. « Les voilà », dit-il, pointant son pistolet vers la porte. LaChaise courut à la fenêtre et regarda dehors : « Personne dans la rue. »

Un homme cria de l'autre côté de la porte : « LaChaise, ils savent que vous êtes là ! Ils arrivent ! » Il y eut d'autres cris incompréhensibles et des bruits de pas qui repartaient dans l'escalier.

« Et merde et merde ! gueula Martin. Vite, par-derrière... »

25

Stadic était debout, habillé mais encore sonné – il lui semblait avoir cent heures de sommeil à rattraper –, et envisageait de prendre des céréales pour son petit déjeuner quand il entendit hurler dans la radio.

Il enfila en hâte une parka et une paire de gants, saisit son pistolet et courut vers sa voiture. Il était à cinq minutes du centre-ville, mais il y arriva en quatre. Le parking devant l'hôpital ressemblait à une casse de vieilles voitures, avec des flics qui affluaient de partout au volant de leur véhicule personnel. Des rampes de lumières perçaient la tempête de neige.

Il s'arrêta un instant pour regarder ce chaos et poursuivit son chemin, tournant dans la 11e. Oui : les fenêtres de l'appartement de Harp étaient éclairées. Nom d'un chien : il contourna le pâté de maisons, sortit un fusil de chasse du coffre et le chargea. S'il pouvait les nettoyer sans que personne s'en rende compte, ce serait terminé. Au standard, on disait que les deux hommes étaient blessés.

Il décida d'attendre quelques minutes : s'ils étaient blessés, la femme allait peut-être sortir pour acheter des pansements. Il la surprendrait à la porte et entrerait dans la foulée. Sans ça, l'endroit était une vraie forteresse.

Un médecin apparut dans le couloir et se dirigea vers les téléphones : « Vous êtes Davenport ?

— Oui », répondit Lucas. Il demanda à Roux, avec qui il était en communication, d'attendre un instant et regarda le médecin.

« Nous avons un cliché, dit celui-ci. Vous voudrez peut-être y jeter un coup d'œil.

— D'accord. » Par la fenêtre, il pouvait voir les véhicules des médias s'entasser en bas de la rue. Des opérateurs braquaient leurs caméras sur l'hôpital et leurs projecteurs illuminaient la nuit comme de petits soleils. « Il faut que j'y aille, ils ont un cliché radio de Del.

— Je serai là dans un quart d'heure », annonça Roux.

Lucas suivit le médecin dans la salle des urgences où deux autres médecins examinaient une radio fixée sur une plaque éclairée. Lucas distingua le contour de l'écharde de Formica à l'endroit où elle transperçait le visage de Del.

« Il a eu de la chance, expliqua le médecin en tapotant le cliché. C'est entré à la base de la langue, mais sans aller jusqu'au bout. On craignait que ça ait pénétré le... la... voûte du palais, ce qui n'est pas le cas. C'est juste resté bloqué là. On va l'enlever.

— Pas de dégâts ?

— Ça va lui faire un mal de chien, mais tout ira bien d'ici une quinzaine. Malheureusement, il va falloir lui mettre un tube en plastique dans le cou. Ça n'est pas très seyant.

— Et sa femme ? »

Cheryl avait arraché ses tuyaux de perfusion en rampant vers son époux et elle avait perdu du sang.

« Ce n'est rien du tout. Elle va bien.

— Dieu soit loué. Et Franklin ?

— Pas de problème. »

Vingt-cinq minutes après la fusillade, Lucas eut une conversation avec un capitaine de patrouille pour essayer de comprendre pourquoi ils n'avaient pas retrouvé la voiture.

« Enfin, bon Dieu, ils n'avaient que trente secondes d'avance sur vos gars. »

Le capitaine commença à s'énerver un peu : « Écoutez, même une putain de souris n'aurait pas réussi à sortir d'ici. Nous avons inspecté chaque putain de voiture garée dans les limites du périphérique. Ils doivent avoir un garage privé quelque part. On les aura... »

Lucas regardait ailleurs... Il lui dit : « Ne bougez pas de là », prit sa radio et annonça : « Je veux une recherche sur Daymon Harp. Prénom D-A-Y-M-O-N, patronyme H-A-R-P. Je dois savoir quelle bagnole il conduit. »

Le capitaine le regarda, étonné. Cinq secondes plus tard, une standardiste prit la ligne, une voix différente : « Lucas, Sandy Darling vient juste d'appeler. Elle a laissé le téléphone décroché, elle dit qu'ils sont là-bas, chez Harp.

— Sur la 11e Avenue ?

— Oui. Comment avez-vous deviné ? »

La voix de la première standardiste revint : « Lucas, il a une Lincoln de 1994...

— Marron.

— Oui.

— Parfait. » Lucas sentit la poussée d'adrénaline, l'excitation qui accompagne l'issue de la chasse. « Je veux que ce soit bien fait. Ils sont dans l'appartement de Harp sur la 11e, au-dessus d'une laverie automatique, une maison à deux étages. Il y a un escalier devant et un garage sur le côté. Je veux des gens là-bas tout de suite, et on va avoir besoin d'une équipe d'intervention spéciale... »

Derrière lui, le capitaine courut vers sa voiture en lui criant : « J'envoie du monde... »

Stadic entendit l'agitation à la radio, et cette phrase : « Sur la 11e. »

Il sut immédiatement ce qui se passait. Il saisit fébrilement son portable et composa le numéro de Harp. Occupé. Merde. Il ne pouvait pas laisser un siège s'organiser : il y aurait des survivants.

L'appartement allait être encerclé, des hélicoptères allaient le surveiller... et quand il serait évident que ça tournait au suicide, LaChaise et l'autre cinglé allaient changer d'avis. Et une fois arrêtés, derrière les barreaux, ils le dénonceraient.

La peur lui serra le ventre, le fit jaillir de sa voiture. Il remonta en courant la petite rue du garage, tourna au coin, fracassa d'un coup de pied la vitre de la porte du rez-de-chaussée et gravit les marches quatre à quatre. Arrivé sur le palier, devant la pile de cartons, il hurla : « LaChaise, ils savent que vous êtes là ! Ils arrivent ! Maintenant. Vous n'avez pas une minute. Ils ont le numéro de la voiture de Harp, ils ont la voiture de Harp ! Vous m'entendez ? La voiture de Harp, ils l'ont. »

Et il redescendit dare-dare, aiguillonné par la vision d'une voiture de police approchant au bout de la rue, d'un fusil braqué sur lui, d'interrogatoires...

La rue était vide. Allons, il n'y avait même pas une minute que les communications radio avaient commencé. Il contourna la maison, sauta dans sa voiture et prit le large.

En roulant, il remarqua le silence absolu de la nuit, le calme sous la neige. Il n'y avait pas une seule sirène branchée dans la ville. Mais toutes les voitures de police convergeaient vers lui.

Le pied enfoncé sur l'accélérateur, il quitta la rue, dépassa un, deux blocs d'immeubles, puis s'arrêta : quand les premières voitures arriveraient, il voulait se trouver dans le lot.

La première apparut au coin de la rue comme il s'y attendait, glissant en silence vers la laverie automatique.

26

LaChaise se précipita vers la porte du fond, attrapant au passage Sandy qui se trouvait dans la cuisine. Elle cria : « Laisse-moi prendre mon manteau… ! »

Il courut en sens inverse, récupéra son manteau et celui de Sandy dans le séjour. Martin, qui avait passé le sien, tenait son arc à la main droite, un étui contenant six flèches, et une poignée d'autres dans la main gauche. LaChaise fonça dans l'escalier, suivi de Sandy, qui enfilait son manteau, et de Martin qui clopinait.

Quand Martin arriva en bas des marches, la porte du garage était déjà à moitié relevée. Il entendit LaChaise crier : « Ah, merde ! » Le fusil de LaChaise se dressa et des éclairs de lumière stroboscopique fusèrent, accompagnés du bruit du tir à répétition. LaChaise, Sandy sur ses talons, disparut dans la neige.

Martin était dix pas derrière eux. Il regarda à gauche : une voiture de police, vitres pulvérisées, barrait la rue. LaChaise partit en courant vers la droite.

« Par ici, par ici ! » lui cria LaChaise. Martin le rattrapa et ils tournèrent au coin. Martin lui dit : « Passe-moi le fusil.

— Quoi ? »

LaChaise était d'une pâleur cadavérique, la peau tirée autour des yeux. Sandy courait devant eux dans la rue. *Qu'elle s'en aille.*

« Je n'y arriverai jamais. Je ne peux pas avancer, ma jambe est nase, quelque chose a claqué. » Il fouilla du côté de sa ceinture. « Prends mon pistolet, dit-il en le tendant à LaChaise. Tu as le tien, ça devrait suffire. Pique une bagnole, casse-toi…

— Bon Dieu ! » fit LaChaise. Il lança le fusil à Martin, sortit maladroitement deux chargeurs de sa poche, les lui passa, le prit par le cou et lui donna une accolade qui dura une demi-seconde. « Je vais régler son compte à la femme de Davenport. On se revoit un peu plus tard. » Puis il tourna les talons et se lança à la suite de Sandy.

Martin retourna au coin de la rue et risqua un œil. Cinquante mètres plus bas, un flic dissimulé derrière une portière de voiture le regardait. Martin tira une rafale et s'éloigna en boitillant, traversa la chaussée en laissant sur son passage un filet rose dans la neige.

Il entendait maintenant des sirènes qui se rapprochaient de toutes parts.

Lucas et un dénommé Bunne se dirigeaient vers la 11ᵉ à bord de l'Explorer. Ce dernier portait un blouson de base-ball, le premier vêtement qui lui était tombé sous la main quand il était sorti en courant du vestiaire, alors qu'il s'apprêtait à gagner l'hôpital à pied. Ils étaient à six blocs d'immeubles de chez Harp : une minute. Trente secondes après avoir quitté l'hôpital, ils entendirent un message haché à la radio, qu'ils eurent du mal à comprendre à cause du bruit de respiration haletante, paniquée, qui envahissait le micro : « Ils nous ont tiré dessus, on est touchés, ils nous tirent dessus, Dick est blessé, envoyez du secours, pour l'amour du ciel.

— Merde », dit Bunne. Jusqu'alors, Lucas suivait la voiture de patrouille. Il gagna le côté gauche de la chaussée glissante et se mit à rouler flanc contre flanc avec elle, toutes sirènes hurlantes. En même temps, il cria : « Où sont-ils allés, ces espèces d'enfoirés ? »

La voix du flic retentit de nouveau, comme s'il l'avait entendu. « Ils sont sur la 11ᵉ, ils suivent la 11ᵉ en direction du Métrodôme. Ils sont à pied.

— Dix secondes », dit Lucas.

Bunne sortit son pistolet et rassembla son courage. Il était blême mais réussit à sourire faiblement à Lucas : « Je suis mort de trouille. »

Concentré sur la route, Lucas répondit : « La neige n'est pas si grave, c'est cette putain de nuit qui nous embête.

— Non, c'est cette putain de neige. »

Une petite Ford rouge déboucha d'une rue latérale, et Lucas faillit l'emboutir. La Ford fit un crochet et alla se planter au pied d'un poteau. Quand ils la dépassèrent, le visage extrêmement pâle d'un jeune aux cheveux roux les dévisagea derrière la vitre. « Encore un qui va porter plainte », dit Bunne, et ils tournèrent au carrefour suivant, rejoignirent la 11ᵉ un peu au-dessus de la maison de **Harp**, suivis de près par le capitaine de patrouille. Une voiture de brigade était garée en travers du carrefour. Un policier courut à leur rencontre au moment où Lucas et le capitaine arrêtaient leurs véhicules. Le policier pointait l'index dans leur dos : « Ils sont partis à pied ! cria-t-il. Il faut boucler le voisinage. Ils n'ont pas plus d'une minute d'avance. Vous avez dû les croiser à l'instant... »

Lucas descendit de voiture et un autre policier en civil, Stadic, les rejoignit, un fusil sous le bras. Lucas prit le sien dans sa voiture et le lança à Bunne : « Allons-y. »

Ils partirent tous les trois dans la neige, bientôt rejoints par un quatrième qui courait derrière eux, un fusil à la main. Le quatrième, qui était en tenue, leur dit : « D'après Charlie, ils ont traversé la rue... »

Lucas, en tête, recommanda : « Ne restez pas groupés. » Les autres se dispersèrent. « Tout le monde a son gilet ? » demanda-t-il. Stadic et l'agent en tenue acquiescèrent. Bunne secoua la tête : il n'avait rien sur la tête, rien dans les mains et il était chaussé de mocassins légers. « Allez chercher un gilet, ordonna Lucas.

— Pas la peine, je viens quand même. » Lucas ouvrit la bouche pour protester, mais Bunne montra le sol devant eux : « Regardez ça. Une traînée de sang. »

Ils s'arrêtèrent. « Il a raison », dit Stadic. Ils regardèrent le bas de la rue, où se dressait une rangée de vieilles maisons en briques brunes aménagées en appartements. « Ce sont eux, ajouta Bunne en désignant les empreintes fraîches dans la neige. Regardez les trous, ils ne sont pas de la même taille... là, c'est la femme, ça, c'est celui qui traîne la jambe, là, celui qui perd son sang.

— J'y vois que dalle. Il fera jour dans une heure », dit le flic en tenue. Il regardait nerveusement autour de lui en tortillant sa grosse moustache noire. « Il y a de la neige sur mes lunettes... »

Ils progressèrent dans la neige, passèrent devant les maisons de brique et quelques petits commerces, un Dairy Queen, un fouillis de parkings et de clôtures, une haie de temps en temps, des Dumpsters derrière les bâtiments, tout cela offrant un excellent abri pour des fugitifs. Ils suivaient le sang, dont le tracé paraissait erratique, quelques gouttes dispersées sur la neige, noires dans la pénombre. Comme ils arrivaient sous un réverbère, Lucas parla dans sa radio : « Nous sommes sur leurs traces... » et indiqua leur position.

À son avis, ils ne pouvaient absolument pas sortir du quartier, mais il y avait une forte probabilité qu'ils aient investi une maison quelque part, ce qui signifiait un siège. « On ferait mieux d'appeler des spécialistes de prises d'otages, dit-il. Ils sont capables de se terrer je ne sais où… »

Au même instant, il y eut un claquement sec et Bunne s'effondra en disant : « Oh ! mon Dieu. » Lucas cria : « Tireur ! » et ils se dispersèrent. Mais ils ne pouvaient rien voir, et n'entendaient rien d'autre que des sirènes, la circulation sur la route et le chuintement assourdi caractéristique de la neige.

Le policier en uniforme se mit à crier : « Où est-il ? De quel côté, de quel côté ? »

Lucas reprit sa radio et hurla : « Un homme est touché, ramenez une putain d'ambulance. » Il avança en crabe jusqu'à Bunne : « C'est grave ? » tandis que Stadic criait : « Là, sur votre gauche…

— Oh ! Seigneur, ça fait mal… je ne peux pas respirer… »

Lucas baissa la fermeture à glissière du blouson de base-ball et découvrit un torrent de sang jaillissant d'une blessure à la poitrine, et encore du sang, rouge et collant, dans le dos. Le tissu du blouson donnait plus l'impression d'avoir été coupé que troué par une balle. Lucas appuya la main sur la plaie et regarda dans la rue. C'est alors qu'il vit l'objet appuyé contre une voiture. Une saloperie de flèche ? Il n'y avait pas eu de détonation, pas d'éclair…

« Il tire avec un arc, cria Lucas à l'intention de tous. Il tire avec un arc, vous n'allez rien entendre venir, faites gaffe, il tire avec un arc, tenez-vous à distance des réverbères.

— Merde, qu'est-ce qui se passe, qu'est-ce que c'est ? » hurla un des policiers.

Une ambulance tourna au coin de la rue, pointant des phares écarlates. Lucas agita le bras. Il expliqua aux infirmiers : « Il a été touché par une flèche, ça saigne énormément », et, les laissant se débrouiller, courut pour rejoindre ses collègues.

Il les trouva qui zigzaguaient sur la chaussée, toujours en train de pister la traînée de sang. « De dix pas en dix pas », dit le flic en tenue. Il transpirait de trouille et était trempé par la neige fondante, ses yeux paraissaient trop grands derrière ses verres de lunettes mouchetés de flocons, il respirait avec difficulté. Mais il tenait bon. Il courut vers la gauche, pila net en abaissant le canon de son fusil vers la traînée de sang. Stadic partit vers la droite et s'arrêta aussi. Lucas prit le milieu, se baissa, s'arrêta. Stadic repartit à son tour, puis le policier en tenue.

Arrivés sur une plaque de neige fraîche, Lucas constata qu'il ne suivait plus qu'une seule piste.

« Où sont passées les deux autres ?

— Je ne sais pas. Ils ont dû bifurquer plus haut dans la rue »,
cria Stadic au moment où l'agent en uniforme le dépassait d'un bond.
Stadic allait repartir, quand il poussa un grognement et s'affaissa.
Lucas vit une flèche d'aluminium fichée dans sa poitrine et perçut un
infime mouvement, une palpitation un peu plus loin. Il tira trois coups
de feu, entraperçut un autre mouvement fugitif, tira encore deux fois,
plus bas, puis l'agent en tenue appuya vivement sur la détente de son
calibre douze.

« C'est comment ? cria Lucas à Stadic.

— Rien du tout. Il a touché la plaque de protection du gilet, dit
Stadic en se relevant. Il tire vachement bien. » Il extirpa la flèche et ils
poursuivirent leur chemin, tombant bientôt sur une flaque et quelques
éclaboussures de sang. « Vous l'avez touché, dit le flic à Lucas.

— C'est peut-être vous.

— Non, je n'y voyais absolument rien, j'ai juste tiré parce que
j'avais peur. » Il regarda autour de lui : « On devrait peut-être attendre
qu'il fasse jour. Il ne doit pas être loin. Il ne pourra aller nulle part, il
perdait déjà du sang quand vous l'avez touché.

— Je le veux. » Lucas porta la radio à sa bouche et annonça au
standard que les trois fugitifs s'étaient séparés, apparemment deux
d'un côté et le troisième seul, gravement blessé. Il précisa leur position et ajouta : « On continue.

— Il y a du renfort qui se dirige droit sur ce bloc d'immeubles.
Vous allez tomber dessus. Les gars qui arrivent ont des flanelles, alors
ne prenez pas de risques… »

Au moment où ils s'étaient séparés, Sandy était partie en courant
devant, LaChaise la suivant à une quinzaine de pas, Martin clopinant
à la traîne. Ils coururent toute la longueur d'un bloc, et LaChaise
rattrapa Sandy, puis une Ford rouge s'arrêta au croisement devant
eux. Comme des sirènes retentissaient de partout, la Ford ne bougea
pas. Sans ralentir l'allure, LaChaise la contourna par l'arrière, ouvrit
brutalement la portière côté passager et pointa son pistolet sur le
conducteur : « Pas un geste, connard. »

Le conducteur appuya instinctivement sur le frein et LaChaise sauta
à bord, appuyant son arme sur les cheveux roux. Sandy, elle, voyant
LaChaise obliquer vers la voiture, avait ralenti. Quand il ouvrit la

portière, elle fit volte-face et courut dans le sens opposé. Elle avait disparu dans la neige lorsque LaChaise se retourna.

« Merde, merde... », dit-il en pointant l'arme sur le jeune rouquin : « Démarre. Doucement. Avance... »

Il se laissa glisser par terre, devant le siège du passager, sa tête affleurant le haut du tableau de bord, et continua à pointer son arme sur la poitrine de l'adolescent. Ils roulèrent jusqu'au croisement suivant et le rouquin s'exclama « Non ! », fit une embardée et heurta quelque chose. LaChaise glapit : « Espèce de con ! » et le conducteur leva les deux mains pour se protéger.

Mais LaChaise ne tira pas ; le gamin balbutia : « Ils ont failli nous rentrer dedans... » LaChaise vit alors la voiture de police et le 4 × 4 disparaître au bout de la rue.

« Vas-y, ordonna-t-il au jeune conducteur. Par là, vers le Métrodôme. »

Sandy tomba sur une ruelle qui longeait l'arrière des immeubles et s'y engouffra. LaChaise lui avait dit en plaisantant que, si elle se rendait au flic ripou, elle était morte. C'était vrai : elle avait sa photo, mais elle ignorait son nom.

Et il devait être en train de la chercher. La meilleure solution, se dit-elle, était de trouver un téléphone et d'appeler Davenport.

Bon, maintenant, il fallait dénicher un endroit ouvert, mais qui allait ouvrir à sept heures du matin, un jour pareil ? La ville était un désert où la neige tombait à pleins seaux. Elle se risqua à découvert, replongeant dans l'obscurité lorsqu'une voiture passa en vrombissant, et sortit de nouveau pour regarder dans la rue. Il y avait de la lumière sur le côté du Métrodôme. Si elle réussissait à y entrer, elle trouverait plein de téléphones. Elle prit cette direction.

Lucas, Stadic et le flic en tenue suivaient la piste sanglante à pas mesurés, scrutant l'obscurité, sursautant dès qu'ils voyaient la moindre ombre. À un moment, le flic tira sur une souffleuse de neige garée près d'une maison. Lucas faillit abattre une grille qui tremblait sous la tempête. Ils échangeaient des cris pour se rassurer mais aussi pour mettre la pression sur le fugitif qui perdait son sang. Il fallait le forcer à bouger, l'empêcher de réfléchir.

Martin se dit qu'il allait mourir, mais il ne souffrait pas beaucoup. Et il n'avait pas tellement froid. Il se sentait plutôt bien pour un homme dont la jambe était déchirée par une plaie béante, et qui venait en plus de prendre du plomb dans les fesses. C'était arrivé par le côté et il avait failli en tomber par terre, mais il avait continué à avancer, malgré le sang qui coulait le long de ses mollets. Il pensa avec détachement qu'il allait devoir bientôt s'arrêter : il avait perdu beaucoup de sang. C'est probablement pour cela qu'il se sentait si bien. Ils se rapprochaient de lui, et bientôt il serait coincé.

Il allait tirer encore une fois avec son arc, et ensuite il l'abandonnerait. Et quand ils lui tomberaient dessus, pour la dernière fois il les accueillerait avec l'AR-15. Sa dernière petite surprise, pensa-t-il en souriant.

Lucas tomba près d'une haie de reines-des-prés. Il reçut une gifle de neige, éternua et essaya de voir au-delà de l'immeuble, pointant son 45 dans cette direction. Il sentait le sang de Bunne sur la poignée du pistolet, une patine gluante qui ne serait pas facile à enlever. « Allez-y ! » cria-t-il. Le flic en tenue le dépassa et s'effondra aussitôt en criant. Lucas le rejoignit d'un bond, crut voir quelque chose bouger et tira, pendant que le flic s'écriait : « Il m'a eu, il m'a eu... »

Lucas le tira en arrière. La flèche sortait de la jambe, juste au-dessus du genou. À première vue, elle était rentrée droit dans l'os, et y était restée. « Ça va aller », lui dit Lucas, puis il cria à Stadic : « Ne bougez pas, laissez tomber. » Il prit sa radio, appela une autre ambulance, puis le standard : « Où sont les renforts ?

— Ils devraient se trouver devant vous, ils ont investi tout le bloc d'immeubles.

— C'est impossible de voir le type, ragea Lucas. On ne peut pas le voir avec cette neige... »

Stadic s'accroupit à côté de lui. « Qu'est-ce que vous voulez faire ?

— Attendre ici une minute. Le temps que l'ambulance arrive... »

Le flic blessé renchérit : « Qu'est-ce que fout l'ambulance ? »

Elle arriva dans leur dos et Stadic courut à sa rencontre pour lui faire signe de se hâter.

« Encore un petit effort », dit Lucas à l'intention du flic blessé, mais aussi à lui-même. Il se releva à moitié et piqua un sprint de quelques mètres pour se dissimuler derrière une autre haie. Devant lui, de puissants projecteurs balayaient le bloc d'immeubles. Derrière les lumières, il percevait des silhouettes en mouvement. Il s'annonça en criant : « Davenport !

— Où êtes-vous ?

— Juste devant. Je pense qu'il est entre nous... »

Une autre voix cria : « Qui nous dit que c'est Davenport ? Faites gaffe, attention ! »

C'est alors que Lucas vit Martin. Il s'était réfugié contre le mur d'un vieil immeuble crasseux, à côté d'une rangée de poubelles. Il fonça vers l'immeuble suivant et Lucas hurla : « Le voilà ! » en tirant deux fois. Raté.

« Il longe l'immeuble. Regardez par là, il arrive, regardez bien... »

La seconde suivante, le crépitement d'une rafale d'AR-15 retentit et des flashes éclairèrent l'arrière de l'immeuble. Lucas partit dans cette direction, courant de son mieux, gêné par le sol glissant sous ses pieds, le fusil à l'épaule. Le tir en rafales cessa alors qu'il était à mi-chemin, puis reprit – un nouveau chargeur. Il y eut du verre brisé, d'autres coups de feu tirés par les policiers. Lucas atteignit le coin du bâtiment et scruta l'obscurité.

Martin était à une quinzaine de pas, au fond d'une cage d'escalier de secours. Le bâtiment le protégeait sur sa droite. Devant lui et sur sa gauche, sur toute la longueur d'un terrain vague, des voitures de police bloquaient la voie. Les policiers ripostaient, mais sans savoir qu'il se dissimulait derrière le muret de la cage d'escalier. Avec cette neige, ils ne voyaient sans doute rien d'autre que les éclairs sortant de la bouche de son arme.

Il resta accroupi une seconde, puis jaillit comme un diable de sa boîte et tira une autre salve vers l'une des voitures, visant bas dans l'idée que les flics devaient se cacher derrière.

Lucas prit sa radio : « Dites à tout le monde d'arrêter le feu. Arrêtez le feu, pour l'amour du ciel, vous allez finir par me tuer. Je peux l'avoir si vous leur dites d'arrêter de tirer. »

Trois secondes plus tard, il entendit quelqu'un aboyer des ordres de l'autre côté de la rue : la fusillade cessa. Il risqua un coup d'œil vers le coin de l'immeuble. Martin avait rechargé son arme et s'apprêtait à jaillir de nouveau pour arroser la rangée de voitures.

Lucas cria : « Ne bougez plus ! »

Martin se retourna et ouvrit la bouche. Il resta ainsi, en suspens, une fraction de seconde, regarda le fusil de Lucas, dit : « Va te faire foutre ! » et braqua l'AR vers lui. Lucas attendit une microseconde de plus et abattit Martin d'une balle en pleine tête.

27

Lucas cria : « Je l'ai eu », avança à découvert et agita le bras. Un groupe de policiers accourut vers lui. Il s'enfonça dans la neige et descendit les marches de l'escalier. Le haut de la tête de Martin avait été balayé, mais son visage avait un air presque serein, les yeux fermés et les lèvres dessinant un demi-sourire.

Il était mort, aucun doute, mais, cédant à un réflexe superflu, Lucas palpa le corps. Il sentit la rigidité du gilet pare-balles sous le manteau et… autre chose. Un pistolet ? Non, l'objet était rectangulaire. Lucas le sortit de la poche de Martin au moment où Stadic apparaissait en haut des marches.

« Il est mort ?

— Oui », dit Lucas en se relevant, un téléphone portable à la main. Comment se l'étaient-ils procuré ? Probablement auprès d'un revendeur à la sauvette. Il fronça les sourcils et monta rejoindre Stadic : « Faites gaffe à votre arme », lui dit-il. Le policier avait incliné le canon de son fusil vers lui en se penchant pour regarder le corps de Martin. « On en a descendu un. Il n'en reste plus qu'un.

— Un ? s'étonna Stadic. Et la femme ?

— Elle nous a contactés. Nous ne savons pas de quel côté elle est.

— Ah, bon. » Stadic opina, tout en se disant : *Merde. Ils vont lui parler.*

Lucas le dépassa en remontant rapidement l'escalier et lança : « Eh bien, allons les chercher. »

Comme les policiers arrivaient, il leur cria : « Il en reste deux. Ils ont pris la rue qui mène au Métrodôme. »

Un lieutenant de patrouille le rejoignit et ils abordèrent les problèmes techniques : comment orienter les recherches, fallait-il attendre qu'il fasse jour ? Lucas était partisan de maintenir la pression. Pendant qu'ils parlaient, Stadic les observait. Lucas tenait toujours le téléphone à la main, mais ensuite, il le glissa machinalement dans sa poche. Stadic fixa la poche : il devait absolument récupérer le portable. Le récupérer, le récupérer... le refrain lui martelait le crâne.

« Venez », lui dit soudain Lucas. Stadic sursauta : « Je suis prêt. » Lucas lui donna une tape dans le dos et ouvrit la marche vers l'arrière de l'immeuble. Il se trouvait à six pas devant Stadic, ne soupçonnant rien, et lui, Stadic, tenait toujours son fusil. D'un autre côté, il y avait des flics partout... Pourtant, la tentation... un accident...

Personne n'irait gober ça.

Non, il fallait le descendre quand ils seraient seuls. Stadic avait un Davis 380, un petit flingue de rien dans sa poche, mais qui ferait l'affaire. Seulement, il fallait qu'ils soient seuls. En présence de LaChaise ou la femme, ce serait l'idéal... Mais, bon Dieu, comment savoir quelle serait l'issue de cette traque ?

Davenport était électrisé, complètement remonté... *heureux*, aurait pu penser un observateur ignorant le contexte de la situation. Stadic pensa aux flèches traversant la neige, rasoirs silencieux dans l'obscurité qui transperçaient un torse avec un feulement sourd. Vingt centimètres plus haut, et la dernière aurait percé un trou en plein dans sa gorge, Davenport serait maintenant étendu par terre, le visage recouvert d'un sac plastique. Il frissonna et lui emboîta le pas.

La traque commença. Des groupes de policiers ratissèrent les rues, les aires de stationnement et les arrière-cours à l'intérieur d'un périmètre délimité quelques minutes après avoir localisé LaChaise. Dès qu'il y avait des traces fraîches devant une maison, ils allaient cogner à la porte, interrogeaient les occupants et les mettaient en garde. Mais, de si bon matin, les traces étaient rares.

Lucas resta sur la 11e, à quelques blocs d'immeubles du sommet boursouflé du Métrodôme. Soudain, un jeune gars en tenue, qui avait perdu ses gants et son képi, déboula au pas de course, cheveux imprégnés de neige et mains gelées à blanc : « On a t-t-t-rouvé une série de t-t-t-races. Des petites empreintes, de femme ou d'enfant, et leur propriétaire s'est régulièrement arrêté derrière des buissons ou à l'angle des maisons.

— C'est elle ! Montrez-moi le chemin. »

Ils s'élancèrent ensemble, suivis à quelques pas par Stadic. Quatre flics en tenue, munis de lampes électriques et de fusils, suivaient la piste en se dépassant à tour de rôle. Ils avançaient rapidement, mais nerveusement, à travers le réseau de vieilles baraques, d'immeubles, de petits bâtiments commerciaux en brique et de parkings : tout le monde avait entendu parler des flèches. Lucas s'arrêta un moment pour examiner les traces : « Ça semble correspondre, dit-il à Stadic.

— Oui, c'est sûrement elle. »

Ils accélérèrent, rattrapèrent les policiers en tenue. « Écoutez-moi bien, les gars, leur dit Lucas, cette femme nous a parlé. Elle nous a téléphoné et a laissé l'appareil décroché pour que nous puissions retrouver l'appartement. Il faut faire gaffe, tout de même, mais je ne crois pas qu'elle soit dangereuse.

— B-b-b-bon, bégaya le flic privé de son couvre-chef. J'ai v-v-v-vachement froid.

— Allez vous habiller, bon Dieu », dit Lucas. Puis, aux autres : « Venez ! »

Ils repartirent en courant le long de la piste et, à l'approche d'un carrefour, virent des policiers devant eux. Un projecteur fut braqué dans leur direction et les flics agitèrent leurs lampes électriques.

« Elle a franchi le périmètre de protection avant qu'on l'installe, analysa Lucas. Ce qui veut sans doute dire que LaChaise aussi... »

Il fouilla dans sa poche, en sortit le téléphone portable, puis la radio, dans laquelle il dit : « La femme est sortie du périmètre... il faut l'élargir. Nous sommes sûrs que la femme est sortie, et, pour LaChaise, c'est probable. »

Il remit les deux appareils dans sa poche et ils reprirent leur course pendant que, dans leur dos, les voitures de police faisaient demi-tour pour aller prendre de nouvelles positions. Normalement, plus on agrandissait le périmètre, moins il y avait de présence policière, mais, là, les renforts arrivaient de partout, de Hennepin County, de Saint Paul... Ce n'était pas une chasse ordinaire.

En suivant la piste, Lucas fit remarquer : « Vous savez quoi ? Elle se dirige vers le Métrodôme.

— Vous croyez ? demanda Stadic.

— Elle cherche un téléphone. » Lucas reprit la radio et prévint le standard : « Passez-la-moi si elle m'appelle. »

Plus on approchait du centre-ville, plus les rues s'élargissaient.

Finalement, ils perdirent sa trace : elle avait tourné dans une rue dont les trottoirs avaient été nettoyés.

« Je continue à parier pour le dôme. Bon, les gars, dit Lucas à Stadic et à deux flics, vous partez de ce côté-ci de l'immeuble, nous passons par la gauche, pour prendre le truc en tenaille. Mais je persiste à croire qu'elle a filé vers le dôme. Je vous retrouve à l'autre bout et on continuera ensemble.

— D'accord. »

Ils se séparèrent. En approchant de l'immeuble, Lucas se souvint du portable. Il sortit la radio et appela le standard : « Joignez quelqu'un à la compagnie du téléphone. Il faut que vous me trouviez le numéro que je dois faire pour retracer les appels émis par un portable. Je vais les appeler avec ce portable, il faut qu'ils puissent me retrouver son numéro et, ensuite, me communiquer la liste de tous les coups de fil qui ont été passés avec. Et le nom des abonnés correspondants. Pigé ?

— Pigé. »

Ils contournèrent l'immeuble et tombèrent sur de la neige immaculée. Stadic attendait de l'autre côté. Tous les regards convergèrent vers le dôme.

« Allons-y », dit Lucas, mais, au moment où il allait descendre du trottoir, le standard le rappela. « Vous avez fait vite.

— Lucas, Lucas…

— Ouais ?

— LaChaise…, bredouilla-t-elle, LaChaise est… à l'hôpital universitaire.

— Oh ! merde. »

Il promena autour de lui un regard affolé, repéra une voiture de police, agita le bras et courut à sa rencontre, entendant à peine la standardiste qui ajoutait : « Il tient votre femme…

— Quoi ? » Il se tourna vers Stadic : « Ne la lâchez pas, ne lâchez pas Darling », et fonça vers la voiture. Quand elle s'arrêta devant lui, il cria par la fenêtre qui s'abaissait : « Ouvrez la portière, ouvrez-moi ! » Le conducteur poussa la porte arrière et Lucas plongea à l'intérieur en criant : « Vite, au CHU, vite ! » Puis il reprit la radio : « Où est Weather ? Que lui est-il arrivé ?

— On pense qu'il a dû… l'emmener. »

28

Le jeune rouquin se mit à pleurer quand ils passèrent devant le Métrodôme, et, quand LaChaise lui cria de la fermer, il pleura encore plus fort, agrippant à deux mains le haut du volant, le visage inondé de larmes.

Finalement, LaChaise se hissa sur le siège à côté de lui et lui indiqua le chemin en pointant l'index : tout droit jusqu'à Washington Avenue, puis à droite, suivre en tournant jusqu'à un panneau lumineux portant diverses indications, dont la dernière était « Jésus Notre Sauveur », descendre une bretelle et s'engager sur le pont couvert.

« Mais ferme-la, pour l'amour du ciel, fais ce que je te dis et il ne t'arrivera rien.

— Je vous connais, vous allez me tuer.

— Putain, je ne vais pas te tuer si tu fais ça correctement. Je n'ai rien contre toi. »

Mais le gosse redoubla de pleurs, et LaChaise lâcha : « Nom de Dieu » d'un air dégoûté, puis ils quittèrent le pont, passèrent devant l'immeuble en boîtes de bière et montèrent la colline jusqu'à Harvard Street.

« Tourne là », ordonna LaChaise. Le jeune rouquin arrêta de pleurer une seconde, suffisamment pour négocier correctement le tournant, et, avant qu'il ne recommence, LaChaise dit : « Va tout droit jusqu'au rond-point et arrête-toi.

— Vous allez me tuer ici ?

— Je ne vais pas te tuer, bordel, sauf si tu fais le malin. Arrête-toi là, laisse-moi descendre et poursuis ton chemin. »

Il y avait une demi-douzaine de passants dans la rue, qui allaient vers l'hôpital ou en sortaient en dérapant sur les trottoirs. Les interventions se pratiquaient tôt le matin. LaChaise en avait subi deux, la première pour une appendicectomie, l'autre pour une greffe de peau sur une vilaine infection cutanée, et, les deux fois, ils l'avaient réveillé à l'aube pour le descendre au bloc opératoire.

« Ici, tiens, juste derrière cette Chevy rouge. »

Le gosse s'arrêta derrière la Chevy, et LaChaise se glissa dehors, l'arrière des jambes en feu. Le gosse fixait le pistolet des yeux. LaChaise lui sourit, fouilla dans sa poche, trouva ce qui restait de l'argent pris à Harp et jeta la liasse de billets sur le siège du passager. Dans les deux mille dollars. « Merci pour la promenade. » Il claqua la portière et se dirigea vers l'entrée de l'hôpital.

Il se sentait un vrai cow-boy.

Tenant son arme, le Bulldog 44, dans sa main droite, il sortit celui de Martin de sa poche gauche et poussa les portes avec les coudes.

Le comptoir d'accueil se trouvait tout de suite à droite. Un vigile, assis derrière une table, regardait la télévision, un modèle portable. Trois autres personnes, deux femmes et un homme en blouse blanche, étaient assis dans des fauteuils, les femmes lisant, l'homme contemplant le mur d'un regard vide, comme s'il avait commis une erreur irréparable à un moment de sa vie.

LaChaise s'approcha du vigile, qui ne leva les yeux qu'à la dernière seconde, son sourire s'évanouissant illico. LaChaise pointa ses deux pistolets sur sa poitrine et ordonna : « Conduis-moi au bloc opératoire, sinon je te descends. »

Le vigile regarda d'abord les deux armes, puis LaChaise, et enfin, lentement et stupidement, le téléviseur.

« Ils vous cherchent, déclara-t-il.

— Sans blague ! Maintenant, lève-toi et conduis-moi au bloc. Je te donne cinq secondes. Après, je tire.

— Par ici », dit le vigile. Il contourna la table en levant les mains à hauteur des épaules. Il n'était pas armé. Les trois personnes qui attendaient dans le hall les regardèrent, personne ne bougea. « Il y a un autre gars qui va débarquer dans une seconde, annonça-t-il à la cantonade. Si l'un de vous bouge ou se lève, il vous tuera. Restez gentiment assis et tout ira bien. Je suis Dick LaChaise, celui que vous avez vu à la télé, et je suis ici pour affaires. »

La tirade sonnait bien, il trouvait que ça faisait très cow-boy. Ils

295

firent quelques pas dans un couloir, tournèrent à droite et tombèrent sur les ascenseurs. Le vigile appuya sur un bouton et les portes s'ouvrirent. « Voilà, dit-il en entrant dans la cabine avec LaChaise. Vous allez me tuer ?

— Pas si tu m'obéis. Quand on arrivera au troisième, tu resteras dans la cabine et tu continueras jusqu'en haut. » LaChaise appuya sur tous les boutons à partir du numéro trois. Une sonnerie retentit et les portes se rouvrirent. LaChaise agita son pistolet sous le nez du vigile et précisa : « Je vais attendre ici que les portes se referment. Si tu descends avant le dernier étage, quelqu'un te tuera. Compris ?

— Oui, monsieur. »

Les portes se refermèrent.

Au bout du couloir, une double porte protégeait le bloc. Un type âgé était assis sur sa droite, en train de lire *Modern Maturity*. Il leva les yeux, suçota ses dents et se replongea dans sa lecture. LaChaise eut l'étrange impression qu'il n'avait pas remarqué les pistolets.

Personne d'autre en vue. LaChaise alla jusqu'à la double porte, la poussa et se retrouva dans un poste d'infirmières. Elles étaient deux, en train d'examiner une planchette à pinces. L'une d'elles disait : « … il doit continuer à voler des pyjamas de bloc. Ils sont tous à sa taille, et il s'agit du nouvel arrivage… »

Elles levèrent les yeux en même temps. LaChaise se tenait devant elles, vêtu de son gros manteau noir d'où tombaient des gouttes de neige fondue, il les regardait de ses yeux sombres et tenait deux pistolets. « Mesdames, je dois voir le docteur Weather Karkinnen. »

La plus jeune, qui était aussi la plus grande, lâcha « Oh, merde ! » et la plus âgée, la petite, secoua la tête : « C'est impossible. Elle est en train d'opérer.

— Eh bien, descendons la voir au bloc.

— Vous n'avez pas d'autorisation, dit l'aînée.

— Si vous ne m'y conduisez pas, je vais tuer l'une de vous, et je suis sûre que l'autre se décidera. Laquelle vais-je tuer ? » Il arma son Bulldog qui cliqueta dans le silence. Les deux infirmières échangèrent un regard et la plus âgée se mit à renifler, comme le jeune rouquin de la Ford. Finalement, la plus jeune déclara : « Je vais vous montrer. »

Elle lui fit franchir une série de doubles portes, s'arrêta devant une porte plus large à un seul battant, se dressa sur la pointe des pieds pour

regarder par une lucarne et recula d'un pas en disant d'une voix triste :
« C'est là.

— Si elle n'y est pas, je reviendrai vous voir », menaça LaChaise en la fixant. La femme détourna les yeux, et LaChaise poussa brutalement le battant.

Weather, les yeux rivés au microscope, façonnait de délicates petites boucles pour suturer le tissu de manière invisible. Elle disait : « Si tu écoutes vraiment The Doors, il y a de quoi hurler de rire. Écoute les paroles de *L.A. Woman*, un de ces jours, et tu me diras si... »

La porte s'ouvrit brusquement, et elle faillit sursauter. Tout le monde se retourna, mais, sans lever les yeux, elle demanda : « Quel est le connard qui a fait ça ?

— C'est moi », répondit LaChaise.

Weather termina son nœud et s'écarta du microscope. Elle cilla et le vit, tenant ses deux pistolets.

« Qui est Weather Karkinnen ?

— Moi. » Il dirigea un pistolet vers elle, et elle ferma les yeux.

« Suivez-moi. »

Elle les rouvrit et déclara : « Je ne peux pas m'arrêter maintenant. Si j'arrête, cette petite fille va perdre son pouce et elle restera comme ça toute sa vie. »

Déconcerté, LaChaise aboya : « Comment ?

— J'ai dit, si j'arrête maintenant...

— Ouais, j'ai entendu. Qu'est-ce que vous faisiez ?

— Je suis en train de suturer une artère. Elle avait une tumeur bénigne que nous avons enlevée, et maintenant nous raboutons les deux extrémités de l'artère, pour rétablir la circulation normale du sang.

— Et ça va prendre combien de temps ? »

Weather jeta un coup d'œil au microscope qui continuait de ronronner.

« Une vingtaine de minutes.

— Je vous en donne cinq. Vous manquez vraiment de médecins, ici. »

Weather détourna le regard et demanda : « Vous allez tous nous tuer ?

— Ça dépend.

— Si je faisais venir un confrère, il pourrait terminer l'intervention à ma place.

— Allez-y.

— Pas si vous devez le blesser, lui ou les autres.

— Je ne lui ferai rien s'il n'essaie pas de me rouler. »

Weather regarda l'infirmière du bloc et demanda : « Betty, descendez et demandez au docteur Feldman de nous rejoindre, s'il est libre. »

LaChaise dévisagea l'infirmière : « Allez-y, mais si vous essayez de me jouer un tour... »

Weather retourna au microscope. Ils attendirent tous en silence pendant deux ou trois minutes puis un homme en tenue de bloc fit irruption dans la salle, les mains sur la poitrine. « Qu'est-ce qui se passe ? »

LaChaise pointa un de ses pistolets sur lui. Weather expliqua : « Nous avons parmi nous un monsieur avec un pistolet. Deux pistolets, en fait. Il veut me parler.

— La police arrive », dit le nouveau venu à LaChaise. Dans cette salle d'opérations stérile, LaChaise avait l'air d'un rat sur une tarte au gruyère.

« Ils arrivent toujours à un moment ou un autre.

— Quelle que soit l'issue, il faut terminer cette intervention, dit Weather d'une voix posée à Feldman. Vous pouvez jeter un coup d'œil ? »

Le microscope était équipé de deux oculaires. Feldman s'approcha de la table et regarda dans celui qui se trouvait en face de Weather. « Vous avez presque terminé.

— J'ai encore deux nœuds à faire et ensuite, il s'agit juste de refermer... »

Elle le mit rapidement au courant du déroulement de l'intervention et termina un nœud. « Plus qu'un, dit-elle.

— Il faut que je retourne au bloc pour retarder mon intervention, dit Feldman.

— Où en êtes-vous ? demanda Weather.

— Ce n'est pas commencé. Nous étions sur le point de l'anesthésier quand... Je reviens tout de suite. »

Et il partit avec une autorité telle que LaChaise le laissa sortir sans objecter. Weather s'était remise au travail. L'une des infirmières annonça : « Si je reste une seconde de plus, je vais faire pipi dans ma culotte.

— Eh bien, sortez, dit Weather. Les autres, ça va ? »

Tout le monde allait. L'infirmière qui avait une envie pressante décida de rester, finalement.

Feldman revint. « Où en sommes-nous ?

— Presque fini, répondit Weather. Vous voyez ? »

Feldman regarda dans le microscope : « Joli travail. Mais je pense qu'il en faudrait un autre à... »

Il gagnait du temps. Weather poursuivit : « Je crois que ça devrait aller. » Feldman la regarda et elle secoua imperceptiblement la tête. « Vous êtes sûre ?

— Je crois qu'il vaut mieux le faire sortir d'ici, insista-t-elle.

— De quoi parlez-vous ? demanda LaChaise.

— Nous essayons de trouver une solution, répondit Feldman d'un ton sec. Nous sommes en pleine intervention, figurez-vous. »

Weather s'écarta de la table. « Moi, j'ai fini », déclara-t-elle. Puis, se tournant vers LaChaise : « Que fait-on ?

— On sort. Il faut trouver un téléphone. Dans un endroit où ils ne peuvent pas m'atteindre.

— Il y a un bureau au bout du couloir.

— Allons-y », dit-il en levant un pistolet.

À la sortie du bloc, il n'y avait personne. Les infirmières étaient parties et la police pas encore arrivée. Weather arracha son masque stérile et enleva un gant : « Que voulez-vous faire ?

— Parler à votre jules. »

Et la tuer pendant qu'ils étaient au téléphone, pensa-t-elle. Elle le conduisit au bureau et dit : « C'est là. Il y a un poste. »

Elle entra devant lui et se retourna. « Vous avez le choix entre plusieurs possibilités, dit-elle.

— Fermez-la. C'est quoi, son numéro ?

— Si vous appelez le 911, ils vous le passeront tout de suite. Il est tout près, dans sa voiture.

— Eh bien, appelez et passez-moi l'appareil. »

Weather composa le 911 et lui tendit le récepteur. Il écouta un moment sans cesser d'appuyer le canon de l'arme sur la poitrine de Weather et dit : « Ici, Dick LaChaise. Je veux parler à Lucas Davenport. Je suis à l'hôpital et j'ai une arme braquée sur sa petite amie, le docteur Karkinnen.

— Il ne vous reste pas beaucoup de temps, dit Weather. Vous feriez mieux de trouver rapidement une solution.

— Je vous ai déjà dit de la boucler.

— Pourquoi ? Parce que, sinon, vous allez me tuer ? C'est ce que vous voulez faire, de toute manière.

— Vous n'avez pas envie que ça arrive plus tôt que prévu... » Puis, s'adressant au téléphone : « Passez-le-moi. Ah ! mais quand est-ce que... Comment ? Bon, dites-lui d'appeler le... » Il regarda le cadran. Aucun numéro n'était inscrit. Il interrogea Weather du regard.

« Le poste du bloc opératoire », dit-elle. Lucas n'allait pas rappeler. Il savait ce que ferait LaChaise, s'il rappelait.

« Le poste du bloc opératoire », répéta LaChaise avant de raccrocher. « Il est à pied quelque part. Ils le cherchent.

— Il faut que je m'asseoie, dit Weather en prenant la chaise derrière le bureau. Bon, maintenant, soit vous allez me tuer, soit vous allez m'écouter, et vous auriez intérêt à écouter. Mon ami Davenport sera ici dans quelques instants. Si vous me tuez, il vous tuera. Vous pouvez faire votre deuil du règlement et de la déontologie. Il vous tuera.

— Comme il a tué ma sœur et ma petite amie. »

Elle hocha la tête.

« Oui. Il avait monté le coup. Nous avons eu une discussion à ce sujet, je n'arrivais pas à croire qu'il ait fait ça. Nous nous sommes disputés. Mais quand il est persuadé d'avoir raison, rien ne le fera reculer. Et si vous me tuez... » Elle haussa les épaules. « Ça sera fini pour nous deux. Vous ne sortirez pas vivant d'ici.

— Je ne m'en sortirai pas, de toute manière. »

Il la fixa droit dans les yeux, et elle se rappela qu'elle portait encore un gant. Elle l'enleva lentement, sans le quitter du regard.

« Il n'y a pas de peine de mort dans le Wisconsin, ni dans le Minnesota. Vous vous êtes déjà échappé une fois. Il faudra peut-être attendre un bout de temps, mais il reste toujours une chance que vous sortiez un jour. D'une façon ou d'une autre.

— C'est de la foutaise. Ils vont me tuer.

— Non, ils ne pourront pas. Pas si vous attendez un peu. Ils doivent observer un tas de règles. Et une fois que vous serez à la télévision, ils ne pourront pas vous emmener quelque part pour vous descendre. Une fois que vous serez récupéré par le système, vous serez en sécurité. Mon mari, mon ami...

— C'est votre mari ou votre ami ?

— Nous avions l'intention de nous marier dans quelques mois. Nous vivons ensemble… Si vous négociez avec lui, il ne vous tuera pas. Mais, si vous me tuez, vous pourrez négocier avec qui vous voulez, même avec le Président, il vous tuera quoi qu'il arrive. »

LaChaise sourit. « Je vois, un vrai dur. » En même temps, il réfléchissait : il pensait à Martin, qui devait être mort à cette heure, en train de geler dans la neige. « Oui, mais ils vont me jeter dans le trou noir de Calcutta.

— Probablement, au début, concéda-t-elle. Puis vous irez dans un endroit plus grand et plus sale, et ensuite, ils vont commencer à vous oublier, ils vont vous laisser respirer un peu plus. Là, vous aurez votre chance. Si vous mourez maintenant, c'est foutu. Pas de procès, pas de télévision, pas d'interviews, rien du tout.

— Bof, je m'en fous, de tout ça. On va voir ce que dit votre mec. »

Weather respira : c'était un début. « Vous saignez, dit-elle. On pourrait trouver une trousse de premiers secours. »

29

Le conducteur de la voiture de brigade avait le pied au plancher, et son collègue à côté de lui, les bras tendus en avant pour anticiper le choc, hurlait : « Doucement, doucement ! » Ils dérapèrent dans le premier virage et faillirent quitter la chaussée, puis ils se retrouvèrent dans Washington Avenue, sur le chemin de l'hôpital universitaire.

Le standard reprit le contact : « Nous ne savons pas quelle est la situation, mais elle est toujours en vie. Il la séquestre au troisième étage, en chirurgie. Attendez une minute, attendez, il appelle le 911, il veut vous parler…

— Non ! cria Lucas. Je ne veux pas lui parler. Il n'espère que ça, pour que je l'entende tirer sur elle. Dites-lui que vous n'arrivez pas à me trouver.

— Compris. »

Il attendit, la main crispée sur l'appareil, pendant que la rue défilait à toute allure. Le standard revint : « Vous m'aviez demandé un numéro au central téléphonique.

— Ah, oui. » Il avait presque oublié. Il sortit le portable de sa poche et composa le numéro au fur et à mesure que la standardiste le lui dictait.

On répondit presque aussitôt : « Johnson…

— Ici Lucas Davenport. Je devais vous contacter pour découvrir quels numéros on avait appelés avec cet appareil.

— Oui. On l'a identifié, maintenant, on est en train de regarder ça. On vérifie la facturation et on vous rappelle aussitôt. Vous pouvez raccrocher.

— Dépêchez-vous, insista Lucas. Aussi vite que possible.

— Il y en a seulement pour quelques minutes.

— Faites au mieux. Rappelez-moi à ce numéro. » Lucas raccrocha et reprit la radio : « Où en est-on ? » Au même moment, le policier assis à l'avant leva les mains comme pour repousser une voiture qui arrivait droit sur eux, mais le chauffeur l'esquiva par la gauche, rattrapa une bretelle et ils se retrouvèrent sur le pont.

Le standard : « Il est toujours au bloc. Un autre médecin est entré et ressorti. Nous avons deux voitures sur place, et un groupe d'intervention spéciale sera là dans une minute. Dites, le chef veut vous parler…

— On se quitte, maintenant… Je vous rappellerai. »

Il coupa la radio : « On ne répond plus, les gars.

— Pourquoi donc ? demanda le policier assis à côté du conducteur, encore blanc de peur.

— Parce que Roux veut m'écarter de ce coup-ci et qu'il n'en est pas question. »

Sur l'autre rive, ils gravirent la colline à toute allure, tournèrent et, comme dans une course de luge, dévalèrent Harvard Avenue jusqu'à l'entrée principale de l'hôpital. Alors qu'ils s'arrêtaient en freinant sèchement, Lucas demanda : « Ouvrez la porte », ce qu'ils firent, et il descendit de voiture en disant au conducteur : « Je vous dois une fière chandelle, vieux », puis ils s'engouffrèrent tous dans le bâtiment.

Une demi-douzaine d'agents de sécurité étaient postés dans le hall. Lucas montra sa carte et demanda : « Quelle est la situation ?

— Ils sont sortis de la salle d'opération. Ils sont dans un bureau, en ce moment.

— Il y a des flics là-haut ?

— Oui, mais ils ne peuvent rien voir à cause des portes.

— On monte », décida Lucas. Il avait assisté à plusieurs interventions pratiquées par Weather, avec l'espoir d'en apprendre un peu plus sur sa vie. Il connaissait le bloc opératoire et la plupart des vestiaires et bureaux. Ils montèrent par l'ascenseur. En sortant, ils furent accueillis par deux agents en tenue, qui reconnurent Lucas avec soulagement.

« Il est là-bas, chef. Il l'a emmenée dans un bureau du fond. Il vous demande.

— Vous avez un numéro de poste où le joindre ?

— Oui, mais il a dit de ne téléphoner que si c'était vous.

303

— D'accord. » Lucas se retourna vers le gardien : « Il me faut un plan précis de l'étage et la liste de tous les médecins et infirmières qui travaillent ici.

— Vous allez l'appeler ? demanda un des policiers.

— Pas tout de suite. Et il est impératif que personne ne lui dise que je suis là. Il faut absolument qu'on trouve un plan. »

Weather travaillait LaChaise au corps. Elle s'était levée du fauteuil et se rapprochait en disant : « J'espère que tout va bien pour Betty. J'aurais préféré que vous arriviez une demi-heure plus tard. »

LaChaise était debout près de la porte, qu'il avait entrouverte d'un centimètre pour surveiller le long couloir qui menait à la double porte. Quand Davenport arriverait, ce serait en tournant juste là, devant les portes, à trente ou quarante pas. Il n'avait pas vraiment écouté ce que disait Weather : « Oui ?

— C'est une gosse de la campagne, poursuivit Weather. Si elle perd ce pouce, ça va vraiment être dur pour elle. Je ne vois pas comment on peut travailler dans une ferme avec un pouce en moins. Moi, en tout cas, je ne pourrais pas.

— Qu'est-ce que vous y connaissez, aux fermes ? lui demanda sèchement LaChaise en la regardant enfin.

— J'ai grandi dans le nord du Wisconsin, je suis une fille de la campagne », rétorqua Weather. Mais elle s'abstint d'ajouter : *comme votre femme et votre sœur.* « Certains médecins ont commencé par disséquer des grenouilles, ce genre de chose. Moi, j'ai commencé par démonter des moteurs Johnson 25, et après, je les remontais.

— Moi aussi j'ai eu un Johnson 25, dit LaChaise. Bon Dieu, je crois que tous les gens qui avaient un bateau dans le Nord en ont eu un.

— Sans doute, admit-elle. Mon père... »

Elle continua sur le même ton à parler de sa famille. Elle amena LaChaise à évoquer Colfax, et ils découvrirent qu'ils connaissaient les mêmes bars à Hurley.

« Ça vous fait vraiment mal ? demanda-t-elle.

— J'ai reçu du plomb dans les jambes... Un flic, à l'autre hôpital, m'a tiré dessus avec un fusil de chasse.

— Vous voulez que je regarde ?

— Non. »

304

Elle allait insister quand le téléphone sonna. « C'est lui », dit LaChaise en la regardant d'un air excité.

Non, pas maintenant. Pas tout de suite. Il commençait à se laisser apprivoiser…

Lucas chuchota à l'intention du flic : « N'oubliez pas, pour Martin…

— D'accord, d'accord. »

Le flic fit le numéro et LaChaise répondit.

« Le commissaire Davenport arrive. Il était dans l'ambulance avec votre ami, le dénommé Martin.

— Martin est vivant ?

— Ouais, mais salement blessé. Il a été touché aux jambes et il s'est rendu. Il va s'en sortir.

— Martin ? s'étonna LaChaise. Vous me racontez des bobards.

— Vous avez la radio, ou une télé ? Ils sont en train de l'admettre à l'hôpital.

— Je n'ai pas de télé, rétorqua LaChaise en regardant autour de lui dans le bureau. Et Sandy ?

— Qui ?

— Sandy Darling, celle qui était avec nous…

— Ah, oui. J'ai l'impression qu'ils ne l'ont pas retrouvée. En tout cas, Davenport vous fait dire qu'il arrive. Il sera là d'ici cinq minutes.

— Pas la peine de rappeler tant qu'il n'est pas arrivé. »

LaChaise se tourna vers Weather : « Il paraît que Martin s'en est sorti.

— Tant mieux.

— Je ne les crois pas.

— On ne peut jamais savoir à l'avance comment quelqu'un va réagir s'il est gravement blessé. J'ai entendu un tas de confessions bizarres, quand je travaillais à la salle des urgences. Un type pense qu'il va mourir dans les deux minutes qui suivent, et quelque chose change en lui. » Elle regarda l'arme pointée sur elle. « J'aimerais bien que vous arrêtiez de braquer ça sur moi. Je ne vais pas vous sauter à la gorge. »

Il dévia légèrement l'arme et elle le remercia tout en pensant : *Peut-être…*

Le groupe d'intervention spéciale comprenait un jeune blond de l'Iowa qui avait un Sako Classic 243 équipé d'une grosse lunette de visée Leupold noire. Lucas s'écarta du personnel médical qui dressait un plan de l'étage et lui demanda : « Vous tirez comment ?

— Vraiment bien.

— Vous avez déjà descendu quelqu'un ?

— Non, mais ça ne me pose pas de problème, dit le petit gars de l'Iowa, et, à voir son regard bleu placide, on sentait qu'il ne racontait pas d'histoires.

— Vous allez devoir tirer à une distance de soixante pas environ.

— À soixante pas, je ne rate pas ma cible de plus d'un demi-centimètre.

— Vous êtes sûr ?

— Absolument.

— Il faut vraiment le descendre. Peut-être qu'il sera en train de braquer une arme sur Weather, ou sur moi.

— J'ai une lunette puissante, avec champ large. Je pourrai voir ses gestes – s'il lui pointe l'arme sur la tête, si le chien est baissé, je peux le choper, votre femme s'en sort. Si le chien est armé… ça se présente moins bien, disons cinquante-cinquante. S'il lui colle le canon sur la tête et que vous arrivez à le faire bouger d'un poil, je le verrai et je le choperai à ce moment-là. Il faut juste qu'il l'écarte une seconde, de deux ou trois centimètres.

— Pas question qu'il puisse se ressaisir, même d'un millionième de seconde. »

Le jeune gars secoua la tête : « Je tire des balles à pointes balistiques Nosler, je ne veux pas d'un projectile qui risque de rebondir sur les murs s'il transperce la cible. Comme ça, toute l'énergie sera concentrée à l'intérieur du crâne. Et si je le touche à la face – ce que je vais faire – il mourra comme si on avait tourné un bouton. Aussi vite que ça. »

Lucas le considéra longuement. « J'espère que vous y arriverez.

— Pas de problème », dit-il en caressant son fusil comme s'il s'agissait de la joue de sa fiancée.

Lucas opina et alla regarder le plan avec l'équipe médicale. Globalement, le bloc consistait en un long couloir avec une double porte en son milieu, qui séparait les salles d'opération des bureaux. Il allait placer le sniper à une extrémité du couloir, ouvrir lui-même la double porte et parler à LaChaise qui se trouvait dans un bureau à l'autre extrémité du couloir.

« On va mettre le fusil sur un brancard, expliqua Lucas. Il nous faudra une chaise de bureau… ensuite, je vais appeler, puis je franchirai la double porte… Les battants resteront ouverts ?

— Si vous les poussez vraiment fort, ils ne se refermeront pas », dit l'un des médecins. Un policier intervint alors : « Lucas, le chef…

— Dites-lui de rappeler plus tard. » Il regarda le sniper : « On y va. »

« … les gens ne comprennent pas ça, dit LaChaise. Ils ne comprennent pas que les paysans se font dépouiller par le gouvernement. Seigneur, vous démarrez dans la vie avec l'envie de bien faire… »

Weather était presque amusée par sa propre réaction : d'une certaine façon, elle aimait bien ce garçon. Il lui rappelait des dizaines de copains de lycée dans le Wisconsin, des gosses qui n'avaient pas grand-chose à faire s'ils restaient à la maison. On en voyait qui essayaient de s'en sortir avec des boulots à mi-temps dans les stations touristiques, dans les bois, à faire le guide… Ils étaient pleins de bonne volonté, mais sans beaucoup d'espoir, et les grandes villes les effrayaient.

LaChaise leur ressemblait, mais il avait suivi un parcours plus sombre, plus tortueux. Il haïssait son père et n'aimait pas beaucoup sa mère. En revanche, il idolâtrait sa jeune sœur et sa femme.

« Candy avait l'air dangereuse, tout de même, dit Weather. Parfois, les gens vont trop loin.

— Ouais, je crois. Mais elle était tellement vivante… »

Lucas prit dans la lingerie trois piles de pyjamas stériles verts. Le sniper enleva son blouson et passa une des tuniques, s'attacha un pantalon autour de la tête. Ils posèrent une des piles au milieu d'un chariot à instruments, un modèle bas en acier inox. Le sniper s'assit sur une chaise près du chariot, posa le fusil sur la pile et le recouvrit de quelques pyjamas supplémentaires. Les deux autres piles furent placées de chaque côté.

Lucas avança jusqu'à la double porte et regarda derrière lui. Il pouvait voir la lentille de la lunette et le canon du fusil, mais, à première vue, on ne pouvait pas les identifier comme tels. En fait, on ne savait pas ce que c'était, et LaChaise serait deux fois plus loin. Le sniper était invisible, avec le bas de pyjama vert noué autour de sa tête.

« Parfait, dit Lucas en revenant sur ses pas. Il suffit d'en ajouter un ici… », dit-il en recouvrant le canon du fusil.

Il repartit dans le couloir avec un membre du groupe d'intervention spéciale et regarda une seconde fois en arrière. Le flic lui dit : « Ça me fout vachement les jetons.

— Moi aussi, reconnut Lucas. Mais est-ce que vous pouvez le voir ? demanda-t-il en désignant le sniper du menton.

— Je le vois uniquement parce que je sais qu'il est là. LaChaise… sûrement pas. »

Lucas retraversa le couloir en sens inverse. « Parfait, dit-il au petit gars de l'Iowa. J'espère sincèrement que vous ne m'avez pas raconté de salades.

— Vous voulez bien arrêter votre cirque, qu'on démarre le spectacle ? Et restez sur la droite du couloir. La balle va vous effleurer l'oreille. »

Le téléphone sonna. LaChaise se pencha pour décrocher : la douleur lui lançait la jambe. Il grogna, faillit trébucher, se rattrapa et souleva l'écouteur.

« Je suis au bout du couloir, dit Lucas. Si vous regardez dehors, je vais ouvrir la double porte et vous me verrez. »

Il était si proche que ça ? LaChaise regarda par la porte entrebâillée, les yeux fixés sur la double porte. « Je vous attends. »

Le premier battant s'ouvrit, tout doucement pour commencer, puis vivement. Il fut repoussé contre le mur et y resta. Le type qui l'avait poussé se tenait derrière l'autre battant. Il jeta un coup d'œil vers LaChaise.

« Très bien, me voici, annonça Lucas. Nous avons beaucoup de choses à nous dire.

— Vous avez tué ma femme et ma sœur, bordel ! Et je vous ai prévenu : "Œil pour œil".

— Votre sœur nous tirait dessus quand elle a été tuée. Elle est tombée en pressant la détente. Nous ne l'avons pas prise au dépourvu. Nous lui avons laissé le choix.

— Foutaises ! Tout le monde a dit que ça avait duré une seconde. J'ai vu la télé…

— Ça ne prend pas longtemps, un échange de coups de feu. Bon, qu'est-ce qu'on va faire, maintenant ?

— Eh bien, on en parlait avec votre femme. »

Le sniper sentait une légère suée poindre en haut de son front, juste un film. Il voyait la minuscule ouverture de la porte à travers son viseur et même, de temps en temps, l'œil de LaChaise. Il envisagea de tirer tout de suite, mais il ignorait la position de Weather. Pendant les stages de formation, il avait vu des films où le pistolet du ravisseur était posé sur la tête de l'otage, le chien retenu seulement par le pouce tendu. Vous tirez sur le ravisseur, le chien retombe et l'otage est mort.

Non, il n'allait pas le faire maintenant, pas encore. Il s'écarta légèrement de l'oculaire, ne voulant pas qu'il y ait de la buée sur le verre.

« Je ne veux plus parler au téléphone, déclara Lucas. Je veux le faire face à face. Je veux m'assurer que Weather va bien, voir ce que vous lui avez fait...

— Je ne lui ai encore rien fait..., grogna LaChaise.

— Je vais pousser le deuxième battant. Personne ne me couvre. Je garde mon arme à la main. Si vous tirez sur elle, vous êtes mort. Mais sortez de là, venez me parler. »

Lucas poussa le deuxième battant et se planta au milieu du couloir, l'arme dans sa main baissée à hauteur de hanche, le téléphone à hauteur de visage.

« C'est encore un de vos traquenards, dit LaChaise à l'autre bout du couloir.

— Non. Nous essayons seulement que tout le monde sorte de là vivant. Votre ami Martin vous conseillerait sans doute de capituler. Il est tombé alors qu'il tirait, mais il avait l'air assez content d'être encore vivant, quand on l'a emmené à l'hôpital.

— Vous me jurez que c'est la vérité – d'homme à homme.

— Oui, je vous le jure. Maintenant, montrez votre visage. »

Il y eut un silence, puis LaChaise reprit : « On va sortir. Votre amie sera devant moi et j'aurai mon arme pointée sur sa tête. Si quelqu'un tente quoi que ce soit...

— Personne ne va rien tenter. »

LaChaise regarda Weather : « C'est vraiment un dur. Bon, on va sortir. Vous passez devant moi.

— Ne me faites pas de mal, supplia-t-elle.

— On va voir comment ça se passe. Peut-être que ça marchera. »

Elle le toucha du bout des doigts… « Vous devriez vous accorder une chance. Vous êtes intelligent, ne ratez pas votre chance. »

Elle passa devant lui et sentit l'acier froid du canon contre sa peau, juste derrière l'oreille. Ils avancèrent ensemble dans le couloir. LaChaise regarda nerveusement dans son dos – seulement un mur vide – et devant, du côté de Davenport, dont la haute et sombre silhouette se détachait entre les deux battants ouverts. Il tenait son arme contre sa cuisse et, une fois de plus, LaChaise pensa : des cow-boys.

S'il se sortait de cette histoire – il pensait en ces termes, maintenant –, s'il s'en sortait, il ne rejouerait plus au cow-boy avant longtemps.

« Je suis là, et je suis seul, dit Davenport. Je voudrais vous convaincre… Weather soigne des petits enfants… c'est son travail. Pour l'amour du ciel, si vous devez tuer quelqu'un, que ce soit moi. Laissez-la partir.

— Vous avez tué ma Georgie… » Mais Georgie n'était plus qu'un pion dans la négociation.

« Nous ne voulions pas la tuer. Écoutez, pour l'amour du ciel, n'allez pas tirer par accident, d'accord ? Vous voyez où est mon arme… »

Weather sentait l'acier contre l'os, derrière l'oreille, mais ce n'est pas à ça qu'elle pensait. En entendant le ton de Lucas, elle pensa : *Oh, non ! il se trame quelque chose*. Elle ouvrit la bouche pour parler au moment où, dans son dos, LaChaise disait : « Pour cette fois, je veux bien vous croire sur parole… »

Il y avait un ton suppliant dans la voix de LaChaise. Weather sentit le poids de l'arme s'écarter de son oreille.

Le sniper voyait Weather à partir des épaules, toute la tête de LaChaise et le canon du pistolet. Il entendait ce que celui-ci disait mais le rejetait à l'arrière-plan. Toute son attention était concentrée sur la bouche de l'arme. Il la vit amorcer un mouvement, assimila les mots *vous croire sur parole*, comprit qu'elle allait s'écarter de la tête de Weather, puis le canon se déplaça effectivement de quelques millimètres et le sniper souffla très légèrement en appuyant sur la détente…

La distance était de soixante-deux pas exactement. En deux centièmes de seconde, la balle jaillit du canon et pénétra dans le crâne de LaChaise qui explosa comme une citrouille remplie de sang.

LaChaise n'eut jamais l'occasion de sentir ni de savoir que sa mort était en route. Une seconde avant, il était là, déplaçait doucement le canon de son arme, prêt à capituler, envisageant même une vie en prison ; la seconde suivante, il était mort, liquidé, en train de tomber.

Weather sentit le canon bouger, et l'instant suivant elle se retrouva par terre, aveuglée. Elle ne voyait rien, n'entendait rien, elle était recouverte de quelque chose... Du sang, de la chair, de la cervelle. Elle voulut se relever, mais dérapa et retomba lourdement, elle essaya de nouveau, et Lucas arriva, la releva, et elle se mit à hurler...

Et à le repousser violemment.

30

Trois médecins qui étaient aussi des amis, penchés sur Weather, essayaient d'engager un dialogue avec elle. Elle était désorientée, physiquement et psychologiquement. Les projections de sang, d'os et de matière cervicale l'avaient affectée. Ils parlaient d'administrer des sédatifs.

« État de choc », expliqua un des policiers à Lucas. Les médecins avaient écarté Lucas car sa présence semblait aggraver l'état de la patiente. « On va la laver, la calmer, et ensuite vous pourrez la voir. »

Il s'éloigna à contrecœur et alla observer la scène du fond de la pièce. Roux arriva alors. Elle regarda le corps de LaChaise, parla au jeune sniper de l'Iowa et se dirigea vers Lucas.

« Ainsi, c'est terminé, dit-elle. Comment va Weather ?

— Très secouée. Elle a complètement flippé quand nous avons descendu LaChaise.

— Il suffit de la regarder, dit Roux avec douceur. On dirait qu'elle a littéralement pris un bain de sang.

— Oui… c'est juste… je ne sais pas. Je pense avoir bien fait, malgré tout.

— Vous avez bien fait, acquiesça Roux. Avez-vous parlé à Dewey ? »

Dewey était le nom du sniper. Lucas l'observa à l'autre bout de la salle. Le jeune gars de l'Iowa tenait son fusil à lunette au creux du bras gauche, comme un chasseur de faisans aurait tenu son fusil de chasse. Il bavardait gaiement avec le chef du groupe d'intervention spéciale. « LaChaise n'avait aucune chance de s'en tirer. Il faut que j'aille le remercier.

— Ce garçon me fiche une trouille terrible, dit Roux. Apparemment, il a trouvé tout ça très intéressant. Brûle d'impatience d'aller raconter l'histoire à sa famille. Mais le fait d'avoir tué quelqu'un de sang-froid ne semble pas du tout le perturber. »

Lucas opina, haussa les épaules et se retourna vers Weather : « Mon Dieu, j'espère... », secoua la tête. « On dirait qu'elle me hait. »

Le téléphone sonna dans sa poche. Il fouilla pour le récupérer pendant que Roux demandait : « Où en est-on avec Darling ?

— Plusieurs de nos hommes sont en train de la chercher du côté du stade. » Lucas sortit enfin l'appareil : c'était le sien. Mais la sonnerie persista dans sa poche. « Oh, oh ! s'exclama-t-il en sortant le deuxième appareil. Ce sont peut-être des mauvaises nouvelles. » Il l'alluma et lança : « Allô ?

— Ici Johnson, au central US West.

— Qu'avez-vous trouvé ?

— Le téléphone est enregistré au nom d'une certaine Sybil Guhl, agent immobilier à Arden Hills. Quarante-deux communications ont été passées ces derniers jours, à la fois professionnelles et privées...

— Donnez-moi les privées. » Johnson obtempéra de sa voix gourmée de fonctionnaire modèle.

« Il y a eu des appels à l'adresse personnelle de Daymon Harp à Minneapolis. Et à l'adresse d'un certain Andrew Stadic...

— Oh, merde !

— Je vous demande pardon ?

— Combien d'appels à Stadic ?

— Euh... neuf. C'est le numéro qui a été le plus souvent appelé. En fait, il correspond à un portable.

— Qui d'autre ? »

Il y en avait quelques-uns, mais on pouvait les écarter.

« Merci beaucoup. » Il raccrocha et regarda Roux : « Andy Stadic est notre homme.

— Nom de Dieu ! » Elle se passa la main sur les yeux, comme si cela pouvait effacer la réalité. « Envoyons une équipe chez lui.

— Il n'est pas chez lui », répondit Lucas en prenant le chemin des ascenseurs. Il regarda une dernière fois Weather, qui était assise, tête baissée, sur le brancard, entourée de médecins. Il aurait dû rester, mais il allait partir quand même. « C'est lui qui mène la chasse à Sandy Darling. »

Sandy entendit le groupe de policiers se rapprocher dans son dos. Il fallait absolument qu'elle parle à quelqu'un au téléphone avant de se livrer à eux. L'un des flics, peut-être l'un de ceux qui la poursuivaient, peut-être pas, avait le visage de celui qui figurait sur les photos dans sa poche.

S'il était sur ses traces, elle risquait de ne jamais parler. Quand elle les entendit se héler de plusieurs côtés, elle envisagea de courir jusqu'au Métrodôme, mais la rue était trop large et trop vide, et ils étaient trop proches. Elle avait laissé des empreintes derrière elle mais cela ne pouvait être évité. Elle parcourut cependant quelques mètres dans la neige fraîche, en direction du stade. En atteignant la chaussée, où la neige avait été tassée par la circulation, elle bifurqua à gauche.

Une vieille maison se dressait à une dizaine de pas, avec quatre ou cinq boîtes à lettres à côté de la porte. Derrière, un garage délabré. Pas une seule lumière aux fenêtres, mais quelqu'un venait de quitter la maison. Une double trace de pneus était visible entre le garage et la rue.

Sandy courut jusqu'à l'allée, marcha délicatement sur les traces de pneus, s'accroupit, regarda autour d'elle et souleva la porte du garage, qui bascula sans difficulté. À l'intérieur, c'était vide, hormis trois poubelles et, dans un coin, une pile de pneus usagés. Elle laissa retomber la porte, tâtonna dans le noir jusqu'aux pneus et s'assit.

Elle se sentait épuisée, comme si on l'avait rouée de coups, mais maintenant il y avait de l'espoir. Si elle pouvait mettre la main sur un téléphone…

De l'autre côté du mur, les cris des policiers qui s'interpellaient lui semblaient presque lointains, ainsi que les sirènes qui convergeaient, de plus en plus nombreuses. Elle attendit.

Stadic et deux policiers en tenue traversèrent la rue qui menait au Métrodôme. Une rampe partant du trottoir permettait d'accéder au niveau du stade. Ils l'empruntèrent, déployés en ligne. Quatre voitures étaient garées en haut dans un minuscule parking. Des empreintes de pas partaient de la rampe pour aboutir à plusieurs portes qui ouvraient sur le stade. On ne pouvait dire si quelqu'un venait de monter cette rampe.

« Protégez-vous, les gars, lança Stadic. Davenport a peut-être raison de dire qu'elle nous a aidés, mais il ne sait pas tout. Si vous tombez sur elle, tenez-vous prêts. »

Les flics acquiescèrent. En approchant des portes, ils remarquèrent que l'une d'elles était maintenue ouverte par une corbeille en plastique. « Je te parie à dix contre un qu'elle est entrée par ici », chuchota un des flics. Ils franchirent la première série de portes, puis une autre, à tambour, qui donnait sur la piste.

Personne en vue. La pelouse centrale n'était que faiblement éclairée, mais, dans les profondeurs du stade, quelqu'un faisait marcher un appareil qui résonnait comme un aspirateur géant. « Allez par là, les gars, ordonna Stadic. Et criez si vous voyez quelque chose. Elle peut être n'importe où. »

Au même instant, un des policiers, voyant quelque chose bouger derrière l'épaule de Stadic, cria : « Vous, là-bas, pas un geste ! »

Stadic pivota et distingua une silhouette dans la pénombre. Elle s'était arrêtée au milieu de la pelouse. Un autre policier cria : « Police de Minneapolis ! Ne bougez pas ! » Ils trottèrent tous les trois dans sa direction : un homme. Un gardien.

« Qu'est-ce qu'il y a ? » demanda-t-il. Il tenait une barquette réchauffée dans une main et une fourchette en plastique dans l'autre.

« Désolé, s'excusa le premier policier en baissant son arme. Vous travaillez ici ?

— Ben oui.

— Vous avez vu une femme entrer ? Qui avait l'air de se cacher ?

— J'ai vu personne d'autre que les gars qui réparent le tapis.

— Le tapis ?

— Ben oui, vous savez, l'Astroturf.

— Bon. Nous recherchons une femme. Si vous voyez quelqu'un, prévenez-nous. On va faire le tour du stade.

— Qu'est-ce qu'elle a fait ?

— Elle était avec les deux types qui ont tué des policiers, expliqua Stadic.

— Vraiment ? » C'était autre chose... « Elle pourrait être... armée ?

— On ne sait pas. Ne prenez pas de risques, dit Stadic. Si vous ou un des employés la voit, foncez vers un téléphone. » Il fit un grand geste : il y avait des téléphones tout autour du stade. Il griffonna un numéro sur une carte. « Appelez ce numéro. Ça sonnera ici directement et nous rappliquerons en vitesse. »

Le gardien prit la carte. « Je vais prévenir les autres. On n'essaie pas de l'attraper ?

— Non. Ne vous approchez pas d'elle, dit Stadic. On sait que sa sœur tirait sur les gens pour le plaisir.

— Je vais vous dire ce que je peux faire, je peux monter tout en haut et regarder ce qu'il y a en bas, proposa le gardien. Quand on est là-haut, on peut voir presque tout l'intérieur du stade.

— Parfait. Appelez-moi. » Puis, se tournant vers les autres, Stadic ajouta : « Allez par là. Vérifiez tous les escaliers, de haut en bas. Regardez dans les toilettes. Je vous retrouve de l'autre côté.

— Compris.

— Moi, je grimpe au sommet », annonça le gardien.

De temps en temps, des voitures passaient, certaines roulant vite, d'autres lentement. Sandy n'entendait que ça et la neige qui tombait en susurrant. Elle finit par se lever et retourna à tâtons vers la porte. Elle la souleva d'une cinquantaine de centimètres, s'accroupit, regarda dehors. Personne. Elle la souleva un peu plus et, se faufilant dessous, se retrouva dans la neige. Elle regarda la maison dont les fenêtres étaient toujours obscures, et le Métrodôme de l'autre côté de la rue. Elle songea à frapper à la porte de la maison. Si elle réveillait quelqu'un, elle pourrait peut-être utiliser le téléphone…

Mais il y avait forcément un téléphone en face, dans le stade. Pas de voitures en vue… Sandy traversa la rue en courant et arriva au pied de la rampe d'accès. Il y avait plusieurs traces de pneus et de pas. En les suivant, elle passa tout près d'un poteau vert encastré dans le ciment. C'était en fait une cabine téléphonique d'un design moderne, avec un téléphone suspendu sur le côté – composez le 911, c'est gratuit –, mais elle ne le vit pas.

Elle continua jusqu'à la porte, l'ouvrit, s'introduisit dans le sas vide qui sépare les sorties donnant sur l'extérieur des portes donnant sur l'intérieur du stade, et poussa la porte à tambour. Toujours personne, juste quelques traces de pas humides. En revanche, elle entendit de la musique rock, reconnut Tom Petty.

Au bout du couloir, il y avait un panneau « toilettes et téléphones ». Elle avança, tomba sur une rangée de postes. Elle en décrocha un, attendit la tonalité, composa le 911. On lui répondit immédiatement.

« Ici Sandy Darling…

— Madame Darling, où êtes-vous ?

— À l'intérieur du Métrodôme.

— Parfait. Je vous passe le commissaire Davenport, il arrive à l'instant. »

Une seconde plus tard, elle entendit un déclic. « Madame Darling ? Ici Lucas Davenport. Ce policier qui travaillait avec LaChaise, il s'appelait Andy Stadic ?

— Je ne sais pas. Ils n'ont rien voulu me dire. Ils m'ont prévenue : si je les dénonçais, le policier était payé pour venir me tuer. Mais j'ai des photos de lui, je les ai prises dans la poche de Dick.

— C'est bon. Je suis à deux minutes de vous, nous arrivons...

— Écoutez-moi. Je pense que Dick se rendait à l'hôpital où travaille votre femme. C'est là que vous devez aller d'abord.

— Dick LaChaise vient d'être tué à l'hôpital.

— Il est mort ?

— Oui.

— Merci, mon Dieu... » Elle avait parlé à voix basse, pour elle-même, mais Lucas avait entendu.

« Je suis tout près, reprit Lucas, et nous avons des renforts en route. Stadic est dans le stade en ce moment, il faut vous cacher.

— Il est dans le stade ? » Elle entendit des voix et des pas.

« Oui.

— Oh ! mon Dieu, dit-elle tout bas. Quelqu'un arrive.

— Courez, ordonna Lucas. Courez et cachez-vous. »

Sandy lâcha le récepteur et s'élança à toutes jambes dans le couloir. Deux portes ouvraient sur une cage d'escalier desservant le premier niveau de gradins. Elle tira sur l'une d'elles, sans vraiment espérer qu'elle s'ouvrirait. Pourtant, si. Elle descendit les marches menant à un océan de sièges en plastique bleu et tourna à gauche. À ses pieds, sur le terrain de football, une demi-douzaine d'hommes s'activaient sur le gazon vert foncé. Que faisaient-ils ? Elle n'aurait su dire.

Elle descendit six rangées sans que personne la remarque, se faufila entre deux sièges et s'allongea sur le dos. Pour la voir, il leur faudrait inspecter chaque rangée l'une après l'autre et elle n'avait que deux minutes à tenir. Deux minutes, c'est ce qu'avait dit Davenport. Elle crut voir quelque chose bouger dans les hauteurs, mais, quand elle concentra son regard sur l'endroit en question, il n'y avait rien.

Moins de deux minutes, se dit-elle.

Le téléphone de Stadic sonna.

« Ici le gardien, on s'est parlé…

— Ouais, ouais.

— Elle est cachée dans la troisième rangée à partir du bas, premier niveau de gradins, juste derrière les poteaux de but. »

Il la tenait.

« De quel côté ?

— Sud.

— À quoi ça correspond, bordel ? » glapit Stadic. Nord, sud, il ne s'y retrouvait pas, dans cet endroit.

« Le… hum… ah oui ! Elle est du côté opposé à celui où ils réparent le tapis.

— Retournez là-haut pour me prévenir, des fois qu'elle bougerait. » Il replia son portable et se mit à courir. S'il parvenait à la rattraper. S'il réussissait à reprendre le téléphone à Davenport. Seigneur, pour peu que LaChaise tienne l'amie de Davenport en otage, ils allaient passer la journée là-bas. Et lui, s'il mettait la main sur cette fille, il s'en sortirait.

Stadic contourna l'extrémité de la pelouse et vit des hommes déboucher de partout. L'un d'eux cria : « Sandra Darling, Sandra Darling, où êtes-vous ? »

Qui était-ce donc ? Ce ne pouvait pas être Davenport…

Il s'esquiva par la gauche et descendit les marches conduisant aux premiers gradins. Il avait fait la moitié du chemin. Il descendit trois rangées et se mit à courir en crabe. Il était sur la ligne des trente mètres, puis des vingt, des dix mètres, mais ce n'était pas fini.

Un policier en tenue surgit d'une des cages d'escalier et, le voyant, cria : « Andy Stadic ! Stadic ! Arrêtez-vous tout de suite, Andy. »

Ça y est, ils le tenaient.

Aucun doute. Mais il continua, il était presque arrivé à hauteur de la femme. Il pouvait la tuer, en tout cas. Il raconterait qu'il n'avait pas entendu, qu'il était sur le point de l'arrêter. Le 380 était toujours au fond de sa poche. S'il réussissait à le laisser tomber discrètement et que ses collègues la retrouvent avec l'arme…

Sandy entendit les policiers crier, puis quelqu'un qui heurtait les sièges. Elle risqua un coup d'œil. L'homme qui figurait sur les photos se trouvait à cent mètres d'elle, il courait dans sa direction. Il *savait* où elle se cachait. Elle se mit à ramper entre les deux rangées de sièges, atteignit l'escalier, le gravit à plat ventre en tricotant des mains et des pieds.

318

« Sandy Darling, stop ! » cria Stadic. Il leva son fusil de chasse, visa l'arrière de la tête de Sandy et pressa la détente. La détonation résonna dans le stade comme un coup de tonnerre. Il la vit s'effondrer. Était-elle tombée avant qu'il ne tire ? L'avait-il touchée ?

Quelqu'un poussa un cri. Il se retourna, pris de vertige, un policier tira une fois, un siège vola en éclats dans son dos.

C'est alors qu'il vit la femme disparaître dans l'escalier. Il s'élança derrière elle, quelqu'un lui tira une nouvelle fois dessus, mais il s'était déjà volatilisé.

La femme, il n'avait que ça en tête. Si seulement il pouvait la rattraper. Il oublia le téléphone, il ne pensait plus qu'à la petite silhouette s'échappant dans l'escalier.

C'était *ça*, le problème : *la femme*.

Davenport apparut, masse imposante, les cheveux dressés sur le crâne comme si on venait de les ébouriffer délibérément, les pans de son long manteau noir lui battant les jambes. Il se dressait à une trentaine de mètres, pistolet au poing. « Stadic, bordel ! »

Mais Andy Stadic avait trop de nuits sans sommeil derrière lui, il était au bord du gouffre. Stadic était enfermé dans sa logique obsessionnelle. Trouver la femme. Il pointa le fusil sur Davenport et pressa la détente une, deux, trois, quatre fois, jusqu'à ce que le magasin soit vide. Lucas se laissa tomber et les gerbes de plomb allèrent ricocher sans dommage sur les sièges, vingt mètres plus loin. Il ne l'avait même pas effleuré. Des policiers, dans le fond, tirèrent trois coups de feu et le manquèrent.

Stadic ne leur prêta aucune attention. Il lâcha le fusil, sortit son pistolet, un Glock 9 mm, et monta les marches en courant à la poursuite de la femme.

Dans la cage d'escalier, il vit du sang.

Une goutte sur le ciment, puis d'autres. Il l'avait touchée. Il suivit le sang : elle était montée au niveau du dessus. Quelqu'un cria dans son dos : « Stadic ! Stadic ! »

Ce n'était pas Davenport mais un autre flic.

Il était si près du but.

Sandy était blessée. Elle ne savait pas si c'était par les plombs du fusil ou des échardes de plastique arrachées aux sièges, mais sa hanche, sa cuisse et son mollet droits perdaient du sang. Le dos aussi, peut-être. Il lui faisait mal, une douleur cuisante, comme une coupure.

Elle ressortit au deuxième niveau et vit une cabine de télévision sur sa gauche. Se cacher, absolument. Elle y courut. La porte était bloquée. Elle repartit dans l'escalier, envisageant de se cacher une seconde fois entre les rangées, et remarqua que la fenêtre de la cabine était ouverte. Montant sur le dossier d'un siège, elle se hissa à l'intérieur.

Ce n'était pas une cabine de commentateur, mais un poste de cameraman. Vide, en dehors d'un lourd trépied. Il n'y avait pas de matchs éliminatoires cette année. Elle s'accroupit sous la fenêtre et écouta les policiers crier de toutes parts dans le stade.

L'idée revenait comme une ritournelle dans la tête de Stadic : attrape la femme, merde à Davenport. Attrape la femme dès que possible.

Il courut jusqu'en haut de l'escalier, s'arrêta pour chercher les traces de sang. Entendit les autres flics crier dans son dos : « Où est-il allé ? Descendez sur cette putain de pelouse... je crois qu'il est remonté... »

Là, du sang. C'est ça, elle est en haut.

Il suivit la trace, risqua la tête hors de la cage d'escalier, entendit un flic brailler à l'autre bout : « Il est là-bas ! Il est monté tout en haut ! »

Lucas gravit des marches en courant, s'arrêta au sommet, regarda autour de lui. Stadic se trouvait dans l'escalier suivant, armé d'un pistolet. Lucas passa la tête dehors et cria : « Andy, laissez tomber, mon vieux.

— Va te faire foutre, Davenport ! » Stadic pivota et tira. « C'est de ta faute, tout ça. »

Quelqu'un hurla : « Il est touché, il est tombé ! »

Stadic retourna d'un bond dans la cage d'escalier, attendit une seconde, ressortit brusquement, et le toucha. En entendant les cris des autres policiers, Lucas était sorti de la cage où il se trouvait pour courir vers lui. Stadic avait levé son arme, tandis que Lucas tenait la sienne sur le côté, occupé qu'il était à courir entre les étroites rangées de sièges. Stadic tira. Davenport trébucha et s'effondra entre les fauteuils.

Quand elle entendit le cri de Lucas, Sandy dressa la tête et regarda. Stadic était à une vingtaine de pas, Davenport derrière lui : elle le reconnut pour l'avoir vu à la télévision, c'était toujours un drôle de choc de constater que l'image télévisuelle correspondait à quelqu'un de réel. Puis Stadic tira, et Davenport trébucha et tomba.

Prise de panique, Sandy inspecta la cabine et vit le trépied. La caméra était fixée à l'extrémité d'un cylindre d'acier, qui disparaissait dans une lourde base métallique, maintenu par deux colliers que bloquaient des boulons. Elle défit les boulons et détacha le cylindre de sa base. Il s'agissait d'un tuyau d'acier chromé d'un mètre vingt de long et de quatre centimètres de diamètre. Elle l'empoigna comme une batte de base-ball et le souleva.

Stadic se figea après avoit tiré sur Davenport. Sonné. Il venait de tuer un policier, nom de Dieu. Il resta une seconde en contemplation devant son pistolet. Et s'il leur disait que c'était Davenport le coupable, que Davenport lui avait tendu un piège…

Le regard vitreux, il repartit vers les traces laissées par la femme. La piste sanglante…

La tête de Lucas heurta violemment un des sièges de plastique bleu quand il bascula sur le côté. La balle l'avait manqué, il n'avait même pas eu le temps d'y penser mais, maintenant, il se sentait étourdi, désorienté, et il avait du mal à se relever.

La piste sanglante conduisait à la porte d'une cabine de télévision, puis elle repartait et montait vers la fenêtre.

« Andy, Andy… » Des policiers en tenue, séparés de lui par la moitié du stade, lui tiraient dessus. Stadic leva les yeux vers la fenêtre, grimpa sur le dossier du siège, se hissa... Une balle égratigna son manteau, une autre sa nuque, et il tomba.

« Andy... ? »

Était-ce Davenport ? Il se dressa comme un ressort, pistolet en main, vit Lucas de nouveau, tira rapidement, et Lucas s'affaissa.

Il releva les yeux. Bon Dieu, cette fenêtre était juste là. Il avait du sang sur la main, sur le cou, du sang partout, poisseux, glissant...

D'un bond, il attrapa le cadre de la fenêtre et se souleva à la force des bras, entendant les policiers qui hurlaient : « Andy, Andy, Andy ! » véritable acclamation du stade, ils lançaient des hourras pour Andy Stadic.

Il se hissa jusqu'à la fenêtre avec ses mains qui glissaient.

Sandy l'attendait, les yeux baissés vers lui.

Sandy l'entendit gratter la paroi de la cabine, vit sa main saisir le cadre de la fenêtre, le vit tomber. Il y eut d'autres coups de feu mais il se releva et, fonçant tel un gorille, escalada la paroi de la cabine comme l'aurait fait King Kong.

À la maison, c'était toujours Sandy qui fendait le bois pour approvisionner le poêle. Elle adorait ça, elle aimait sentir le jeu de ses muscles.

Et maintenant, il y avait cet homme couvert de sang qui venait la tuer. Un homme qu'elle ne connaissait pas, qui grimpait vers elle, une arme à la main.

Elle frappa avec le cylindre d'acier de tout son cœur : elle le fit pour Elmore, pour toutes les fois où Martin et LaChaise l'avaient battue, pour la peur éprouvée sur le rebord de la fenêtre. Elle l'abattit comme s'il s'agissait d'un merlin de bûcheron.

Stadic leva les yeux. Vit le coup venir. N'eut qu'une ultime seconde pour lâcher le cadre de la fenêtre.

À genoux, Lucas leva son arme en pensant : *Un gilet, il porte un gilet pare-balles...*

Le viseur traqua la nuque de Stadic au moment où sa tête arrivait à la hauteur du cadre... et Sandy se dressa devant lui. Lucas releva le canon de son fusil, craignant de la toucher...

Il vit le cylindre d'acier s'abattre.

Entendit le craquement.

Vit Stadic s'effondrer comme un tas de chiffons.

Il n'y avait plus un bruit dans le stade. Tout le monde s'était arrêté, les ouvriers, les policiers. Lucas. Sandy. Le corps de Stadic, recroquevillé parmi les fauteuils bleus.

Après une pause qui sembla durer une éternité, le monde se remit en mouvement. « Vous pouvez descendre, dit Lucas à Sandy alors que tous les policiers accouraient vers eux. Vous ne risquez plus rien, désormais. »

31

Sandy Darling reposait sur son lit d'hôpital, fatiguée, pâle, mais sans blessure grave. Son problème le plus urgent était son pied gauche, enchaîné au montant du lit. Elle pouvait s'asseoir, bouger, mais elle ne pouvait pas se tourner sur le côté. La simple présence de cet anneau de métal lui donnait irrésistiblement envie de rouler sur le flanc et, comme ce n'était pas possible, une violente sensation de claustrophobie.

Elle avait parlé à l'avocat. Il disait que le procureur de Hennepin County allait peut-être l'inculper, sauf si elle avait dit la vérité. Elle était une victime, pas une criminelle.

Globalement, Sandy avait dit la vérité, à quelques mensonges près, des mensonges qui avaient leur importance. Elle avait raconté qu'elle n'avait pas vu les deux garçons avant que Butters vienne la chercher pour l'emmener panser la blessure de LaChaise. Après l'arrivée de Butters, elle avait perdu toute liberté de mouvement. Elle avait essayé de s'échapper par tous les moyens possibles.

Restait le problème des empreintes de LaChaise et autres traces dans la caravane Airstream... Or personne – personne de vivant – en dehors de Sandy ne savait qu'il y avait séjourné. D'ailleurs, ils ne devaient pas être plus de cinq, dans le monde entier, à connaître l'existence de l'Airstream. Et même si les flics trouvaient l'Airstream et prenaient la peine d'y relever des empreintes, elle pourrait toujours accuser Elmore d'avoir coopéré. Sinon, quand elle serait libre, elle attendrait quelques jours avant de se rendre à la caravane, munie de vieux chiffons et d'un bidon de détergent.

Et elle allait sortir – d'ici deux jours, avec un peu de chance, avait promis l'avocat.

Sandy roula sur le côté, sentit la chaîne tirailler, regarda par la fenêtre. Elle pouvait voir un toit couvert de neige et une centaine de mètres de rue anonyme.

Elmore. Elmore allait lui poser un problème, elle le sentait. La culpabilité qu'elle éprouvait à son égard était plus profonde, plus indélébile qu'elle ne l'aurait cru. Elmore disparu hantait ses pensées, bien plus qu'il ne l'avait fait de son vivant.

Elle en avait glissé quelques mots au médecin. Il avait répondu que la douleur était naturelle, qu'elle subsisterait, mais que l'on pouvait s'en accommoder et qu'elle finirait par disparaître.

Peut-être, peut-être pas.

Seigneur, si seulement je pouvais sortir…

Elle avait envie d'être dehors, de faire travailler les chevaux. C'était une belle période de l'année si on aimait les bois du Nord, les clôtures blanches du manège, les arbres sombres se détachant sur la neige.

Les chevaux auraient dû être dehors à cette heure, en train de galoper sur la colline, une couverture sur le dos, des jets de buée leur sortant des naseaux.

Sandy Darling ferma les yeux et commença à compter des chevaux.

Les policiers en civil étaient rassemblés dans la salle de la brigade criminelle, qui n'était pas assez grande, échangeant des chuchotements comme des parents affligés lors d'une veillée funèbre. Ils parlaient surtout du jeune gars de l'Iowa et de son fusil.

Et de Stadic, bien sûr.

Stadic était beaucoup mieux mort que vivant, tout le monde en convenait. Déjà, les juristes amateurs argumentaient : jamais un tribunal ne l'aurait reconnu coupable. Qu'allait-il advenir de sa pension ? Est-ce que son ex-femme et son enfant pourraient en bénéficier ?

« Andy était un salopard obsédé par l'argent. Il se plaignait toujours de ne pas en gagner assez, dit Loring. Le seul truc auquel il ait jamais pensé, c'était le fric. C'est pour ça que sa femme l'a quitté. Mais je ne l'aurais jamais cru capable de… »

Lester entra dans la salle, s'éclaircit la gorge et commença : « Écoutez-moi, tout le monde. C'est fini. Ceux qui n'ont pas de témoignage à faire et qui ne sont pas de service peuvent rentrer chez eux.

325

Finissez vos courses de Noël. Et procurez-vous ces putains de formulaires d'heures supplémentaires. Celui qui choisira des heures de repos plutôt que de l'argent, je lui lécherai le cul et lui serrerai personnellement la main...

— En même temps ? »

Quelques rires dans la salle.

Un détective des Mœurs demanda : « Et pour Stadic ?

— Quel est le problème ?

— C'est-à-dire... nous étions en train d'en parler... qu'est-ce qui va se passer ?

— Ah, merde ! dit Lester. Ne commençons pas avec ça. On va avoir du fil à retordre avec le procureur.

— Et pour Harp ? demanda un autre, qui travaillait aux Stups.

— Nous recherchons Harp. Et faites bien attention à ça : si quiconque, en dehors du chef ou du maire, parle d'Andy Stadic à la presse, c'est son droit en vertu du Premier Amendement. Mais nous, on lui coupera les couilles avec un tournevis bien aiguisé.

— Dites, est-ce que ça va passer sur *Cops* ? »

Sloan et Sherrill trouvèrent Lucas assis dans une salle d'attente de l'hôpital universitaire. Il étudiait une liasse de papiers réunis dans un dossier marron.

« Qu'est-ce qui se passe, mec ? » s'inquiéta Sherrill en passant la tête dans l'embrasure.

Lucas referma le dossier : « Rien... j'attends. »

Prenant cela pour une invitation à entrer, ils s'assirent en face de lui ; Sloan demanda : « Tu as vu Weather ?

— Elle va bientôt se réveiller. J'attends qu'on me laisse entrer.

— Est-ce qu'elle a parlé à quelqu'un ?

— Oui, mais elle est perturbée. Elle a réellement l'air... blessée. Je crois que je lui ai fait du mal. »

Sloan secoua la tête.

« Non, tu ne l'as pas blessée. Tu as fait ton devoir. »

Exaspérée, Sherrill intervint : « Allons, Sloan, ça ne sert à rien.

— Quoi ?

— Ce sont des clichés. Tu lui as peut-être fait du mal, effectivement, ajouta-t-elle en se tournant vers Lucas. Tu devrais y réfléchir.

— Oh, Seigneur ! gémit Sloan.

— Ce qui me tracasse, expliqua Lucas, c'est que c'est entièrement de ma faute. Je n'ai pas vu qu'il s'agissait de Stadic. Si j'avais pensé à lui, nous les aurions tous pris vivants.

— Allons, Lucas ! s'impatienta Sloan. Comment aurais-tu pu deviner que c'était Stadic ? Il t'a sauvé la vie, avec Butters.

— Tu te souviens, quand nous nous apprêtions à aller arrêter ce pauvre Arne Palin ? Nous parlions devant la porte, Franklin, toi et moi. Et Lester était là, ainsi que Roux. Stadic est arrivé, et Franklin a dit qu'il voulait s'arrêter chez lui pour prendre des affaires de sa femme. Une heure plus tard, il tombait dans une embuscade.

— Lucas...

— Écoute-moi. Après ça, je me suis précipité à l'hôpital en me demandant : comment ont-ils su qu'il rentrait chez lui ? Comment pouvaient-ils le savoir ? Ils n'allaient pas rester planqués devant sa maison vingt-quatre heures sur vingt-quatre, juste à attendre qu'il se pointe. Pourquoi l'auraient-ils fait ? On avait annoncé à la télévision que tout le monde était en sécurité à l'hôtel... Eh bien ! ajouta Lucas en pointant l'index, la réponse était sous mes yeux. Stadic le leur avait dit. C'était le seul à pouvoir le faire.

— C'est facile à dire quand on y réfléchit maintenant, intervint Sherrill. Sur le moment, personne ne pouvait penser une chose pareille.

— Moi, j'aurais dû y penser, persista Lucas.

— Tu es en train de t'apitoyer sur toi-même, dit Sloan. Arrête de te torturer l'esprit.

— Et, puisque je n'ai pas été capable de deviner la vérité... enfin, je ne vois pas comment j'aurais pu agir autrement, à l'hôpital. » Il écarta les mains, regarda autour de lui comme si la réponse pouvait être inscrite sur les murs, se tourna vers Sherrill et Sloan : « Je suis là, à me demander ce que j'aurais pu faire d'autre, et je ne trouve rien. C'était la meilleure chance de la garder en vie, compte tenu de ce que nous savions. Car tout ce que nous savions indiquait sans hésitation que LaChaise était fou.

— Absolument, confirma Sloan.

— À ce que j'ai compris, d'après ce que Weather a raconté aux médecins, elle a passé tout ce moment à convaincre LaChaise qu'il devait chercher à rester en vie... c'est-à-dire qu'elle aussi devait rester en vie. Et ça a marché. Ils allaient s'en sortir tous les deux quand... boum ! Il a été pulvérisé, elle a flippé.

— Ça a dû te faire un certain effet, admit Sherrill.

— Quel genre d'effet ? s'indigna Sloan. C'était un monstre. Se faire descendre comme ça, c'était encore trop bon pour lui.

— Elle ne voit peut-être pas les choses de cette façon, objecta Sherrill.

— Eh bien… » Sloan détourna les yeux. « Alors, qu'est-ce que tu es censé faire ?

— Je ne sais pas. » Lucas changea de sujet. « Tu as vu Del ?

— Oui. Ça va lui faire un mal de chien pendant un moment. Ce n'est pas qu'il soit si gravement blessé que ça, tu vois, mais il souffre horriblement.

— Sa femme est furax, expliqua Sherrill. Elle dit qu'on aurait dû mettre plus de monde là-haut pour le protéger.

— Elle a raison.

— Et où en est Sandy Darling ? demanda Sloan. Il paraît qu'elle a parlé.

— Oui. » Lucas avait passé près d'une heure à écouter l'interrogatoire à Hennepin General, avant de se rendre au CHU. « En gros, elle a été kidnappée.

— Qui a tué son mec ?

— Elle n'en a aucune idée. Selon elle, ce n'est ni LaChaise ni Butters ni Martin.

— Stadic, alors ? demanda Sherrill d'une voix étouffée.

— Je pense. Il essayait d'éliminer tout le monde. Il a obtenu le numéro d'immatriculation du camion de Darling je ne sais comment, et a retrouvé leur adresse. Il devait penser qu'ils se cachaient tous là-bas et il y est allé pour s'en débarrasser. S'il voulait s'en sortir, il fallait qu'ils soient tous morts. C'est ce qui serait arrivé si Sandy Darling n'avait trébuché dans le stade à cause de ses foutues bottes de cow-boy, grâce à quoi elle est tombée la tête la première.

— C'est une histoire incroyable, dit Sloan. Mais on peut quand même se demander ce qu'il y a de vrai là-dedans.

— Une grande partie, sans doute, répondit Lucas. Mais elle dit peut-être la vérité. Il y a deux ou trois détails qui vont dans ce sens : pendant qu'ils attaquaient l'hôpital, selon elle, elle était enchaînée à un pilier dans le garage de Harp. Effectivement, il y a une chaîne autour du pilier, et deux cadenas, comme elle l'a dit, et on a relevé des traces de peinture manquante sur le pilier et sur la chaîne, comme si quelqu'un avait tiré dessus. Comme il y a plein de traces de doigts sur la chaîne, on va savoir si elle l'a empoignée. Je crois que oui. Elle dit aussi qu'elle a essayé de s'enfuir par la fenêtre, chez Harp. Elle aurait marché sur le rebord et descendu l'échelle de secours, mais la trappe était bloquée. On a trouvé des empreintes sur la fenêtre, et la trappe est effectivement bloquée – en fait, quelqu'un a posé un verrou, ce qui est interdit, mais personne ne peut le voir. Donc elle n'a pas menti. Et puis, pour marcher pieds nus dans la neige sur un rebord de fenêtre, il faut être drôlement désespéré. Et aussi, quand elle a appelé du stade, elle ignorait que tout était fini à l'hôpital, puisqu'elle m'a averti que LaChaise allait s'en prendre à Weather…

— Bon, d'accord, ça la disculpe », dit Sloan. Il se leva, bâilla et ajouta : « Le plus important, c'est que tu prennes soin de *toi*.

— Je dois prendre soin de Weather, voilà surtout ce que j'ai à faire.

— Non, personne ne peut prendre soin de Weather en dehors d'elle-même. Tu dois d'abord t'occuper de toi.

— Bon Dieu, Sloan ! s'écria Sherrill qui commençait à s'énerver. Tu sais très bien ce qu'il veut dire… »

Sloan ouvrit la bouche mais la referma aussitôt : quelques années plus tôt, Lucas avait eu une dépression nerveuse et, depuis, Sloan considérait son ami comme un peu… *fragile*. Ce n'était pas tout à fait le terme : en équilibre précaire, peut-être. Il n'insista pas : « Bon… »

Une infirmière apparut. Elle repéra Lucas et dit : « Weather est réveillée. »

Lucas se leva d'un bond et lui emboîta le pas. « On se voit tout à l'heure ! »

Weather avait une chambre individuelle. Lucas la trouva debout, vêtue d'une chemise de nuit de l'hôpital, en train de fouiller dans un placard. Son visage exprimait un sentiment d'urgence.

« Weather… »

Elle sursauta, se retourna. En le voyant, son expression s'adoucit. « Oh, mon Dieu, Lucas… » Elle lui tendit les bras.

« Comment te sens-tu ? demanda-t-il en la saisissant et la soulevant du sol.

— Si tu ne m'étouffes pas, je m'en sortirai sans doute. »

Il la reposa. « Sans doute ?

— Quand ils m'ont mise sous sédatifs, ils m'ont convaincue de passer cette ridicule chemise de nuit. » Elle attrapa un pli et le souleva légèrement, comme pour faire une révérence. « Tous les toubibs de ma connaissance sont venus me voir, et ils ont tous vu mes fesses.

— C'est bien de toi : illuminer le quotidien de chacun.

— Il faut absolument que je l'enlève, dit-elle en se remettant à fouiller dans le placard. Ferme la porte. »

329

Ce qu'il fit. Pendant qu'elle lançait sur le lit la chemise de nuit roulée en boule, il insista : « Allez, maintenant, arrête de me raconter des histoires. Comment te sens-tu, pour de vrai ? »

Occupée à enfiler un chemisier, elle s'arrêta brusquement : « Je suis… toute retournée, en fait. C'est très étrange. » Elle se frotta les tempes en levant les yeux vers lui, puis son regard glissa par-dessus son épaule, se fixa dans le vide. « Je vais très bien, je pense à tout autre chose et puis, soudain, je me retrouve dans ce couloir, avec cet homme, et tu te dresses devant, là, et… »

Elle frissonna.

« N'y pense plus.

— Je n'y pense pas. Je refuse d'y penser. Mais c'est comme si… comme si quelqu'un me brandissait l'image sous les yeux. Ça arrive sans prévenir, boum !

— Choc posttraumatique.

— C'est aussi ce que je pense. D'un autre côté, je n'ai jamais vraiment cru que ça existait, jusqu'à aujourd'hui. Je croyais que les gens à qui ça arrivait étaient… des mauviettes.

— Ça va disparaître. Tu sais, dans le couloir, j'ignorais où vous en étiez, LaChaise et toi, je ne pouvais pas prendre de risque parce qu'il n'y avait pas moyen de savoir.

— J'ai bien compris. Et puis, c'était de ma faute, au départ. Je n'aurais pas dû être là. Quand il est entré dans la salle d'opération, je me suis vue morte. J'ai pensé qu'il allait me tuer sur-le-champ, et tous mes amis, les gens qui étaient avec moi aussi. Je me suis sentie *idiote…*

— Avec les cinglés, on ne peut jamais savoir, dit Lucas. Rien n'avait de sens, dans tout ça. »

Weather continua d'évoquer la scène : « Et puis, il a commis une erreur fatale. Je ne m'en suis pas rendu compte sur le moment parce que nous parlions si… naturellement, mais maintenant, je le vois : il s'était enfermé, par ses actes, par son attitude, dans une position où toutes les solutions étaient radicales, sans échappatoire. Aujourd'hui, je ne suis plus si sûre qu'il se serait rendu. À ce moment-là, je l'ai cru. Non, j'en étais *sûre*. Plus maintenant. Pendant que nous parlions, il n'arrêtait pas de changer d'avis, comme… comme…

— Un enfant.

— C'est ça… enfin, pas tout à fait. Comme un enfant dément. »

Elle avait prononcé ces mots devant la fenêtre, en regardant les arbres au bord du Mississippi. Quand elle se retourna brusquement, son regard n'était plus vague : « Et toi ? On a appris pour le policier, qu'il avait été tué et que tu étais présent... tu vas bien ?

— Oh ! oui, je vais très bien. » Il la tenait par les épaules, les bras tendus, et scrutait son visage. Elle semblait si alerte, si présente, si normale, elle avait l'air tellement *bien* qu'il éclata de rire.

« Qu'est-ce qu'il y a ? demanda-t-elle, s'efforçant de sourire.

— Rien. » Il la prit dans ses bras, la souleva de nouveau. « Enfin, tout. Surtout cette chemise de nuit qui découvrait tes fesses.

— *Lucas...* »

Robert Daley
Trafic d'influence, 1994
En plein cœur, 1995
La Fuite en avant, 1997

Daniel Easterman
Le Septième Sanctuaire, 1993
Le Nom de la bête, 1994
Le Testament de Judas, 1995
La Nuit de l'Apocalypse, 1996

Allan Folsom
L'Empire du mal, 1994

Dick Francis
L'Amour du mal, 1998

James Grippando
Le Pardon, 1995
L'Informateur, 1997

Colin Harrison
Corruptions, 1995
Manhattan nocturne, 1997

A. J. Holt
Meurtres en réseau, 1997

John Lescroart
Justice sauvage, 1996

Judy Mercer
Amnesia, 1995

Junius Podrug
Un hiver meurtrier, 1997

John Sandford
Le Jeu du chien-loup, 1993
Une proie en hiver, 1994
La Proie de l'ombre, 1995
La Proie de la nuit, 1996

Tom Topor
Le Codicille, 1996

Michael Weaver
Obsession mortelle, 1994
La Part du mensonge, 1995